THÉÂTRE COMPLET
DE SOPHOCLE

SOPHOCLE

THÉATRE
COMPLET

Traduction, préface et notes
par
Robert Pignarre

GF-Flammarion

© 1964 by GARNIER FRÈRES, Paris.
ISBN 2-08-070018-9

INTRODUCTION

I

LA VIE DE SOPHOCLE

En dehors de son œuvre, qui nous fait peu de confidences, les témoignages [1] dont nous disposons ne nous aident guère à nous former de Sophocle une idée qui réponde à cette œuvre. Il s'en dégage une figure d'artiste surtout occupé de son art et qui ne mêle à la vie de son temps qu'un personnage aimable, sociable, pieux, « un bon citoyen dans le sein de sa ville », heureux, sage économe de son bonheur, le parfait exemplaire des grâces et des vertus d'Athènes à son apogée. On dirait que l'aptitude à exprimer l'essence tragique des choses lui a été donnée par un caprice des dieux. Sa destinée s'enveloppe d'un lumineux mystère à nos yeux de modernes toujours curieux du chemin qui va de l'expérience intime à la création poétique. Sa carrière suit la courbe du siècle, et cependant il apparaît moins directement qu'Eschyle et qu'Euripide lié à l'histoire morale de son époque. Il est notable qu'Aristophane, dans l'admirable débat des *Grenouilles*, le laisse en dehors de ce conflit de générations qui oppose l'ami des sophistes à l'ancien combattant de Salamine. Certes, les tristesses des trente dernières années projettent leur ombre sur son œuvre. Mais la mélancolie qui assombrit les compositions de sa vieillesse, bien qu'elle tienne pour une part au désenchantement que l'âge apporte avec soi, ne réussit pas à leur ôter leur caractère d'impersonnalité sereine.

Constructeur et peintre, il maintient, de ses héros à lui, la distance du présent au passé, du réel à la fable. Le contraste est vif avec l'intelligence agile et subversive qui fait Euripide si proche de nous. Mais il n'y a point pour l'esprit humain d'envergure universelle. Chez un Gœthe, le tragique est naturellement dépassé, écarté; on sent l'inaptitude à se placer « au centre de misère », et à s'y tenir. Le lieu de Sophocle, c'est celui où grandeur et misère se recoupent. Il doit nous suffire qu'il ait été merveilleusement organisé pour saisir la condition humaine dans ce qu'elle a de plus général, sans qu'intervienne rien qui ressemble à un point de vue personnel.

Il est né à Colone, aux portes d'Athènes. En 406, quand il mourra dans Athènes, nonagénaire, il ne l'aura jamais quittée qu'en service commandé. Entre sa patrie et lui, pas l'ombre d'un dissentiment, pas un soupçon d'ingratitude ou de désaffection.

Il est issu de famille plus qu'aisée. Bien qu'il ait perdu de bonne heure son père, patron d'une fabrique d'armes, il reçoit les leçons des meilleurs maîtres, il remporte tous les prix. Il a seize ans au lendemain de Salamine, il est très beau, c'est lui qui conduit autour du trophée le chœur des adolescents pour le péan de la victoire.

Eschyle a fait jouer *les Perses* en 472. Quatre ans plus tard, lorsque Sophocle est couronné pour la première fois, la journée de l'Eurymédon, réplique de Mycales, vient de réduire à néant les forces barbares qui tenaient encore la mer. Athènes s'est bâtie des remparts avec les pierres de ses décombres. Elle prend conscience à la fois de son appétit de puissance et de sa mission universelle. Sophocle a vingt-huit ans. Plutarque nous assure que c'était son premier concours et que c'est d'Eschyle qu'il triompha. Dans la tétralogie qu'il présenta, figurait un *Triptolème*, « mystère » éleusinien, sujet eschylien par excellence. Il ne nous en est parvenu que quelques vers : trop peu pour apprécier dans quelle mesure l'originalité du disciple commençait à se dessiner.

Sophocle fut vainqueur dix-huit fois ou peut-être vingt-quatre. Il ne fut jamais classé troisième. Comme on a recensé sous son nom plus de cent vingt pièces, s'il en présenta chaque fois un ensemble de quatre, il subit l'épreuve environ trente fois. La proportion de ses victoires est donc des trois aux quatre cinquièmes. Il s'en faut qu'Eschyle atteigne cette moyenne. Quant à Euripide, il ne triompha que cinq fois en dix-huit concours.

Sophocle remplit des fonctions publiques réservées aux citoyens de la première classe. S'il ne fut archonte, on le

trouve, en 443, *hellénotame*, c'est-à-dire un des dix admi-
nistrateurs, élus pour un an, du trésor fédéral. En 440, il
prend part comme stratège à l'expédition dirigée par
Périclès contre Samos révoltée. En 415, devant Syracuse,
le voilà stratège encore, au côté de Nicias. Enfin, en 411,
il siège, à Colone même, dans le collège des Proboules. Au
témoignage de son ami le poète Ion de Chios, il se mon-
trait un magistrat peu habile et peu actif. Si fort qu'il tînt à
son principe que, dans une démocratie éclairée, on trouve
« chez les mêmes hommes l'aptitude à gérer les affaires
privées et les affaires publiques », Périclès dut en convenir.
Il lui en faisait amicalement reproche. Il était le plus
jeune des deux, mais le plus sérieux. A cela près, entre
le poète et l'homme d'Etat, la sympathie se fondait sur
des affinités : tous deux réfléchis, pondérateurs de forces,
amateurs d'équilibres difficiles, à la fois créateurs et
assimilateurs, différemment mais également curieux
des ressorts humains, et portés à voir dans l'exercice lucide
de la volonté la marque de la grandeur.

Dans les souvenirs d'Ion se silhouette un Sophocle
anacréontique, un peu épaissi par la cinquantaine et
admirateur assez entreprenant de la beauté incarnée dans
le type le plus prisé des Grecs, celui des adolescents.
A-t-il eu une vie passionnelle très riche ? Sans faire trop
d'état de passages bien connus de son œuvre et de certains fragments [2], le propos rapporté par le vieux Céphale
à Socrate serait propre à le faire croire. La figure de Déjanire atteste une connaissance bien fine du cœur fémi-
nin. Le jeune Racine en avait été frappé. Mais il faut
toujours, avec Sophocle, revenir à cette règle de mesure :
tout lui est bon qui enrichit son expérience sans gêner sa
liberté d'artiste.

Dans la société de Périclès, il lui fut donné d'écouter
Anaxagore et Protagoras. Les hardiesses de ces esprits
forts le trouvaient, dit-on, en défense. Peut-être préfé-
rait-il les propos d'un praticien comme Phidias ; mais nul
commerce intellectuel ne lui était plus agréable que celui
d'Hérodote, grand explorateur des pays et des temps,
collectionneur de légendes, d'usages étrangers, de faits
humains de toute sorte.

On le louait pour sa piété. Sensible à la poésie des
mythes et des rites, il acceptait les traditions sans abuser
contre elles de la liberté qu'elles laissaient à son intelligence. S'il fut ou non initié aux cultes d'Eleusis, ce
n'est pas les fragments conservés de son *Triptolème* qui

permettent de l'affirmer. L'eût-il été qu'il n'y a pas lieu
d'exagérer la portée du fait : l'initiation n'avait pour but
que de rassurer les adeptes sur leur destinée personnelle
dans l'au-delà. Il y a loin de cette assurance, garantie par
l'observance d'un formulaire, à une disposition mystique
affectant profondément la vie intérieure. Le poème tragique laisse paraître, devant le mystère de la destinée,
un étonnement à la fois douloureux et respectueux.
La défiance que Sophocle nourrit à l'égard de la raison
empêche son amertume de tourner à la révolte. On dit
qu'il devint tout à fait dévot sur son automne [3]. C'est
pourtant dans ses œuvres de vieillesse que son idéal
héroïque semble buter contre le pessimisme. Faut-il
croire que la crise politique et morale qui se déclare
dans la cité aux approches de la guerre du Péloponnèse
a retenti dans sa vie intime ?

Bien avant 430, l'horizon s'était assombri. Au-dehors,
menaces de guerre ; à l'intérieur, scandales avant-coureurs
des catastrophes ; coup sur coup, procès de Phidias,
poursuivi pour malversations, d'Anaxagore, puis d'As-
pasie, pour impiété. C'est Périclès, à travers ses amis, qu'on
vise. Au printemps de 431, prenant l'offensive sur mer,
Athènes laisse ravager l'Attique. Et cela recommence
l'année suivante. Dans la ville aux rues tortueuses et sales,
encombrées de réfugiés, la peste se déclare. Périclès doit
se démettre, condamné à son tour pour détournements.
Il ne rentrera en grâce qu'à la veille de sa mort.
    Dans cette démocratie déjà décadente, il y a pléthore
d'intellectuels, les faux discréditant les vrais. C'est la
grande époque des orateurs et des sophistes ; c'est le
triomphe des « nuées ». Bataille d'idées sur l'agora,
bataille d'idées sur le théâtre transformé en tribune. Tout
est remis en question, et la politique dissociée de la
morale ; la dévotion à la patrie s'affaiblit. En face d'Euripide et de son scepticisme raisonneur, on imagine volontiers un Sophocle se donnant mission de maintenir l'image
de l'homme grec des anciens jours. Son théâtre rappelle
que la condition humaine est une condition tragique : le
temps brasse et transforme toutes choses ; le héros n'a
guère de prise sur son destin ; seule, la majesté de ses
souffrances lui rend témoignage. Sagesse stoïquement
désespérée, qui conseille la soumission aux lois univer-

selles en reconnaissant que l'humanité n'est qu'un épisode à la surface de l'univers.

A partir de 413, la situation s'aggrave. Sparte occupe Décélie, à l'entrée de l'Attique, opérant razzias sur razzias ; les esclaves désertent ; le travail a cessé aux mines du Laurion ; les difficultés financières se font angoissantes. C'est alors (en 411) que fut créé le collège des Proboules, dont Sophocle fut membre. Chargé de promouvoir une politique d'économies et d'armement, ce conseil tenta d'en finir avec les institutions démocratiques ; il prépara les voies aux Quatre-Cents, lesquels, s'étant mués de corps électoral en assemblée de gouvernement, essayèrent de traiter à tout prix avec Sparte. Au dire d'Aristote, Sophocle s'avoua déçu. « Il n'y avait rien de mieux à faire », disait-il en manière d'excuse. Les Quatre-Cents furent bousculés à leur tour par la réaction populaire. Quelques victoires dans l'Egée firent un moment illusion, mais le procès des généraux, après la bataille des Arginuses, révéla une Athènes si profondément divisée contre elle-même que nul espoir n'était plus permis.

Les dernières années de Sophocle furent attristées par des querelles de famille. De son épouse légitime, Nicostrate, il avait eu plusieurs enfants (Iophon, l'aîné, fut un médiocre écolier dans l'art paternel) et une certaine Théôris de Sicyone, entrée dans sa vie sur le tard, lui donna un fils, Ariston, autre pâle épigone et père de Sophocle le Jeune, qui ne brilla guère plus. Entre les héritiers de l'un et de l'autre lit, c'était à qui exploiterait ou la gloire ou les biens du vieillard. On voulut même le mettre en tutelle, comme n'ayant plus sa tête. C'est alors, si l'on en croit la légende, qu'il aurait lu devant les juges le fameux chœur d'*Œdipe à Colone* (v. 668 sqq.).

On ne lui connaît point de fille qui ait joué auprès de sa vieillesse le rôle d'Antigone, et il reportait toute sa tendresse sur son petit-fils. Il lui légua le soin de présenter au public sa dernière tragédie, qui est son testament spirituel, à la fois empreinte d'amertume et s'éclairant, en son finale, d'une sérénité surnaturelle.

Cependant les hommages officiels ne lui avaient pas manqué. Une reprise conjuguée des *Sept contre Thèbes* et d'*Antigone*, en l'associant à Eschyle, lui offrit comme une vision anticipée de son immortalité. Une tradition veut qu'il ait été couronné aux Jeux Olympiques.

Quelques mois après sa mort, ce fut le désastre d'Ægos-Potamoi, puis la défection des derniers alliés. En septembre, survint la famine. Enfin, en avril 404, il fallut implorer la paix. On en sait les conditions : les Longs-Murs rasés, la flotte livrée, Athènes réduite au sort d'un satellite de Sparte... Sophocle avait su mourir à temps.

II

SON ŒUVRE

A ses débuts, il avait trouvé la tragédie déjà installée à la place d'honneur dans les fastes de la cité.

Un siècle ne s'était pas écoulé depuis que Thespis s'était fait gourmander par Solon pour avoir osé « mentir ainsi devant tant de monde ». Thespis était reparti. De bourg en bourg, attraction des fêtes locales, il promenait sa charretée de satyres barbouillés de céruse, ses farces obscènes et ses psalmodies dialoguées de chœur à récitant, encore toutes proches des rites dionysiaques tels qu'ils s'étaient dégagés des cultes agraires primitifs. Quand il revint à Athènes, en 536, ce fut pour y remporter le prix au premier concours institué par Pisistrate. Entre-temps, il avait inventé le masque, simple moulage de chiffons stuqués. Eschyle, un peu plus tard, en accentuera les traits au pinceau, et, par l'introduction du second acteur, montera le mécanisme du conflit dramatique.

Dès le temps d'Arion et de ses *dithyrambes* (VIIe siècle), le mystère représentant la passion tantôt de quelque héros local, tantôt (plus tardivement) de Dionysos, avait pris le caractère d'une célébration à la fois religieuse et civile. Par la tragédie, un peuple prenait conscience de son unité et de son destin. Poème de l'humanité aux prises avec sa condition mortelle, la tragédie chante le combat que la raison, pour imposer son ordre, livre aux forces qui pèsent sur l'homme de tout le poids du Ciel ou qui fermentent dans son propre sang.

Au Ve siècle, il n'y a de concours qu'aux deux principales fêtes du dieu : celle des Pressoirs, en janvier; celle des grandes Dionysies, dites aussi « de la ville », en mars. Le peuple n'y est pas seulement convié en spectateur; il y siège comme juge, après en avoir contrôlé les prépa-

ratifs. Ces festivités comptent parmi les actes importants
de la vie publique.

L'ordonnance du spectacle demeurera jusqu'au bout
celle d'un office sacré. La place de danse est devenue
l'*orchestra* : le jeu scénique et les évolutions du chœur
se distribuent par rapport-à l'autel de Dionysos qui en
marque le centre. Là convergent les rayons de l'hémicycle
et vient s'asseoir le joueur de flûte, qui a pour tâche de
tisser le lien musical entre le drame et la foule. Le chœur
est la voix de la conscience populaire ; par lui, chaque spectateur se voit intervenir dans le drame, tout en s'unissant
à la passion du héros, comme on participe à la vertu d'un
sacrifice. Les acteurs sont emmaillotés, plutôt que drapés,
dans des costumes aux couleurs vives. Entre les brode-
quins à semelles épaisses qui les exhaussent et le masque
immobile, à la bouche ouverte, au front surélevé, leur
silhouette prend une raideur hiératique. L'armature
rituelle (chants et danses) s'est progressivement assouplie
sans jamais cesser de commander la structure du drame.

La trilogie eschylienne se déployait comme un cortège :
l'action s'y déroulait au ralenti, longuement préparée,
longuement commentée par la méditation lyrique du
chœur qui en soutenait la démarche et en multipliait
la résonance.

Il appartenait à Sophocle de précipiter l'évolution de
la pompe tragique vers l'action. Quelques années de
pratique lui ont suffi pour concevoir son système : il
abandonne la trilogie liée, introduit un troisième acteur,
invente le décor peint et porte à quinze le nombre des
choreutes. Ces réformes vont toutes dans le même sens :
c'est par elles que la tragédie achève de se constituer
en imitation d'êtres agissants. Avec ses organes de plus
en plus différenciés, le débat prenant le pas sur le chant,
on peut bien dire qu'elle est descendue du ciel sur la terre,
encore qu'elle conserve aux faits et gestes humains les
proportions de l'épopée. Cette évolution était dans la
nature des choses : la psychologie gagne en complexité à
mesure que s'émancipe l'individu et que la liberté entre
dans les mœurs.

Cent vingt tragédies ou drames satyriques... Cette fécondité suppose une santé constante de l'esprit, une ingénuité créatrice qui ne s'est retrouvée à un degré égal que chez les Espagnols du Siècle d'Or et chez les Élisabéthains. Elle profite aussi d'une tradition de métier et d'une discipline d'équipe : l'œuvre ne prend sa forme définitive que par le travail collectif. Ces poètes étaient tout ensemble auteurs, acteurs, chanteurs, danseurs, musiciens, chorégraphes, souvent directeurs de troupe et entrepreneurs de spectacles. C'était le cas d'Eschyle, qui ne croyait pas déroger pour autant. Euripide composait lui-même ses partitions. Sophocle, dans sa *Nausicaa*, mimait la jeune princesse jouant au ballon; dans le rôle de Thamyras, l'aède présomptueux, il exécutait un solo de cithare. Seule la faiblesse de sa voix le priva des triomphes du comédien. Il écrivit un traité sur le chœur et introduisit dans les chants tragiques la mélodie phrygienne. A maint détail se devine, chez lui, le goût de la perfection technique, le tour de main de l'artisan.

De l'œuvre entier, il ne nous est parvenu que sept tragédies, la moitié environ, très mutilée, d'un drame satyrique et plus d'un millier de fragments, allant d'un ou deux mots à une dizaine de vers, — citations recueillies soit dans des œuvres littéraires, soit dans des compilations de « grammairiens ». On a pu dresser de la sorte une liste de plus de cent dix titres dont l'attribution ne paraît guère douteuse. En la parcourant, on relève une *Alceste*, une *Phèdre*, une *Hermione*, une *Iphigénie*, que l'on croit antérieures à celles d'Euripide. On aimerait à pouvoir apprécier l'apport personnel de Sophocle sur ces thèmes « raciniens ». Les figures féminines qu'il a le plus poussées sont, dans ses œuvres conservées, des caractères virils. Seule sa Déjanire ne vit que pour son amour. Le grammairien à qui nous devons notre choix s'est sans doute préoccupé, à l'intention de ses élèves, de faciliter les comparaisons entre les trois tragiques. Au reste, les poètes puisaient aux sources communes de la fable, qui avaient déjà fécondé l'épopée et le lyrisme. Ils se souciaient moins d'originalité dans la matière que de souligner ce qui, dans les légendes, se rapportait aux antiquités athéniennes, à tel sanctuaire, ou permettait des allusions à l'actualité.

A mi-chemin du mythe et de l'histoire, les malheurs des familles royales de Thèbes et d'Argos semblaient appelés, entre tant d'autres images de la destinée mortelle, à porter l'expression tragique à son plus haut degré d'intensité. Mais leur couleur poétique et morale n'appartient pas en propre à Sophocle. Il est d'autres sujets dans le cadre desquels la vision du monde particulière à chaque poète se laisserait peut-être apercevoir plus distinctement. Le génie critique d'Euripide projette sur les images du passé, fût-il fabuleux, le reflet des idées et des passions de son temps. Par contraste avec ce « moderne », Sophocle fait figure d' « archaïsant ». Archaïsant, il l'est, en effet, et plus qu'Eschyle lui-même, qui repense les mythes en philosophe, c'est-à-dire en moderne. De Sophocle, au contraire, les anciens disaient qu'il était le plus « homérique » des trois. Le recensement des pièces perdues nous éclaire la physionomie de son œuvre considérée dans son ensemble. Si l'*Odyssée* lui a inspiré quelques-uns de ses sujets, il en a puisé plus d'un tiers dans l'*Iliade* et le reste dans les poèmes cycliques, c'est-à-dire encore dans l'épopée. Il y a la geste de Troie, la geste d'Héraclès, la geste des Atrides, celle des Labdacides, bien d'autres... Toutes exaltent la puissance de l'homme : bien que la mort le tienne en échec, l'éphémère construit à l'épreuve du temps ; la mélancolie qu'il éprouve à toucher ses limites se fond dans la douceur de la gloire pressentie. Pour un peu, il oublierait ses chaînes : les dieux combattent à ses côtés. Certes, la tragédie les rendra à leur Olympe ; du ciel ne pleuvront plus guère que des persécutions ; n'importe : guerrier, roi, conquérant, le héros, chez Sophocle, a conservé le pli épique : il assigne sa valeur à l'action, tout en admettant la vertu purificatrice de la souffrance.

Dionysos était un barbare parmi les dieux. Dans son culte demeuré longtemps à demi sauvage, l'Orient associe son mysticisme sensuel à la magie sanguinaire des primitifs. Le génie grec soumet la frénésie orgiaque à l'empire du rythme qui la purifie. Sur le mystère des origines tragiques, les chœurs de Sophocle ouvrent des échappées brillantes. Mais Niobé pleurant sous son écorce de pierre, Orithyie, la petite princesse athénienne enlevée par le vent de Thrace, Phrixos et Hellé, enfants de la Nuée, s'envolant sur le Bélier d'or, la plaintive Ino changée en Néréide, Médée la magicienne, Pélias démembré par ses filles, Danaé s'ouvrant à l'averse d'or, la

blanche Tyro aimée de Posidon, Andromède liée à son
rocher, tous ces contes merveilleux ne lui ont pas seulement fourni des motifs pour ses intermèdes; il en a fait
le sujet de plus d'une de ses tragédies. Il n'est pas
impossible que son goût le portât vers le drame roma-
nesque et qu'il se plût à apprivoiser les monstres de la
fable pour en tirer un parti décoratif. Car il avait dans
l'imagination de la gaieté, au sens où nos classiques enten-
daient ce mot. A cet égard, le *drame satyrique* devait être
entre ses mains un instrument plein de ressources. Nous
en avons une idée par le peu qui nous reste des *Limiers*.
Il est remarquable que certains de ces divertissements,
pour autant qu'on se risque à en reconstituer l'affabulation, se rapportent à des thèmes prométhéens : ici sont
évoquées les amours de Zeus et d'Iô; là, le modelage
de la première femme, tirée par Héphaestos d'un peu
de boue que vient animer le souffle d'Athéna; ailleurs, la
sottise des hommes gâchant les dons de Prométhée...
Héraclès y tient son rôle de colosse bouffon qui fait
ripaille entre deux expéditions de sauvetage. Le drame
satyrique met l'accent sur tout ce qui est naissance,
enfance, création, découverte, invention, génie et ingé-
niosité. Le peuple effronté des satyres ne retient d'humanité que ce qu'il en faut pour passer de la nature animale
à la nature divine. Le spectacle même de la souffrance,
à baigner dans le lumineux sourire de la fable, se
dépouille de toute cruauté. Quand il s'est bien pénétré
des limites de sa condition, le spectateur est admis,
une heure durant, à vivre le songe d'une existence
affranchie du malheur, de la mort, et (conséquemment) de
la moralité.

Sophocle a renouvelé les sujets tragiques en attribuant
une large part à la volonté et aux passions dans la direction des événements, sans pour cela en exclure la fatalité. On peut dire, avec Louis Gernet (*Le Génie grec
dans la religion*), que « chez aucun des tragiques les caractères humains et les personnalités divines ne sont aussi
accusés. » Il suit de cette opposition que les œuvres
s'orientent suivant deux tendances divergentes :
1° Ou bien représenter la volonté comme libre et
puissante, soumise seulement à des considérants d'ordre
moral que dicte soit la raison, soit une voix plus profonde,

interprète de la loi naturelle. Entre la loi morale et la loi religieuse, il y a concordance. Une fois qu'Ajax s'est écroulé sur son glaive, sa gloire se relève intacte; rien ne peut faire qu'il n'ait été le grand Ajax et fidèle à lui-même. Plus clairement encore Antigone sait sa conduite accordée aux lois profondes : sa mort affirme l'existence d'un ordre humain contre lequel la mort ne peut rien.

2° Ou bien représenter la volonté comme impuissante, aveuglée, jouet des caprices du sort. — Œdipe ne fait rien de ce qu'il croit faire, ses vertus et ses travers indistinctement sont employés à sa perte; ses fautes ne sont pas la cause de son malheur, elles en sont l'instrument. A Colone, il invoquera le principe de responsabilité : criminel? non pas, mais victime. De même, on voit la fin d'Héraclès strictement enfermée dans les prescriptions fatales, sans que sa souffrance porte d'autre enseignement que de rappeler l'impératif inéluctable de la volonté divine, qui a pris pour instrument la jalousie d'une épouse aimante. Philoctète, lui aussi, se débat en vain. Il y aurait quelque chose d'un peu comique dans l'obstination du malheureux à refuser le bonheur qu'on lui apporte, si le poète ne l'avait peint si amèrement pénétré du principe de la grandeur humaine : la dignité de l'acte libre. Par son dessein général, *Electre* se rattacherait plutôt à la première tendance : Sophocle s'y est placé délibérément hors de la perspective eschylienne; la conduite de l'héroïne ne procède que de sa volonté, le ciel ne semble pas la désavouer, elle ne doute pas d'elle-même, et pourtant l'orgueilleuse certitude dont s'exalte Antigone lui fait défaut. C'est que l'acte qu'elle appelle et prépare viole une loi de la nature. De là le rude et sombre accent de cette tragédie qui se dénoue pourtant par une victoire. Et si cette victoire n'était qu'apparente? Le crime prétendument libérateur peut-il vraiment rompre le cercle fatal? Il plane sur le dénouement comme un silence; on a peine à croire que tout soit accompli. Celui des héros de Sophocle qui passe par la gamme de sentiments la plus riche, prenant ainsi l'apparence d'une personnalité complexe, est en fait le plus soumis à la pression du ciel : c'est Œdipe, tour à tour roi plein de sollicitude, puis présomptueux, arrogant, soupçonneux, violent, inquiet, désespéré, violent encore dans le désespoir, et finalement soûl d'horreur, humilié, déchiré, tendre, humble et honteux... Le trait saillant de

sa nature est aussi celui qui fait de lui un « vivant » par
excellence, cette fougue avec laquelle il se porte au-devant
de son malheur.

Héritier de l'épopée, le drame sophocléen expose une
action. Fatalité et volonté en constituent les deux ressorts
principaux, de sens contraire. Si le dramaturge doit
rechercher pour chaque sujet un type de construction
particulier, le trait commun aux sept pièces est sans doute
le développement donné à l'étude des caractères, étude
qui semble même constituer plus d'une fois la raison
d'être du drame. Non que les caractères fournissent seuls
les ressorts du mouvement dramatique. S'il y a hésitation
ou revirement, c'est du fait, non d'Ajax, mais d'Ulysse,
non d'Antigone, mais de Créon ou d'Ismène, non d'Électre, mais de Chrysothémis, non de Philoctète, mais de
Néoptolème. L'illusion de la complexité naît des reflets
changeants de la vie sur la figure du protagoniste. Isolé
par destination, le héros n'est jamais essentiellement solitaire; il demeure justiciable de la commune mesure.
Héraclès lui-même ne se prévaut pas de sa surhumanité.

Sophocle se plaît à répartir entre plusieurs personnages
les diverses incidences psychologiques d'une situation.
Il compose en peintre. Le drame est traité comme un
tableau où la lumière se distribue par zones contrastées à
partir d'un foyer fixe. Il place Tecmesse dans l'ombre
d'Ajax, Ismène auprès d'Antigone, Chrysothémis à côté
d'Electre, Néoptolème en face de Philoctète. Il arrive
même que le mouvement dramatique se réduise à faire
passer le spectateur d'un volet à l'autre du diptyque.
L'exemple le plus frappant (et le moins heureux) de cet
agencement est fourni par les *Trachiniennes* : le conflit
entre les deux protagonistes se produit par personnes
interposées : ils se succèdent sur la scène, si bien que la
tragédie est faite de deux morceaux de tonalité différente.
Sophocle a parfois recours à des artifices d'une ingénio-
sité un peu fragile, tels que les révélations incomplètes
ou retardées, ou la modification graduelle, par touches
insensibles, d'une donnée concernant soit les faits, soit
les caractères. C'est ainsi que, dans *Philoctète*, la prophétie d'Hélénos, dont tout dépend, n'est rapportée en
son entier, avec la mention de l'échéance imminente,
qu'au vers 1339, c'est-à-dire juste avant le dénouement.

Le personnage de Polynice, dans *Œdipe à Colone*, nous est présenté sous un jour de plus en plus odieux, afin de paraître mériter la malédiction paternelle au moment où elle éclate. De même, dans *Œdipe roi*, le lecteur pourra relever quelques coïncidences un peu forcées, des omissions volontaires, qui passent inaperçues à la représentation [4].

« Il fait ce qu'il faut sans savoir ce qu'il fait »... Ce jugement porté par Sophocle sur son maître Eschyle ne saurait évidemment lui être retourné. Il triomphe, lui, dans la stricte économie, dans l'équilibre, dans l'harmonie. Il marie la grâce à la puissance, et la grandeur, chez lui, est inséparable de la simplicité. Son art ignore la crispation, l'inquiétude ; ses créations restent comme illuminées par la joie qu'il eut à créer, et le don de sympathie, qui fut un des traits remarqués de sa nature, anime d'une vie chaleureuse les figures épisodiques — ce sont souvent de petites gens : des matelots, un berger, un garde, une nourrice, un vieux pédagogue — aussi bien que les plus hautes figures. L'art « apollinien » de Sophocle impose de haut sa forme à la matière tragique et la pénètre d'une lumière qui, sans rien atténuer, met tout à son plan.

D'un curieux passage de Plutarque [5] il ressort que Sophocle serait passé par trois manières successives : dégagé de « l'enflure » eschylienne et maître de sa forme, il aurait eu d'abord tendance à en exagérer l'âpreté, si bien qu'il n'aurait atteint la perfection que dans sa troisième manière, la mieux appropriée à la peinture de la vie morale. Une telle appréciation témoigne du goût moyen à l'époque romaine. Au IVe siècle, le comiquaen Phrynichos avait déjà parlé de cette rudesse de Sophocle ; seulement c'était pour la louer, la comparant à la saveur un peu rèche du vin de Pramné ; il estimait que, par la suite, le poète avait mis trop d'eau dans ce vin. Etait-ce une façon détournée de déplorer l'influence d'Euripide, dont on croit pouvoir relever des traces dans les dernières œuvres.

Ce problème touche à celui de la datation. On sait que, sur les sept tragédies, aucune n'est attestée comme antérieure à *Antigone* (441). Paul Mazon et Alphonse Dain inclinent à reconnaître dans *les Trachiniennes* un témoin non certes de la première manière selon Plutarque, mais de la période qui précéda le seuil de maturité marqué par *Antigone*. En revanche, ils considèrent *Ajax* comme postérieur à ce seuil.

L'autorité de leur argumentation ne nous a point décidé à modifier l'ordre de présentation traditionnel, sinon pour *Electre*. En effet l'*Electre* d'Euripide (413) reprend le sujet d'une façon telle qu'il est difficile de n'y pas voir une critique indirecte du rival devenu vieux (cf. n. 110) Notre propos n'était pas de renouveler ces questions, ni même d'en faire le point. Nous avons conçu cette traduction en vue de la lecture, non de l'exégèse philologique et historique — content s'il permet à ceux qui en seront curieux de prendre une vue d'ensemble d'un massif dont les deux sommets dominent l'histoire universelle du théâtre.

NOTE BIBLIOGRAPHIQUE

I. PRINCIPALES ÉDITIONS :

1º Edition princeps, chez les Alde, Venise, 1502.
2º Turnèbe, Paris, 1533.
3º Henri Estienne. Paris, 1568. (Contient des scolies).
4º Ph. Brunck. 1786. (Contient des fragments et les scolies).

XIXᵉ et XXᵉ siècles :

1º G. Dindorf, dans l'édition des *Poètes scéniques grecs* (Oxford 1832-1849), souvent rééditée, complétée par l'édition des scolies (*Ibid.*, 1852).
2º Didot. *Æschyli et Sophoclis tragœdiae et fragmenta* (Paris, 1842). Texte établi par Benloew et Ahrens d'après la recension de Dindorf; traduction latine de Brunck, revue par les mêmes.
3º Schneidewin, A. Nauck, E. Bruhn et L. Radermacher. 8 vol. (Berlin. s. d.)
4º Tournier (Paris, Hachette, 1868), revue et corrigée par A. M. Desrousseaux (1886).
5º R. C. Jebb (Oxford, 1885-1896), édition complétée par A. C. Pearson, pour les fragments (*Ibid.*, 1917), y compris *les Limiers*.
6º P. Masqueray. Paris. « Les Belles Lettres », 1922. 2ᵉ édition 1926. Texte et Traduction (y compris *Les Limiers*).
7º L. Roussel. *Œdipe roi*. Texte, traduction, commentaire. (Paris, « Les Belles Lettres », 1940.)
8º P. Mazon et A. Dain. Paris, « Les Belles Lettres », 1962. Texte et Traduction.

II. ÉTUDES SUR LA VIE ET L'ŒUVRE :

A. et M. Croiset, *Histoire de la littérature grecque*, t. III.
(Paris, Fontemoing, 1898.)

Fr. Allègre. *Sophocle. Etude sur les ressorts dramatiques
de son théâtre et la composition de ses tragédies.* Paris, Fontemoing, 1909.

T. von Wilamowitz-Möllendorf. *Die dramatische
Technik des Sophokles.* 1917.

V. J. Sheppard. *Æschylus and Sophokles.* (London et
Boston, 1927.)

K. Reinhardt. *Sophokles.* (Francfort, 1933).

R. Tournaud. *Essai sur Sophocle.* (Les Belles Lettres,
1942.)

G. Méautis, *Sophocle, Essai sur le héros tragique.* Paris,
1957.

G. M. Kirkwood, *A Study of Sophoclean drama,*
Ithaca, 1958.

J. de Romilly, *L'Evolution du pathétique, d'Eschyle à
Euripide.* Paris, 1961.

A. Lacarrière. *Sophocle.* Paris, 1961.

A CONSULTER :

Nietzsche, *l'Origine de la Tragédie* (Paris, 1892).

O. Navarre, *Le Théâtre Grec.* Paris, Payot, 1925 (sur
l'organisation matérielle du théâtre en Grèce).

Sur *Antigone*, Barrès, *Le Voyage de Sparte* (Paris,
1907); sur *Œdipe roi*, Péguy, *les Suppliants parallèles*
(Cahiers de la quinzaine, 1907).

AVERTISSEMENT

Une représentation tragique se déploie théoriquement sur deux plans, celui de la scène, où évoluent les acteurs, et celui de l'*orchestra*, où évoluent les *choreutes*. Ceux-ci font leur entrée et leur sortie sur le rythme anapestique. Entre les épisodes, ils chantent, en exécutant une danse mimique, tantôt grave, tantôt plus animée. Le *coryphée* tantôt dirige ses choreutes chantants ou dansants, tantôt dialogue avec les acteurs. Il arrive que les quinze choreutes se partagent en deux groupes de six, conduits respectivement par leur *parastate*, ainsi nommé parce qu'il se tient ordinairement à côté du coryphée.

Des « chants de la scène » peuvent se mêler aux chants du chœur dans des systèmes tantôt entièrement chantés, tantôt mi-parlés, mi-chantés.

L'importance des parties parlées et le dessin tout linéaire de l'accompagnement musical rendent hasardeuse une comparaison entre la tragédie grecque et l'opéra. Néanmoins, c'est l'orchestration verbale qui confère à l'œuvre son relief et son rythme. Pour la rendre immédiatement perceptible à la lecture, nous avons disposé de la façon suivante le texte de notre traduction :

1º le dialogue, les récits, les discours ont été rendus en prose et composés en romain.

2º les chants (du chœur ou de la scène) sont imprimés en italique et rendus en vers libres non rimés.

3º La prose en italique correspond au récitatif ou *mélodrame*, déclamation soutenue par la flûte.

AJAX

AJAX [6]

PERSONNAGES

ATHÉNA, ULYSSE, AJAX, CHŒUR DE MATELOTS
TECMESSE,
UN MESSAGER, TEUCER, MÉNÉLAS, AGAMEMNON.

PERSONNAGES MUETS

EURYSACE et son PRÉCEPTEUR. UN HÉRAUT D'ARMES.

1° *Le camp des Grecs, devant la tente d'Ajax* (v. 1-814).
2° *Un endroit écarté, près du rivage* (v. 815-1420).

PROLOGUE

ATHÉNA. — Chaque fois, fils de Laerte, que je jette les yeux de ton côté, je te surprends à l'affût, en train de tendre des pièges à tes ennemis personnels! Aujourd'hui, te voici dans le quartier [7] d'Ajax, près des bassins, à la pointe du camp. Je t'observe depuis un long moment qui suis la piste, qui repères des traces fraîches, dans l'espoir de déceler s'il est chez lui ou n'y est pas! Eh bien, il ne t'a pas égaré, ce flair digne d'une chienne de Laconie: ton gibier vient de rentrer au gîte, la tête en sueur, les bras rouges de sang. Ne perds donc plus ta peine à fureter autour de cette porte. A quoi bon, dis-moi, te donner tant de mal? Je sais toute l'histoire et je vais te la conter.

ULYSSE. — Athéna, ô toi qui m'es chère entre tous les dieux, j'ai reconnu ta voix, bien que tu demeures invisible; mon cœur lui fait fête comme à la fanfare des cuivres étrusques [8]! Oui, tu m'as deviné; je vais, je tourne, je guette mon ennemi, Ajax au bouclier [9]. Oui, c'est lui que je suis à la trace depuis des heures... Sache que, cette nuit, il a réussi contre nous un coup extraordinaire, si vraiment c'est lui, car enfin nous en sommes réduits aux conjectures. Bref, je me suis porté volontaire pour cette mission délicate. Voici les faits : nous venons de trouver tous les troupeaux, notre butin, égorgés de main d'homme, pêle-mêle avec les bergers. Tout le monde accuse Ajax. J'ajoute qu'un de mes espions l'a aperçu marchant à grands pas dans la plaine, seul, son glaive trempé de sang frais. Ce rapport m'ayant paru concluant, je me suis aussitôt jeté sur la trace; mais tantôt je crois m'y reconnaître, tantôt je m'embrouille, et je m'y perds! Tu arrives à propos. En toutes choses, demain comme hier, que ta main soit mon guide.

ATHÉNA. — J'ai compris tout cela, Ulysse, moi qui ne t'ai pas quitté des yeux et qui ne demandais qu'à te mettre sur la voie.

ULYSSE. — Dis-moi, ma chère maîtresse, n'ai-je point perdu ma peine ?

ATHÉNA. — Tu ne t'es pas trompé; c'est bien lui le coupable.

ULYSSE. — Et pourquoi s'est-il lancé dans cette folle équipée ?

ATHÉNA. — L'affaire des armes d'Achille avait aigri son cœur [10].

ULYSSE. — Mais pourquoi se ruer sur des troupeaux ?

ATHÉNA. — C'est dans votre sang même qu'il croyait plonger ses mains.

ULYSSE. — Quoi! ce mauvais coup visait les Argiens [11] ?

ATHÉNA. — Oui, et atteignait la cible, si je ne m'en étais mêlée.

ULYSSE. — Quelle audace il lui a fallu, quelle confiance en soi!

ATHÉNA. — Tout seul, à la nuit close, il s'est mis en campagne pour vous surprendre.

ULYSSE. — S'est-il vraiment approché de nous ? Touchait-il à son but ?

ATHÉNA. — Eh oui, au double portail du quartier général [12]!

ULYSSE. — Et quelle force a retenu ce bras affolé de tuerie ?

ATHÉNA. — C'est moi, en jetant devant ses yeux un voile d'images trompeuses, qui ai détourné cette fureur insatiable sur les troupeaux pris à l'ennemi qui attendaient le partage, pêle-mêle, gardés par les bouviers. Il s'est rué sur les bêtes à cornes, taillant à la ronde,

brisant les échines et faisant un beau carnage : tantôt
c'étaient les deux Atrides qu'il croyait occire, tantôt il
chargeait tel ou tel autre des chefs! Tandis qu'il
courait çà et là, en proie à sa fièvre délirante, je l'excitais,
je le poussais perfidement dans le filet. Sa tâche faite, il
a remué le cou, comme un cheval dételé; puis, attachant
ensemble tout ce qui restait en vie de bovins et de petit
bétail, il les a conduits dans son campement : il les prenait vraiment pour des hommes et non pour du butin
cornu. En ce moment encore, il les garde enchaînés chez
lui et leur inflige des supplices. Je vais te donner le
spectacle de sa démence afin que tu contes à toute l'armée ce que tes yeux auront vu. Rassure-toi, tu ne risques
rien en sa présence : je ferai en sorte qu'il ne te voie pas
(Appelant vers l'intérieur de la tente). Hé bien, Ajax,
toujours à enchaîner tes captifs les mains derrière le dos ?
Viens un peu ici. Ajax! Je t'appelle... Montre-toi sur ta
porte.

ULYSSE. — Que fais-tu, Athéna? Ne l'appelle pas
au-dehors!

ATHÉNA. — Silence, donc! Vas-tu perdre ton sang-
froid ?

ULYSSE. — Par les dieux, n'en fais rien! il est très
bien chez lui.

ATHÉNA. — De quoi as-tu peur ? Il n'a jamais été
qu'un homme.

ULYSSE. — Oui, mais qui me haïssait, mais qui me
hait toujours!

ATHÉNA. — Eh bien! quoi de plus agréable que de
rire aux dépens d'un ennemi ?

ULYSSE. — Ma foi, je préfère qu'il garde la
chambre...

ATHÉNA. — La vue d'un fou te fait-elle reculer ?

ULYSSE. — S'il n'était pas fou, je l'attendrais de pied
ferme.

ATHÉNA. — Mais puisqu'il ne te verra pas, même
face à face!

ULYSSE. — Comment cela, s'il a toujours ses yeux ?

ATHÉNA. — Sans le rendre aveugle, j'obscurcirai ses
regards.

ULYSSE. — C'est vrai que rien n'est impossible à la
ruse divine.

ATHÉNA. — Plus un mot, plus un mouvement : ne
bouge d'où tu es.

ULYSSE. — Soit, mais j'aimerais mieux être ailleurs.

ATHÉNA. — Eh bien, Ajax, faut-il t'appeler deux fois ?
Tu traites sans façon ta camarade de combat !

AJAX *(paraissant devant sa tente)*. — Salut, Athéna,
salut, enfant de Zeus! Tu arrives à point nommé. Je
veux te couronner de dépouilles tout en or pour te remer-
cier de ma bonne chasse.

ATHÉNA. — Bien dit. Mais conte-moi cela. Tu as
vraiment trempé ton glaive dans le sang de l'armée grecque ?

AJAX. — Je m'en fais gloire, loin de le nier.

ATHÉNA. — Quoi! lance au poing, tu as foncé sur les
Atrides ?

AJAX. — Oui, et je les ai mis hors d'état de mépriser
Ajax, à l'avenir.

ATHÉNA. — Tu veux dire qu'ils sont morts ?

AJAX. — Et bien morts. Qu'ils m'enlèvent les armes
qui m'appartiennent, maintenant !

ATHÉNA. — A la bonne heure. Et le fils de Laërte,
qu'as-tu fait de lui ? T'aurait-il échappé ?

AJAX. — Ce roué, ce renard, tu me demandes où il
est ?

ATHÉNA. — Oui, je dis bien : Ulysse, ton compétiteur.

AJAX. — Lui ? Quelle joie, ô ma patronne! Il est assis
là-dedans, couvert de chaînes : mais je ne veux pas qu'il
meure tout de suite !

ATHÉNA. — Quel sort lui réserves-tu ? A quoi bon ce
répit ?

AJAX. — Je veux d'abord l'attacher au grand mât de
la tente...

ATHÉNA. — Le malheureux! pour quel supplice ?

AJAX. — ... pour lui fouetter le dos jusqu'au sang, et
qu'il sente sa défaite !

ATHÉNA. — Le pauvre homme! ne le martyrise pas !

AJAX. — Te complaire, Athéna, est ma pensée constante, mais celui-là subira la peine que je dis.

ATHÉNA. — Eh bien, puisque tu y trouves des
charmes, frappe; n'épargne rien de ce que tu as décidé.

AJAX. — Je vais y travailler. Tout ce que je demande,
c'est que toujours tu m'assistes dans mes combats.

(Il rentre.)

ATHÉNA. — Tu vois, Ulysse, comme les dieux sont
forts. Cet homme, dis-moi, aurait-on trouvé tête plus
solide et bras plus ferme dans le péril ?

ULYSSE. — Je ne sais personne qui le valût. J'ai pitié

de son malheur, bien qu'il me haïsse, car il a pour compagne de joug une terrible malchance. Ce que j'en dis n'est pas plus pour lui que pour moi-même : nous les vivants, je le vois, nous ne sommes que fantômes, ombre fugace.

ATHÉNA. — Apprends par cet exemple à ne jamais proférer d'insolences contre les dieux, à ne jamais te gonfler d'orgueil, que tu l'emportes sur autrui par la force ou par l'opulence. Un seul jour incline et relève toutes choses humaines; les dieux aiment la mesure et détestent les cœurs pervertis.

ENTRÉE DU CHŒUR

LE CORYPHÉE. — *Fils de Télamon, toi qui règnes, au milieu des flots, sur la terre de Salamine, c'est ma joie de te voir heureux. Mais lorsqu'une plaie de Zeus, lorsqu'une parole violente, quelque médisance des Danaens est lancée contre toi, la crainte me glace et je frémis comme l'aile azurée du pigeon.*

Ainsi, de la nuit qui s'achève, de graves rumeurs nous arrivent, rumeurs sans gloire : que tu es entré dans la prairie bondissante de chevaux, que tu as massacré les bœufs des Danaens, leur butin de guerre promis au partage ; que tu les tuais à grands éclairs de ton épée !

De tous ces bruits Ulysse fait des contes, qu'il va colportant de bouche à oreille, et comme on l'écoute avidement ! Sur toi l'on est prêt à tout croire ; c'est plaisir de médire et plaisir plus encore d'écouter les on-dit et d'insulter à ta douleur !

A viser les grandes âmes on ne manque pas son but. Qui s'en prendrait à moi, on le laisserait dire ! C'est vers les puissants que rampe l'envie... Pourtant, si les petits sans les grands forment un piètre rempart, le faible étayé par le fort, les grands aidés des plus petits, cela fait un mur qui tient bon. Mais quoi ! je parle en vain ; les insensés n'entendent pas les avertissements.

Tels sont les gens qui contre toi s'ameutent ; et nous, devant leurs attaques, nous ne valons rien sans toi, mon maître.

Hors de portée de ton regard, quelle assemblée d'oiseaux piailleurs ! Mais plane au-dessus d'eux le grand vautour, — oui, tu n'aurais qu'à te montrer : alors, plus un cri ! les voilà blottis, muets d'épouvante !

CHANT DU CHŒUR

Est-ce l'enfant de Zeus, Artémis aux taureaux [13],
(Ah! la nouvelle est grave et me couvre de honte!)
qui t'a jeté ainsi sur les bœufs communaux,
soit qu'on lui ait fait tort des fruits d'une victoire,
ou de glorieuses dépouilles,
ou de sa part sur un cerf abattu?
Enyalios [14] *d'airain cuirassé,*
te reprochant l'appui mal payé de sa lance,
t'aurait-il pour se venger
tendu un piège nocturne?
Car jamais de toi-même, ô fils de Télamon,
tu n'as pu t'égarer
au point de te ruer sur des troupeaux!
Ce mal te vient des dieux, c'est sûr.
Mais veuillent du moins Zeus et Phœbos écarter
de toi les malfaisants propos des Argiens.
Et si c'étaient, pourtant, des calomnies
par les deux Rois sous cape répandues,
et par cette maudite graine de Sisyphe [15],
ne te dérobe plus dans l'ombre de la tente,
Seigneur, parais sur le rivage,
décourage ces méchants bruits!
Lève-toi, sors de ta retraite
obstinée et de ce loisir plein de tourments!
Le ciel t'a envoyé des fureurs qui t'embrasent,
tandis que l'impudence hostile, au gré du vent,
se propage, — et rien ne l'arrête.
Et ces rires partout, ces quolibets cruels!...
Ah! vrai, j'en ai lourd sur le cœur...

PREMIER ÉPISODE

Tecmesse. — *Fidèles matelots d'Ajax, ô race d'Erech-thée* [16]*, enfants du sol attique, nous pouvons gémir, nous qui, loin du pays, restons attachés à la famille de Télamon. A cette heure, le grand Ajax, le héros aux puissantes épaules, gît de son long, l'esprit trouble, comme les eaux après l'orage.*

Le Coryphée. — *Hier encore paisible, quel fardeau traîne-t-il depuis cette nuit? Fille du phrygien Téleutas, parle, toi, la captive bien-aimée de l'impétueux Ajax: tu étais là, tu peux nous expliquer ce qui s'est passé.*

TECMESSE. — *Comment raconter l'indicible ? Tu vas entendre le récit d'une souffrance égale à la mort. Saisi par la démence, cette nuit, Ajax a souillé sa gloire. Tu verras dans sa tente les victimes égorgées de sa main baigner dans leur sang : l'étrange sacrifice qu'il a offert !*

LE CHŒUR.

> *Ah ! que viens-tu de nous apprendre ?*
> *Quoi ! ce cœur fougueux... Ô nouvelle*
> *que l'esprit ne peut accueillir et ne peut fuir !*
> *Les princes Danaens l'ont publiée,*
> *elle grandit de bouche en bouche !*
> *Que je crains le malheur en marche... Découvert,*
> *Ajax mourra, c'est sûr, expiant le délire*
> *d'avoir noirci son glaive au sang*
> *du bétail pêle-mêle et des gardiens de bêtes !*

TECMESSE. — *Hélas ! je l'ai vu arriver de ce côté, poussant vers la tente le troupeau captif. Il est entré, il en a égorgé une partie à même le sol. Les autres, il les éventrait et les ouvrait en deux. Puis il a choisi deux béliers à pattes blanches : au premier il a tranché la tête et le bout de la langue, qu'il a envoyés rouler loin de lui. Il attache au mât le second tout debout, saisit une longue lanière en cuir de cheval, qu'il met en double, et l'en cingle, non sans le couvrir d'horribles injures, telles qu'un dieu seul a pu lui en souffler.*

LE CHŒUR.

> *Il n'est que temps de décamper sans bruit,*
> *le manteau sur les yeux,*
> *ou bien, ralliant le banc et la rame,*
> *de donner au vaisseau*
> *son essor vers le large !...*
> *Devant nous, menaçants, les deux puissants Atrides*
> *vont se dresser... J'ai peur de périr lapidé*
> *avec ce malheureux, que son malheur isole.*

TECMESSE. — *Ne crains plus cela. Sa fureur, comme le vent du sud quand il s'élance dans un ciel sans éclairs, s'est brusquement calmée. Mais la raison revenue a fait naître une nouvelle souffrance : contempler sa propre misère, lorsqu'on ne peut s'en prendre qu'à soi, exaspère la douleur.*

LE CORYPHÉE. — *Eh bien, puisqu'il s'est calmé, tout espoir n'est pas perdu, ce me semble ; quand le malheur s'éloigne, l'esprit s'en détache.*

TECMESSE. — *Si tu pouvais choisir, lequel aimerais-tu mieux : être heureux tandis que tes amis s'affligent pour toi, ou prendre ta part de leurs souffrances ?*

LE CORYPHÉE. — Etre deux à souffrir, femme, c'est souffrir davantage.

TECMESSE. — Nous, c'est en se retirant que le mal nous déchire.

LE CORYPHÉE. — Que veux-tu dire? Je ne te comprends pas.

TECMESSE. — Tant qu'a duré la crise, notre Ajax était comme enivré de ses propres maux. Certes, à nous qui gardions notre raison, cela nous faisait peine à voir. Mais maintenant, délivré de sa fureur, il est tout secoué d'un affreux chagrin et nous ne souffrons pas moins qu'auparavant. N'est-ce pas souffrir deux fois pour une?

LE CORYPHÉE. — J'en conviens, et je redoute quelque coup de la divinité. En effet, pourquoi, avec sa raison, n'a-t-il pas recouvré la paix de son cœur?

TECMESSE. — Dis-toi que c'est ainsi.

LE CORYPHÉE. — Mais comment le mal a-t-il d'abord fondu sur lui? Tu peux te confier à nous, car tes peines sont les nôtres.

TECMESSE. — C'est vrai, nos peines sont communes; je n'ai rien à te cacher. Ajax, donc, au fort de la nuit, quand déjà les feux du camp ne brillaient plus, prit son épée à deux tranchants : il cherchait, sans raison apparente, à se glisser au-dehors. Alors, sur un ton de reproche : « Que veux-tu faire, Ajax? lui dis-je. Quelle affaire t'appelle? Quel messager? Aucune trompette n'a sonné. A cette heure, dans l'armée, tout dort. » Il se contenta de me répondre ce qu'on ne cesse de nous chanter : « Femme, le silence est la parure des femmes. » Je me le tins pour dit et il sortit seul, en courant. Ce qui se passa dehors, je n'en sais trop rien, mais il revint, poussant devant lui, attachés pêle-mêle, taureaux, chiens de berger, bêtes à laine. Il décapitait les uns, il égorgeait les autres, en leur faisant dresser le cou, ou bien il leur brisait l'échine; il y en avait qu'il couvrait de chaînes et qu'il torturait, s'acharnant sur ces bêtes comme sur des hommes. Quand il eut fini, le voilà qui passe le seuil d'un bond, interpellant des ombres, et tantôt il s'en prenait aux Atrides, tantôt à Ulysse, éclatant d'un grand rire et tout fier de sa vengeance! Puis il rentre en courant, comme il était sorti. Alors, à grand'peine, au bout d'un long moment, il a repris conscience. Lorsqu'il eut distingué la salle encombrée de ce carnage, il se frappa la tête, poussa un cri et resta prostré, comme brisé lui-même au milieu des débris de

ce massacre de moutons, et ses ongles labouraient ses
cheveux. Après un silence interminable, tout à coup,
d'une voix terrible, menaçante, il m'ordonne de lui
expliquer son aventure. Alors, mes amis, j'ai eu peur :
je lui ai dit tout ce que je savais. Et lui d'entonner une
sorte de lamentation morne, comme jamais je n'en avais
entendu dans sa bouche, car il jugeait toujours que,
de gémir, c'était bon pour les lâches et les désespérés.
Hélas ! il gémissait d'une voix profonde et sourde comme
un taureau qui meugle... Il est toujours là, abîmé dans
son malheur, n'ayant ni mangé ni bu, sans mouvement
au milieu du bétail égorgé. Il faut nous attendre à quelque
sursaut funeste : il suffit d'écouter comme il parle et se
plaint. C'est pour cela que je suis venue vous trouver,
mes bons amis : entrez, secourez-le, si vous y pouvez
quelque chose. Les hommes tels que lui se laissent volontiers fléchir par les conseils de l'amitié.

LE CORYPHÉE. — Tecmesse, quelles nouvelles terribles, fille de Teleutas ! Notre maître rendu fou par ses
malheurs !

VOIX D'AJAX. — Ah ! misère, misère de moi !

TECMESSE. — Le mal ne demande qu'à s'aggraver.
Avez-vous entendu ce hurlement ?

VOIX D'AJAX. — Misère, misère de moi !

LE CORYPHÉE. — Si le délire l'a quitté, il se lamente
en contemplant l'ouvrage de son délire.

VOIX D'AJAX. — O mon enfant ! mon enfant !

TECMESSE. — Ciel ! Eurysace, c'est toi qu'il réclame !
Qu'a-t-il en tête ? Voyons, où es-tu ? Ah ! malheureuse !

VOIX D'AJAX. — Je veux voir Teucer : où est Teucer ?
Toujours au butin ? Moi, je me meurs, pendant ce
temps-là.

LE CORYPHÉE. — Il semble avoir recouvré sa raison.
Ouvrez donc. Ma vue peut l'aider à réagir.

TECMESSE. — J'ouvre. Tu vas pouvoir contempler
son œuvre et dans quel état il s'est mis.

*(La porte du fond s'ouvre découvrant l'intérieur
de la tente.)*

AJAX.

    Ah ! mes chers matelots, seuls entre mes amis,
    fidèles à votre devoir,
    voyez quel ouragan sanglant s'est déchaîné
    et tourbillonne encore autour de moi !

LE CORYPHÉE. — Ton récit n'était que trop vrai :
je vois l'ouvrage et la preuve de sa folie.

AJAX.

> *O mon loyal équipage,*
> *Mes compagnons de bord, mes solides rameurs,*
> *mon seul recours — le seul ! — dans ma détresse,*
> *voulez-vous m'être bons à quelque chose ?*
> *Egorgez-moi donc sur le tas !*

LE CORYPHÉE. — Tais-toi, n'ajoute pas à tes maux
par un remède pire que le mal.

AJAX.

> *Le vois-tu, le hardi, le brave,*
> *celui qui n'a jamais tremblé dans la tuerie ?*
> *Il s'est fait le bourreau de bêtes innocentes !*
> *Ah ! m'être ainsi laissé bafouer, outrager !*

TECMESSE. — Ajax, mon seigneur, je t'en supplie,
ne parle pas ainsi.

AJAX. — Hors d'ici ! Va-t-en d'où tu viens ! Aïe !...
Aïe !...

TECMESSE. — Au nom des dieux, cède, sois raisonnable.

AJAX.

> *Misère ! laisser échapper ces maudits traîtres,*
> *et fonçant sur des bœufs des plus haut encornés,*
> *sur de fameux troupeaux de chèvres,*
> *Me baigner dans tout ce sang noir !*

TECMESSE. — A quoi bon te mettre le cœur à la torture ? Ce qui est fait est fait.

AJAX.

> *Et toi, des plus basses besognes*
> *instrument toujours prêt, fils de Laërte,*
> *rebut et déchet de l'armée,*
> *je te vois d'ici rire et te frotter les mains !*

TECMESSE. — Comme il plaît aux dieux, chacun rit
ou pleure.

AJAX. — Que je voudrais le rencontrer, tout vaincu
du sort que je suis. Ah ! misère, misère de moi !

LE CORYPHÉE. — Ne fais pas le menaçant. Ne mesures-
tu pas ton malheur ?

AJAX.

> *O Zeus, père premier de mes aïeux* [17],
> *que ne puis-je, ce scélérat, ce roi des fourbes,*
> *le mettre à mort, mettre à mort les deux Rois,*
> *et périr alors à mon tour !*

TECMESSE. — Si tu souhaites la mort, ne m'oublie
pas dans tes souhaits : qu'ai-je à faire de vivre, quand
tu ne seras plus ?

AJAX.

   Hélas ! Ténèbres, ma clarté,
Érèbe, encor trop lumineux pour moi,
prenez-moi, recevez un nouvel habitant.
Ni vers les dieux ni vers les hommes éphémères
je n'oserais lever un regard plein d'espoir,
   puisque c'est la fille de Zeus,
   divinité toute-puissante,
   Qui s'est acharnée à me perdre !
  Où fuir ? et, dans ma fuite, ou m'arrêter ?
Amis, vous voyez bien, tout est perdu pour moi,
après la folle chasse où je me suis rué :
  je vois déjà tous mes compagnons d'armes
des deux mains brandissant leurs glaives pour m'abattre !

TECMESSE. — Malheureuse ! Est-ce là le langage d'un grand cœur ? Naguère il en aurait eu honte.

AJAX.

   O passes grondantes, cavernes
de la côte, prairie au bord des flots, Troade
où depuis si longtemps, si longtemps, le service
me retenait, enfin me voilà libéré,
   et vous ne m'aurez plus vivant.
   Avis à qui peut me comprendre !
   Et vous qui coulez ici près,
belles eaux du Scamandre, amicales aux Grecs,
Vous ne me verrez plus, moi — j'ai droit de le dire —
qui, dans les champs troyens, n'avais pas mon égal
entre tous les guerriers venus du sol hellène !
   Regardez-moi, à présent :
   déshonoré, effondré...

LE CORYPHÉE. — Dois-je t'arrêter ou te laisser dire ? Je ne sais trop, dans l'abîme de maux où je te vois précipité.

AJAX. — Aïe, aïe [18] ! Qui eût pensé que mon nom deviendrait l'emblème de mes misères ? A présent, ce nom, je puis bien l'exhaler encore et encore, comme un hélas, du plus profond de mon malheur ! Ainsi, de ce pays de l'Ida, où il avait reçu les premiers prix pour sa valeur militaire, mon père est revenu comblé de gloire dans ses foyers ; et moi, le fils de ce vaillant, je n'aurai mis le pied en cette même Troade, moi qui le vaux par la force et par les exploits, que pour périr déshonoré aux yeux des Argiens ! Il y a du moins une chose que je sais : si Achille, avant sa mort, avait voulu décerner ses armes au plus valeureux, nul autre que moi ne les aurait remportées. Au mépris de ma valeur, les Atrides ont fait le jeu d'un fourbe. Si ma vue et ma pensée aveuglées n'avaient trahi ma résolution, jamais ils n'auraient plus rendu contre personne un jugement inique. Hélas! mon bras se levait déjà sur eux, lorsque la fille de Zeus, la vierge dont le regard vous fige, m'a enveloppé dans une brume de. démence, si bien que j'ai souillé mes mains du sang de ce pauvre bétail que voilà! Ils peuvent rire à mes dépens; ce n'est pas ma faute s'ils m'ont échappé. Vous avez beau être fort : si un dieu vous veut du mal, même les lâches esquiveront vos coups. Que dois-je faire à présent? Les dieux me sont hostiles, l'armée grecque me hait, je suis un objet d'horreur pour tout ce pays troyen... Fuir ce mouillage, abandonner les Atrides à leur sort et rentrer chez moi outre-mer? Mais de quel front me présenterais-je devant mon père? Télamon daignera-t-il seulement jeter les yeux sur moi, si je n'arrive paré des mêmes marques d'honneur dont il a vu autrefois couronner sa vaillance? Non l'idée ne s'en peut soutenir. Alors? Marcher au rempart, attaquer les Troyens à moi seul, leur disputer glorieusement ma vie? Ah! pas cela non plus : les Atrides seraient trop contents! Il faut chercher quelque moyen de montrer à mon vieux père que son sang n'a pas dégénéré. C'est bassesse de désirer une longue vie, si elle n'a que des maux à nous offrir. Quelle douceur peut-on attendre d'un surcroît de quelques jours, sinon de reculer le trépas? Je ne donne pas cher d'un mortel qui se réchauffe d'un espoir aussi vain. Vivre ou mourir, mais sans faillir à l'honneur, c'est le devoir de l'homme bien né. Je n'ai rien à dire de plus.

LE CORYPHÉE. — Nul ne prétendra que tes paroles ne viennent pas du fond de ton cœur, Ajax : elles te peignent tout entier. Cependant, calme-toi, permets à tes amis de fléchir ta résolution et laisse fuir ces sombres pensées.

TECMESSE. — Ajax, mon seigneur, il n'y a pas au monde de pire malheur que la servitude. J'étais née d'un père libre, que sa richesse faisait puissant entre tous les Phrygiens, et je suis une esclave. Les dieux l'ont voulu, et toi, surtout, qui m'a reçue dans ton lit; et c'est pourquoi je prends à cœur tes intérêts. Je t'en supplie, au nom de Zeus-du-Foyer [19], au nom du lit de notre union, ne m'abandonne pas aux outrages de tes ennemis, au joug d'un autre. Le jour où nous ne t'aurons plus avec nous, as-tu songé que, ce jour-là, les Argiens m'emmèneront de force avec ton fils et que je mangerai le pain des esclaves ? Quelque maître me blessera de paroles cruelles : « Voyez la compagne de cet Ajax qui fut le plus fort des guerriers grecs. La voilà maintenant servante, elle qu'on a tant jalousée. » Ainsi les langues iront leur train. Moi, je subirai ma disgrâce ; mais ces propos ne feront honneur ni à toi ni à ceux de ton sang[20]. Il faut penser à ton père, que tu laisseras vieillir dans le chagrin, à ta mère qui est très âgée et qui souvent supplie les dieux pour ton retour. Mon seigneur, et ton enfant, n'as-tu pas pitié de lui ? Privé des soins de son âge, privé d'un père, il sera soumis à des tuteurs au cœur dur. Tu vois quels maux ta mort nous réserve, à lui et à moi, pour héritage. Moi non plus je n'ai personne vers qui me tourner, en dehors de toi. Ta lance a dévasté ma patrie, ma mère et mon père connaissent maintenant, chez Hadès, le destin des morts. Sans toi, je n'aurai plus ni patrie, ni ressources ; tu es ma seule protection. Et pense un peu à moi aussi : de ces plaisirs pourquoi les hommes font-ils si peu de compte ? Grâce est mère de gratitude, et le bonheur qu'on nous a donné, ce n'est pas généreux de le payer d'indifférence.

LE CORYPHÉE. — Ajax, j'aimerais à te voir aussi ému que moi-même ; tu approuverais les paroles de cette femme.

AJAX. — Elle aura mon approbation si elle a le courage d'accomplir mes volontés.

TECMESSE. — Ajax, mon ami, je t'obéirai en tout.

AJAX. — Amène-moi mon fils ; je veux le voir.

TECMESSE. — Dans ma crainte, je l'avais éloigné.

AJAX. — Tu veux dire : pendant mes fureurs ?

TECMESSE. — Le pauvre petit risquait la mort sur ton chemin...

AJAX. — C'eût été digne, en effet, de mon mauvais génie.

TECMESSE. — Je n'ai voulu qu'empêcher ce malheur.

AJAX. — Tu as bien fait, dans ta sollicitude.

TECMESSE. — Et en quoi puis-je te servir, à présent ?

AJAX. — Fais-moi ce plaisir : je veux lui parler, me repaître de sa vue.

TECMESSE. — Il est tout près d'ici, sous la surveillance des domestiques.

AJAX. — Eh bien, pourquoi tarde-t-on à le faire venir ?

TECMESSE. — Mon enfant, ton père t'appelle. (*A un serviteur.*) Allons, toi que ce soin regarde, amène-le ici en le tenant par la main.

AJAX. — Qu'il est lent à revenir! N'a-t-il pas compris?

TECMESSE. — Le voici qui nous l'amène.

AJAX. — Soulève-le jusqu'à moi. Le sang frais ne lui fera point peur, s'il est vraiment mon fils. Il faut dresser ce jeune poulain aux rudes mœurs de son père, afin qu'il lui ressemble. Mon fils, puisses-tu être plus heureux que ce père; pour le reste, suis son exemple, et tu ne seras pas un lâche. Ah! il y a un bonheur que j'envie à ton âge : c'est que tu ne puisses comprendre mes misères. Vivre sans avoir conscience des choses, c'est charmant. Un jour, tu sauras ce que c'est que la joie et la souffrance. Ce jour-là, tu devras, devant l'ennemi, faire honneur à ton père. En attendant, nourris-toi de brises clémentes, laisse croître ta jeune vie pour la joie de ta mère. Pas un Achéen, j'en suis sûr, n'osera t'insulter ou te chercher noise, même quand tu ne m'auras plus, car je laisse auprès de toi Teucer : il sera le tuteur vigilant de ta jeunesse. Aujourd'hui, il est allé donner la chasse à l'ennemi; mais vous, soldats et matelots, je compte sur vous comme sur lui, faites-lui part de mes volontés : je désire qu'il emmène cet enfant dans ma patrie, qu'il le confie à Télamon et à Éribée, ma mère, pour être le soutien de leurs derniers jours. Quant à mes armes, je ne veux pas qu'elles soient proposées en prix aux Achéens par je ne sais quels présidents de jeux ou par mon misérable persécuteur. Mon bouclier te revient, mon fils : tu lui dois ton nom d'Eurysace [21]. Garni de sept peaux de bœuf, rien ne peut le percer. Pour le manier, tu le tiendras par l'anse; elle est solidement cousue. Mes autres armes seront ensevelies avec moi. Hâtons-nous, femme : reçois cet enfant et ferme sur vous la porte au lieu de rester à gémir sur le seuil. Que les femmes aiment donc à s'attendrir! Allons, il est temps de rentrer : un bon médecin ne chante pas de formules magiques sur un mal qui réclame le scalpel.

LE CORYPHÉE. — Une vive fièvre d'action me fait trembler : je n'aime guère que tu t'excites ainsi en parlant.

TECMESSE. — Ajax, mon seigneur, quel projet peux-tu bien méditer?

AJAX. — Ne juge point, ne questionne point : la discrétion est une belle chose.

TECMESSE. — Je perds courage... Je t'en supplie au

nom de ton enfant, au nom des dieux, ne nous livre pas
au malheur!

AJAX. — Tu m'ennuies avec les dieux. Ne sais-tu pas
que je ne leur dois plus rien?

TECMESSE. — Ne blasphème pas.

AJAX. — Parle pour qui voudra t'écouter.

TECMESSE. — Ne me croiras-tu pas?

AJAX. — Tu parles beaucoup trop.

TECMESSE. — C'est que je tremble, ô mon seigneur.

AJAX. — Vous autres, qu'attendez-vous pour fermer
la porte sur eux? *(Rentrent le serviteur et Eurysace.)*

TECMESSE. — Au nom des dieux, laisse-toi attendrir!

AJAX. — Perds-tu la raison, que tu veux maintenant
me gouverner comme un enfant?

CHANT DU CHŒUR

> *Là-bas, illustre Salamine,*
> *au milieu du fracas des flots tu vis heureuse*
> *et glorieuse dans l'univers à jamais [22].*
> *Mais moi, malheur! combien de temps cela fait-il*
> *qu'au pays de l'Ida [23], l'hiver comme l'été*
> *ne comptant plus les mois, chaque soir je me couche,*
> > *harassé, épuisé,*
> > *avec, pour tout espoir,*
> *qu'un jour, ma tâche faite, enfin me recevra*
> > *l'horrible et ténébreux Hadès.*
> > *Et voici, surcroît de misères!*
> > *Ajax et son désespoir obstiné,*
> > *Ajax jouet des dieux dans sa démence...*
> *Lui ton champion dans cette guerre, ô Salamine,*
> *lui sans rival dans l'art impétueux d'Arès,*
> > *laissant sa raison battre la campagne,*
> > *qu'il met donc ses amis à dure épreuve!*
> > *Les grands coups que frappait son bras,*
> > *les hauts faits d'un courage insigne,*
> > *aux yeux des Atrides ingrats,*
> > *misère! rien n'a trouvé grâce!*
> *Et sa mère, qui a vécu les anciens jours,*
> > *sa mère toute blanche, en apprenant*
> > *de quel vertige il fut saisi,*
> > *ah! la plainte, l'affreuse plainte*
> > *qu'exhalera la malheureuse —*
> *non le pur et poignant sanglot du rossignol,*
> > *mais une mélopée aiguë,*

lugubre, et ses deux poings
frapperont sa poitrine, sourdement,
et de son front arracheront des mèches grises !
Mieux vaut pour lui, dans l'ombre, chez Hadès,
dérober ses vaines fureurs ;
lui, le plus noble par le sang
des Achéens chargés d'épreuves,
puisqu'il n'est plus maître de sa conduite
et s'égare loin de lui-même...
O père douloureux, quel coup pour toi, bientôt,
quant tu sauras quel sort s'acharne sur ton fils !
Car nul encor des divins Æacides
d'un sort aussi cruel ne fut la proie.

DEUXIÈME ÉPISODE

AJAX. — Universel, innombrable, le temps produit à la lumière ce qui demeurait invisible et fait rentrer dans l'ombre ce qu'il avait dévoilé. Rien n'est exclu du possible : le serment le plus ferme, les plus inflexibles vouloirs peuvent être mis en échec. Moi, si rude et intraitable naguère, ma nature s'est assouplie, comme le fer par la trempe, sous l'influence de cette femme. J'ai pitié d'elle et j'hésite à l'abandonner veuve, au milieu de ses ennemis, avec mon fils orphelin. Allons ! je vais marcher jusqu'aux prairies qui sont au bord de la mer, et je me purifierai par des ablutions pour échapper au lourd ressentiment de la déesse. De là, gagnant un lieu désert, j'enfouirai mon épée (maudite épée !) dans un repli de la terre où personne ne la découvrira : que la nuit et Hadès la gardent ! Depuis qu'Hector m'en a fait don [24], qui m'a toujours voulu du mal, les Argiens m'ont refusé toute marque d'estime. Hélas ! il dit vrai, le proverbe : présent d'ennemi, présent de malheur. A l'avenir, nous saurons céder aux dieux, nous apprendrons à révérer les Atrides. Ce sont les chefs, il faut s'incliner. Pourquoi non ? L'habileté et la force s'inclinent devant le pouvoir ; après les neiges de l'hiver vient l'été chargé de fruits ; la triste voûte nocturne s'efface pour que le jour, menant ses chevaux blancs, s'avance et resplendisse ; les souffles adoucis des vents savent endormir la mer grondante, et le sommeil tout-puissant nous enchaîne, mais pour nous délivrer bientôt. Comment n'apprendrions-nous pas à être sage, nous aussi ? Je sais de science récente que rien n'est définitif :

ennemi d'aujourd'hui, ami de demain; et si j'oblige ceux qui m'aiment, je n'oublierai pas que leur cœur peut changer. Pour la plupart des hommes, peu sûr est le havre d'amitié... Quant à nos affaires, allons! tout ira bien. Femme, rentre vite et prie les dieux d'exaucer tous mes désirs. Mes chers compagnons, vous me ferez plaisir si vous joignez vos prières aux siennes. Dès que Teucer sera de retour, dites-lui quels soins je lui confie, et aussi qu'il ne vous oublie pas.

Je m'en vais où il faut que j'aille. Faites ce que je vous demande, et bientôt peut-être, si cruel que me soit le sort, apprendrez-vous que je suis sauvé. *(Il s'éloigne.)*

CHANT DU CŒUR

J'ai tressailli d'allégresse,
je suis heureux, j'ai des ailes!
Iô! Iô! Pan, ô Pan [25] *!*
Pan, ô Pan, sur le bord des flots vagabondant,
loin du Cyllène [26] *et de ses rocs battus des neiges,*
descends de tes montagnes, montre-toi,
Maître des chœurs divins, accours mener le branle,
comme à Nysa [27]*, comme à Cnossos* [28] *:*
je ne songe plus qu'à la danse!
Qu'il paraisse au-dessus des flots Icariens [29]
Apollon, seigneur de Délos [30]*,*
et qu'il me soit toujours propice!
Arès a dissipé les visions d'horreur,
iô! et voici qu'à nouveau,
O Zeus, le tendre éclat des jours heureux va luire
sur nos vaisseaux coureurs des mers,
puisqu'Ajax, oubliant ses peines,
obéit aux décrets augustes,
d'une âme pieuse et soumise pleinement.
Ainsi s'en va le temps qui tout efface,
et je ne dirai plus que rien soit impossible,
puisqu'Ajax — ô revirement inespéré —,
veut bien pardonner aux Atrides
et renoncer à sa longue querelle.

TROISIÈME ÉPISODE

UN MESSAGER. — Mes amis, je veux vous annoncer d'abord que Teucer est de retour. Il descend des montagnes de Mysie. Mais, comme il débouchait sur le rond-point, devant le quartier général, voilà-t-il pas tous les Argiens, d'une seule voix, qui l'injuriaient! Oui, du plus loin qu'ils l'avaient vu venir, ils s'étaient ameutés autour de lui, et c'était à qui couvrirait d'insultes celui qu'ils appelaient « le frère du fou, de l'ennemi public ». Et de crier qu'il aurait beau faire, qu'il mourrait lapidé, le corps à vif! Les choses en vinrent au point que les épées sortirent des fourreaux. Enfin, au plus fort de la dispute, les vieillards se sont interposés. Mais où est Ajax, que je l'instruise de l'affaire? C'est à nos maîtres que nous devons faire nos rapports.

Le Coryphée. — Il vient justement de sortir, animé de dispositions nouvelles.

Le Messager. — Malheur! On m'aura mis en route trop tard, ou j'aurai marché trop lentement!

Le Coryphée. — De quel retard te plains-tu?

Le messager. — Teucer avait recommandé qu'on retînt Ajax dans sa tente jusqu'à son arrivée.

Le Coryphée. — Mais puisqu'il est sorti, plein d'heureuses résolutions, pour se réconcilier avec les dieux...

Le messager. — Ou tes paroles n'ont pas le sens commun ou Calchas [31] n'a rien prédit qui vaille.

Le Coryphée. — Qu'a-t-il prédit? que sais-tu sur cette affaire?

Le messager. — Voici ce que je sais pour l'avoir vu de mes yeux. En pleine assemblée des rois, Calchas se détache du groupe où se tenaient les Atrides et s'avance vers Teucer. Il lui presse la main avec amitié, il l'adjure, il lui enjoint de retenir à tout prix Ajax dans sa tente jusqu'à la fin de la journée, s'il tient à le revoir vivant. Il ajoute que le ressentiment de la divine Athéna ne le poursuivra pas au-delà de ce soir. Ceux qui ne connaissent ni mesure ni raison, expliquait-il, les dieux les poussent, et ils choient lourdement dans l'infortune, lorsque par eux la nature humaine prétend s'élever au-dessus de l'humaine condition. Or Ajax, dès son départ, avait pris une attitude insensée à l'égard de son père qui lui donnait de sages conseils. « Mon fils, lui disait le vieillard, souhaite le triomphe de ta lance, mais ne triomphe pas sans les dieux. » Fou d'orgueil, il avait répondu : « Père, avec les dieux, un homme de rien peut vaincre; moi, je me fais fort de triompher sans leur aide! » Vous voyez jusqu'où allait sa jactance. Une autre fois, comme la divine Athéna, fouettant son ardeur, l'excitait à diriger sur l'ennemi ses coups meurtriers, il lui crie cette réponse incroyable : « Maîtresse, va donc aider un peu les autres Grecs : là où je me tiens, jamais le combat ne rompra ses digues ! » C'est par ces propos outrecuidants qu'il a irrité la déesse. Quoi qu'il en soit, s'il est encore en vie ce soir, peut-être le sauverons-nous, avec l'aide du ciel. Le devin n'en a pas dit davantage. Séance tenante, Teucer m'envoie vous porter ce mot d'ordre : veiller sur Ajax. Que nous arrivions trop tard et c'en est fait de lui, si la science de Calchas n'est pas en défaut.

Le Coryphée. — Tecmesse, approche, infortunée créature ; écoute les nouvelles : elles ne sont guère réjouissantes ; nous voici de nouveau sous le tranchant du péril.

Tecmesse. — Hélas ! qu'y a-t-il encore ? A peine goûtais-je quelque répit après ce long assaut de douleurs, et déjà vous me faites lever !

Le Coryphée. — Ecoute-le : ce qu'il nous annonce d'Ajax me tourmente.

Tecmesse. — Malheur à moi ! Que dis-tu, courrier ? Sommes-nous donc perdus ?

Le messager. — Pour toi, je l'ignore ; mais pour ton maître, s'il est sorti, je n'ai pas bon espoir.

Tecmesse. — Eh oui, il est sorti... Dans quelle anxiété me plongent tes paroles !

Le messager. — Teucer fait dire qu'on tienne Ajax enfermé dans sa tente et qu'on ne le laisse pas s'éloigner seul.

Tecmesse. — Où est Teucer ? Et pourquoi cet ordre ?

Le messager. — Teucer vient d'arriver au camp. Il nous fait craindre qu'Ajax ne soit perdu, s'il est sorti.

Tecmesse. — Ah ! malheur, malheur à moi ! Mais par qui a-t-il appris cela ?

Le messager. — Par le fils de Thestor, aujourd'hui même. Sa prédiction contient la vie ou la mort pour ton maître.

Tecmesse. — Secourez-moi, mes amis, dans cette extrémité. Vous, pressez la venue de Teucer ; et vous, les uns vers le couchant, les autres vers le levant, fouillez tous les recoins de la côte, cherchez des traces de votre maître. Fatale sortie ! Ah ! je vois bien qu'il s'est joué de moi ; je n'ai donc plus part à sa tendresse... Hélas ! que faire, mon enfant ? Mais commençons par nous lever. J'irai, moi aussi, je marcherai jusqu'au bout de mes forces. Vite en route. Il n'est plus question de repos, quand on veut sauver un homme qui se hâte vers la mort.

Le Coryphée. — Je suis prêt à partir et on va bien le

voir. Aussitôt dit, aussitôt mes jambes se mettent à l'ouvrage. *(Ils sortent.)*

(Un endroit désert, sur la côte.)

AJAX *(seul)*. — Voici en position le fer qui va m'immoler. Autant que je l'ai pu — car le temps presse — j'en ai calculé l'aplomb de telle sorte qu'il me présente son tranchant sous le meilleur angle. C'est d'Hector, qui fut mon hôte [32], mais détesté entre tous, mais le plus odieux à voir! que je le tenais, ce glaive. Je viens d'en affiler soigneusement la lame avant de la planter, pointe en l'air, dans le sol ennemi, et je l'ai bien calée pour qu'elle ait la complaisance de m'ôter la vie d'un seul coup. De ce côté, donc, rien ne cloche.

Maintenant, ô Zeus, invoqué le premier, comme il se doit, prête-moi assistance. Je te demanderai pour toute faveur de faire porter à Teucer, par un messager, la mauvaise nouvelle... J'aimerais que ce fût lui qui vînt dégager mon corps de cette lame trempée de mon sang encore frais, avant qu'un de mes ennemis ne m'ait découvert et ne me jette aux chiens et aux oiseaux. Voilà toute ma prière, ô Zeus. Je m'adresse également à Hermès, qui conduit les âmes sous la terre : qu'il m'endorme profondément, sans convulsions, à l'instant où le fer percera mon flanc. Et j'appelle à mon aide les Vierges qui toujours tiennent l'œil ouvert sur la douleur des hommes, les graves Erinyes [33] aux longues jambes agiles : qu'elles sachent comment, par le fait des Atrides, je péris misérable. Puissent-elles se saisir sans aucune pitié de ces hommes sans pitié et ne les lâcher que morts! Oui, de même qu'elles vont me voir tomber sur ma propre épée, puissent les Atrides périr sous les coups de leurs enfants les plus chers! Allez vite, Vengeances, réclamer votre dû; repaissez-vous de l'armée entière : point de quartier! Et toi qui conduis ton char au-dessus des gouffres du ciel, Soleil, quand tu verras la terre de ma patrie, retiens tes rênes d'or; à mon vieux père, à l'infortunée qui m'a nourri, annonce l'égarement dont je meurs. Pauvre mère, à cette nouvelle, sa longue plainte aiguë résonnera par toute la ville. Mais de quoi servent les plaintes? A l'ouvrage, sans désemparer. O Mort, Mort, viens, regarde-moi. Il est vrai que, là-bas, nous nous entretiendrons tout à loisir... A toi, plutôt, clarté de mon jour suprême, au Soleil sur son char, je m'adresse une fois encore, la dernière. O lumière, ô sol sacré de Salamine où je suis né, pierre du foyer ancestral, ô glorieuſe Athènes, ô compagnons de mon enfance, et vous, sources, rivières de ce pays, plaine de la Troade, adieu, tout ce qui a été ma vie ! Vous avez entendu les ultimes paroles d'Ajax : je n'ouvrirai plus la bouche que devant les ombres.

(Il s'abat sur la pointe de son épée.)

LE CHŒUR *partagé en deux demi-chœurs, entrant de deux côtés opposés.*

> *La peine s'ajoute à la peine...*
>> *Où donc, je le demande,*
>> *où ne suis-je point allé voir ?*
> *Et pas le moindre indice, nulle part.*
>> *Mais qu'y a-t-il ?*
>> *J'entends comme un bruit sourd...*

— C'est nous, vos camarades de bord.

— Eh bien ?

— On a battu vers l'ouest les environs du camp maritime.

— Quel résultat ?

— Beaucoup de fatigue et rien en vue.

— Rien non plus au levant. Aucune trace du patron.

LE CHŒUR.

> *Ah ! parmi les pêcheurs qui peinent*
> *toute la nuit à leurs filets,*
> *ou parmi les déesses filles*
>> *du mont Olympe ou bien des fleuves du Bosphore,*
>> *qui peut nous dire s'il n'a pas*
> *vu quelque part errer cet homme au cœur farouche ?*
> *C'est dur, après tant de recherches, tant d'efforts,*
>> *de ne pas filer au but vent arrière !*
> *Affaibli comme il est, où donc a-t-il pu fuir ?*

VOIX DE TECMESSE. — Malheur à moi !

LE CORYPHÉE. — Qui a crié dans ce vallon ?

TECMESSE. — Ah ! quelle épreuve !

LE CORYPHÉE. — C'est la captive, c'est Tecmesse ; je l'aperçois, l'infortunée jeune femme, abîmée dans sa douleur et sanglotant.

TECMESSE. — Mes amis, je n'en peux plus ; je suis morte, j'ai tout perdu.

LE CORYPHÉE. — Qu'est-il arrivé ?

TECMESSE. — Voyez notre Ajax : il vient de se tuer. Il gît à l'écart, là, transpercé de son glaive.

LE CHŒUR.

> *Ah ! misère ! adieu mon retour !*

C'en est fait de nous, ô mon maître,
tu les as tués, tes bons matelots !
Ah ! mon malheureux maître ! Ah ! femme au cœur meurtri !

TECMESSE. — En l'état où le voici, il ne nous reste qu'à gémir.

LE CORYPHÉE. — L'infortuné, quelle main lui a prêté son aide ?

TECMESSE. — Sa propre main. Vois : ce fer planté dans le sol, et sur lequel il s'est laissé tomber, en est la preuve accablante.

LE CHŒUR.

Ah ! malédiction sur moi ! Pour mourir baigné dans ton sang,
tu as fui loin de tes amis...
Et moi, aveugle et sourd, je n'ai rien deviné,
je n'ai pas veillé ! Où est-il,
où donc repose-t-il, cet obstiné,
cet Ajax au nom fatal ?

TECMESSE. — Il n'est pas en état d'être offert aux regards : je vais l'envelopper dans ce voile de la tête aux pieds, car l'ami le plus dévoué ne soutiendrait pas la vue du sang noir qui jaillit par les narines et sort de la blessure encore fraîche qu'il s'est faite. Hélas ! je ne sais plus où j'en suis. Quel ami l'emportera ? Où est Teucer ? Qu'il arriverait à propos pour l'ensevelir ! Infortuné Ajax, te voir ainsi, toi ! De tes ennemis mêmes tu es digne d'être pleuré.

LE CHŒUR.

Donc, malheureux ! le jour devait venir,
cœur obstiné, où tu mettrais un terme
funeste à ce grand désespoir.
Tel, nuit et jour, tu gémissais,
la haine au cœur, maudissant les Atrides,
et plein du désir de tuer.
Ah ! que pour nous il se leva gros de soucis
le jour où furent disputées
ces armes, entre les princes !

TECMESSE. — Hélas !

LE CORYPHÉE. — Dur chagrin, je le sais, et qui gagne jusqu'au fond du cœur.

TECMESSE. — Hélas ! Hélas !

LE CORYPHÉE. — Il t'est permis de gémir et de gémir encore, privée d'un être si chèrement aimé.

TECMESSE. — Ce que je souffre, tu peux bien t'en faire une idée ; mais je suis seule à le savoir.

LE CORYPHÉE. — J'en conviens.

TECMESSE. — Hélas! mon petit Eurysace, vers quel joug allons-nous, et quels maîtres seront les nôtres?

LE CHŒUR.

> *Que dis-tu là ? Les deux Atrides*
> *ne seront pas cruels au point*
> *de s'acharner sur ta détresse.*
> *Le ciel t'épargne ce surcroît !*

TECMESSE. — Sans les dieux, nous n'en serions point où nous en sommes.

LE CORYPHÉE. — Oui, les dieux nous accablent d'épreuves.

TECMESSE. — Celle-ci, c'est la cruelle Pallas qui nous l'envoie, la fille de Zeus, pour complaire à Ulysse.

LE CHŒUR.

> *Penser qu'il nous bafoue en son cœur ténébreux,*
> *l'homme patient, le rusé,*
> *et que devant nos maux, enfants de la démence,*
> *il fait de grands éclats de rire,*
> *et qu'en apprenant la nouvelle*
> *les deux Atrides font chorus !*

TECMESSE. — Qu'ils rient donc, qu'ils se réjouissent à ses dépens. Ils ne l'aimaient pas, mais ils regretteront peut-être sa mort au moment du péril. Les fous de leur espèce, il faut que leur échappe le trésor qu'ils tenaient pour qu'ils en soupçonnent la valeur. Sa mort m'est plus amère qu'elle ne leur sera douce. Pour lui, du moins, elle est un bienfait, puisqu'il a obtenu ce qu'il souhaitait : un trépas de son choix. En vérité, à quel titre se riraient-ils de lui? Sa mort ne leur appartient pas; c'est le ciel qui l'a décidée. Qu'Ulysse l'insulte donc, ce sera en pure perte : Ajax en a fini avec ces gens-là; mais moi, je n'en ai pas fini avec la souffrance et les pleurs que son départ me laisse...

VOIX DE TEUCER. — Ah! Misère! Misère!

LE CORYPHÉE. — Ecoute! Je crois reconnaître la voix de Teucer : c'est le cri d'un homme qui mesure sa détresse.

TEUCER *(entrant)*. — Cher Ajax, mon frère bien-aimé, en est-ce fait de toi, comme déjà le bruit s'en répand?

LE CORYPHÉE. — Il a péri, Teucer, c'est la vérité.

TEUCER. — Ah! destin qui m'accable!

LE CORYPHÉE. — Oui, voilà où nous en sommes...

TEUCER. — Malheureux que je suis!

LE CORYPHÉE. — ...et il t'est permis de gémir.

TEUCER. — O rude assaut de la douleur!

LE CORYPHÉE. — Oui, bien rude.

TEUCER. — Quelle perte pour moi! Mais l'enfant, qu'est-il advenu de lui? Où est-il en ce moment?

LE CORYPHÉE. — Devant la tente, abandonné à son sort...

TEUCER (à Tecmesse). — Il faut donc l'amener ici en toute hâte, de peur qu'un de ses ennemis ne l'enlève, comme le petit d'une lionne après la mort du lion. Va, cours, aide-moi : quand les morts gisent sans défense, c'est à qui les insultera.

LE CORYPHÉE. — Précisément, Teucer, c'est toi que mon maître avait désigné pour veiller sur son fils.

TEUCER. — O spectacle, le plus déchirant que mes yeux aient vu! O pénible à mon cœur entre tous le chemin que j'ai suivi, cher Ajax, depuis que la fatale nouvelle m'a lancé sur la trace de tes pas! Prompte comme la parole d'un dieu s'était répandu dans l'armée le bruit que tu n'étais plus. En apprenant ce malheur, déjà de loin je gémissais, mais ta vue me fait mourir!

Hélas!

(S'adressant à un esclave.)

Va, découvre-le, que je voie mon malheur tout entier. — O vision à peine supportable, ô courage du désespoir! Quelles semences de douleur cette mort dépose en moi! Où me réfugier, qui m'accueillera sur la terre, moi qui ne t'ai point secouru dans tes épreuves? Je ne crois pas que Télamon, qui est pourtant mon père à moi aussi, me fasse bon visage si je reviens sans toi. Ou alors il aurait bien changé : même dans la joie, jamais un bon sourire ne déride ses traits. J'entends déjà ses cris, ses injures : « Oh! le bâtard, le fils de captive! Ce lâche t'a trahi, mon Ajax bien-aimé, soit par pleutrerie, soit par astuce, dans l'espoir que je le ferais héritier de ta puissance et de ta maison! » Ainsi s'emportera ce caractère irritable que l'âge aigrit encore et qui de tout fait querelle. Repoussé par les miens, chassé de ma patrie, flétri du nom d'esclave devant tout le monde, voilà mon retour! — Quant à la Troade, j'y compte plus de haines que d'appuis. Et tous ces maux me viennent de ta mort. Hélas! que faire? Mais d'abord, comment te dégager de cette épée aux reflets cruels, ô malheureux, qui t'a ravi le souffle vital? Avais-tu prévu qu'un jour, du fond de son tombeau, Hector serait ton meurtrier? Considérez, au nom des dieux, la destinée de deux mortels : derrière le char d'Achille, Hector déchiré sans arrêt jusqu'à son der-

nier soupir, la poitrine sciée par un baudrier qu'il avait
reçu d'Ajax en présent; Ajax s'écroulant sur l'épée qu'il
tenait d'Hector... N'est-ce pas la Vengeance qui forgea
cette lame? Hadès, barbare artisan, qui tailla ce baudrier? En ceci comme en toute chose, je soupçonne
la main des dieux. Ceux que choque ce sentiment, qu'ils
pensent ce qu'ils voudront; je m'y tiendrai.

LE CORYPHÉE. — Abrège, et songe à la sépulture.
Prépare aussi une réponse pour un ennemi que je vois
venir, tout disposé, j'imagine, à railler notre douleur.

TEUCER. — Quelqu'un de l'armée? Qui est-ce?

LE CORYPHÉE. — C'est Ménélas, pour la cause de
qui nous avons passé la mer.

TEUCER. — En effet, à mesure qu'il s'approche, je
n'ai pas de peine à le reconnaître.

(Paraît Ménélas.)

MÉNÉLAS. — Halte-là! Je te défends de rendre à ce
cadavre les derniers devoirs : qu'on le laisse en l'état où
il est.

TEUCER. — A quelle fin te mets-tu en frais de grands
mots?

MÉNÉLAS. — Pour te notifier ma volonté et celle du
commandant en chef.

TEUCER. — Je serais curieux d'apprendre tes raisons.

MÉNÉLAS. — Quand nous avons quitté la terre grecque, nous pensions emmener en Ajax un allié, un ami;
mais il s'est révélé à l'épreuve un ennemi plus dangereux
que les Phrygiens. Rêvant d'exterminer l'armée entière, il
a entrepris contre nous une attaque nocturne. Sans une
divinité qui a étouffé sa tentative, il nous condamnait
au sort qu'il a subi : nous allions périr dans un piège sans
gloire, et c'est lui qui revenait vivant! Heureusement la
déesse a détourné sa fureur sur des brebis et des bestiaux.
C'est pourquoi je dis qu'il n'est pas d'homme assez puissant pour lui creuser une tombe : abandonné sur le sable
blême, il fournira pâture aux oiseaux de mer. Inutile de
le prendre de haut : il nous a résisté de son vivant; mort,
il sera notre sujet soumis, que tu le veuilles ou non, et
dussions-nous employer la force. Jamais il n'a consenti à
m'écouter. Un citoyen qui refuse obéissance aux chefs
est un mauvais citoyen. Jamais, dans un État, la loi ne
serait respectée, sans la peur du châtiment; jamais,
dans une armée, l'ordre ne serait maintenu, s'il ne savait
se rendre redoutable. Il importe que l'homme le plus

fort ne se croie jamais au-dessus des sanctions, même
pour la faute la plus légère. Hors de la crainte et de l'honneur, sache-le, il n'y a point de salut pour un soldat. Une
cité qui tolère la licence peut avoir le vent en poupe, elle
finira toujours par sombrer. Croyez-moi, la peur a du
bon. Ne nous flattons point, quand nous suivons notre
caprice, de n'avoir pas à en subir les conséquences :
simple retour des choses! Hier Ajax jetait feu et flammes,
perdait toute mesure; aujourd'hui, c'est à mon tour de le
prendre de haut, et je te dis : renonce à l'ensevelir si
tu ne veux pas être jeté toi-même dans la tombe que tu
auras creusée pour lui.

Le Coryphée. — Ménélas, quand on a fait profession
de sagesse, on ne va pas ensuite insulter les morts.

Teucer. — Messieurs, je ne m'étonnerai plus qu'un
homme de peu soit faillible, quand ceux que l'on tient
pour nobles se permettent de tels écarts de langage.
Voyons, remontons à ton exorde. Tu prétends avoir fait
venir ici Ajax en qualité d'allié des Achéens : n'était-il pas
libre de sa décision, quand il a pris la mer? A quel titre
serais-tu son chef? Où as-tu pris le droit de commander
aux troupes qu'il a amenées de son pays? C'est comme roi
de Sparte que tu es venu, ton pouvoir ne s'étend pas
jusqu'à nous et vous n'aviez point barre l'un sur l'autre.
Dans cette expédition, tu commandes un corps d'armée;
tu n'es pas le général en chef : comment Ajax eût-il été
sous tes ordres? Fais l'autoritaire avec tes hommes;
prodigue-leur de hautaines réprimandes. Vous ne m'em-
pêcherez pas, messieurs du haut commandement, de
rendre à Ajax les honneurs qui lui sont dus, sans m'émouvoir de tes cris. Il n'est point parti en guerre pour ta
femme, comme ces brouillons qui se mêlent de tout,
mais pour tenir le serment qui le liait. De toi, il n'avait
cure. Les gens sans valeur, il les dédaignait. Au surplus,
appelle à la rescousse le grand chef en personne avec
d'autres gardes du corps : le bruit de tes paroles ne me
troublera guère, tant que tu seras ce que tu es.

Le Coryphée. — Je n'aime pas non plus que l'infortune parle sur ce ton. Un langage trop dur, si justifié
soit-il, blesse.

Ménélas. — Voilà un archer qui ne manque pas de
prétentions!

Teucer. — Mon art n'est point un art servile.

Ménélas. — Que n'entendrions-nous pas si tu portais
le bouclier [34]!

TEUCER. — Tout léger d'armes que je suis, ta panoplie ne me fait pas peur.

MÉNÉLAS. — Comme tu es courageux en paroles!

TEUCER. — Qui a le droit avec soi peut aller le front haut.

MÉNÉLAS. — Le droit qui justifie mon assassin?

TEUCER. — L'étrange expression! Serais-tu un mort vivant?

MÉNÉLAS. — Si un dieu ne m'avait sauvé, Ajax m'expédiait!

TEUCER. — N'offense donc pas les dieux, puisqu'ils t'ont sauvé.

MÉNÉLAS. — Comment? tu prétends que j'offense la loi divine?

TEUCER. — Tout justement, lorsque tu viens interdire une sépulture.

MÉNÉLAS. — S'agissant d'un ennemi personnel, ma dignité est en jeu.

TEUCER. — Ajax s'est-il jamais déclaré ton ennemi?

MÉNÉLAS. — Nous nous haïssions, tu le savais bien.

TEUCER. — Parbleu! on t'a surpris à lui voler des suffrages [35].

MÉNÉLAS. — La fraude était le fait des juges et non le mien.

TEUCER. — Tant de méfaits, tu auras du mal à les tenir cachés.

MÉNÉLAS. — Je connais quelqu'un qui regrettera ses paroles.

TEUCER. — Moins qu'il ne t'en cuira, je pense, de notre part.

MÉNÉLAS. — Voici mon dernier mot : ce mort ne doit pas être enseveli.

TEUCER. — Voici ma réponse : il sera enseveli.

MÉNÉLAS. — J'ai vu jadis un brave en paroles qui avait forcé des matelots à naviguer par mauvais temps. Au fort de la tempête, on ne l'entendait plus; tapi dans son manteau, il laissait n'importe quel homme d'équipage lui passer sur le corps. Ainsi de toi et de tes insolences : une petite nuée pourrait souffler une bonne rafale qui éteindrait les éclats de ta grosse voix.

TEUCER. — Moi, j'ai connu un insensé qui, dans le malheur commun, insultait ses compagnons. Mais l'un d'eux, qui me ressemblait, lui tint ce langage : « Camarade, ne maltraite point les morts. Si tu fais cela, tu le paieras cher. » Ainsi avertissait-il ce misérable, les yeux dans les yeux. Or, ce misérable, il me semble que je le vois, et qu'il n'est autre que toi-même. Ai-je parlé par énigme ?

MÉNÉLAS. — Je m'en vais. J'aurais honte, si l'on m'entendait, de discuter au lieu de punir, quand je dispose de la force.

TEUCER. — Oui, va-t'en. J'ai grand-honte, moi aussi, d'écouter un fou débiter des sornettes

(Ménélas sort.)

LE CORYPHÉE. — *Il va s'élever une grave contestation. Hâte-toi donc, Teucer, hâte-toi de faire préparer pour Ajax une fosse, afin qu'au sein de l'ombre humide il reçoive une sépulture, monument à jamais vénérable.*

TEUCER. — Fort à propos nous viennent retrouver la compagne et le fils du héros, pour rendre les derniers devoirs à leur malheureux défunt. Mon enfant, avance-toi, mets-toi en posture de suppliant [36] et touche le corps de celui qui fut ton père. Demeure assis, les yeux tournés vers lui, en tenant dans ta main des boucles coupées à mes cheveux, à ceux de ta mère, aux tiens — notre offrande suppliante. Quiconque, dans l'armée, t'arracherait à ce mort par la force, puisse-t-il être ignominieusement chassé de sa patrie et n'y point trouver de tombeau; puisse sa famille périr tout entière, fauchée à la racine comme cette boucle! Veille prosterné près du corps, mon enfant, et que personne ne t'en écarte. Vous autres, c'est le moment de vous montrer des hommes : ne le quittez pas, défendez-le jusqu'à mon retour. Je vais m'occuper d'ensevelir Ajax, quand le monde entier s'y opposerait.

(Il sort.)

CHANT DU CŒUR

Viendra-t-elle enfin, viendra-t-elle,
la dernière de ces années interminables
sans répit ramenant sur moi
douleurs et fureurs de la guerre
devant les vastes champs de Troie,
qui semblent narguer nos misères ?
Que ne s'est-il au fond des célestes abîmes,
perdu, plutôt, ou chez Hadès, parmi la foule des morts,
celui qui le premier enseigna aux Hellènes,
les rendez-vous d'Arès, la haine à main armée,
les fureurs enfantant misères sur misères !

Car cet homme fut le fléau du genre humain.
   C'est la faute à ce misérable,
Si c'en est fini, pour moi, du plaisir
de vider entre amis, couronne au front, la coupe,
   en écoutant jaser la flûte...
Et du plaisir encor de dormir mes nuits pleines!
Quant à l'amour, ah! bien, l'amour, n'en parlons plus...
    Qui de moi se soucie?
Je couche sur la dure, n'importe où,
et mes cheveux trempés par la rosée, à l'aube,
   me font souvenir aigrement
   que je suis toujours devant Troie!
    Du moins hier encore
   du péril nocturne et des flèches
Ajax me défendait, toujours prompt à bondir.
   Mais il est passé au service
   d'une terrible déité...
Quel bonheur puis-je encore espérer, maintenant?
 Ah! seulement revoir ce promontoire
 et ces bois surplombant l'assaut des vagues,
  sous la colline de Sounion [37],
  et, de là, saluer Athènes
   la cité sainte!

DERNIER ÉPISODE

TEUCER. — J'ai pressé le pas, car j'ai aperçu Agamemnon, le grand chef, qui se hâtait dans cette direction. Le voici. Je devine qu'il va donner libre cours à sa folle colère.

AGAMEMNON. — C'est donc toi, à ce qu'on me rapporte, qui crois pouvoir impunément tenir sur nous des propos scandaleux? Je dis bien: toi, le fils de la captive [38]! Peste! Si tu étais de naissance avouable, comme tu le prendrais de haut, sans perdre un pouce de ta taille, toi, un homme de rien, qui prends la défense d'un homme qui n'est plus rien! N'as-tu pas prétendu que ni sur terre ni sur mer nous ne sommes les chefs de l'armée grecque, — les chefs — et qu'Ajax, dans cette expédition, était son propre maître? Ce sont choses un peu dures à entendre de la bouche d'un esclave. Et en l'honneur de quel grand homme, dis-moi, ces impudentes criailleries? Dans l'attaque ou la défensive, qu'a fait Ajax que je n'aie fait? Manquons-nous d'autres héros parmi les Achéens? En vérité, nous sommes trop punis

d'avoir mis au concours les armes d'Achille, s'il faut qu'un
Teucer nous incrimine publiquement; s'il ne vous suffit
pas, ayant perdu, de vous incliner devant la majorité, et
si vous prenez le droit de nous faire payer votre échec par
vos injures et vos diffamations. Aucune loi ne tiendrait,
si nous écartions les vainqueurs légitimes pour mettre
les derniers au premier rang. En vérité, il faut réprimer
de tels abus. D'ailleurs, les hommes vraiment solides
ne sont pas les colosses à larges épaules; c'est l'esprit qui
partout l'emporte : l'énorme bœuf pansu, un fouet léger
l'oblige à marcher droit. C'est là un remède qu'on pourrait t'appliquer si tu persistes dans ta folie. Quoi!
lorsqu'Ajax n'est plus qu'une ombre, tu fais le hardi,
tu t'emportes, ton langage ne connaît plus de frein!
Un peu de modestie, de grâce. Rappelle-toi ta naissance,
et délègue une personne libre pour discuter avec nous à
ta place [39], car tes paroles seraient lettre morte : je n'entends point les langues étrangères.

LE CORYPHÉE. — Je souhaite que vous reveniez à
tous deux le sang-froid. Je n'ai rien de mieux à vous dire.

TEUCER. — Hélas! à l'égard des morts, comme la
gratitude est fugace, comme on la surprend vite à leur
manquer! Voici un homme, Ajax, qui ne se souvient plus
de toi, pour si peu qu'on puisse dire. Cependant, que de
fois tu as prodigué pour lui ta vie dans les combats! Tout
cela est loin, il en fait bon marché. Mais toi, toi qui tiens
ces propos délirants, as-tu donc tout oublié? Un jour,
enfermés dans le retranchement, on vous donnait déjà
pour morts, quand Ajax, accourant au milieu de la déroute,
vous tira d'affaire à lui seul, et il était grand temps, car
le feu prenait aux poupes et aux bancs de rameurs, et
Hector, sautant par-dessus les fossés, n'était plus qu'à
quelques bonds des vaisseaux. Ce péril, qui l'a écarté?
N'est-ce pas celui que nulle part, à t'en croire, on n'aurait
vu combattre de pied ferme? Ce jour-là, n'avez-vous pas
apprécié sa valeur? Une autre fois, lorsque, volontaire
élu par le sort, il alla provoquer Hector en duel, il n'avait
pas lâchement déposé pour le tirage une boulette de
terre mouillée, mais une bille de poids infime propre à
bondir la première hors du casque empanaché [40]. Oui,
voilà ce qu'il a fait, j'en fus témoin, moi, l'esclave, le
fils de la barbare. Malheureux! Où as-tu donc l'esprit,
quand tu oses me traiter de la sorte? As-tu oublié que
ton grand-père, le vieux Pélops, était un barbare originaire de Phrygie [41]? et que l'impie Atrée, à qui tu dois le

jour, tua les enfants de son frère et les lui servit en festin ?
Et ta propre mère ! Une Crétoise que son père, l'ayant
surprise dans les bras d'un aventurier, fit jeter aux
poissons, justiciers muets ! Issu de tels parents, tu me
reproches les miens ? Je suis le fils de ce Télamon, qui,
pour prix de ses exploits, se vit accorder la main de ma
mère, princesse de sang royal par son père Laomédon.
Et ce présent insigne, mon père le tenait du fils d'Alcmène
en personne [42]. Ainsi, né de deux maisons princières,
je laisserais outrager ceux de mon sang que le malheur
abat, lorsque tu as l'effronterie de leur refuser la sépulture ? Sache bien une chose : si vous jetez ce corps à
l'abandon, vous aurez nos trois cadavres à jeter près de
lui [43]. Il me sera beau de mourir hautement pour son
service, plutôt que pour ta femme ou pour la femme de
ton frère. Un mot encore : dans ton propre intérêt, ne
te mêle pas de mes affaires. Si jamais tu me cherches
noise, tu regretteras un jour de ne m'avoir pas ménagé
davantage.

(Entre Ulysse.)

Le Coryphée. — Seigneur Ulysse, tu seras le bienvenu,
si tu viens pour apaiser la querelle, au lieu de l'enve-
nimer.

Ulysse. — Qu'y a-t-il, messieurs ? De loin, j'ai
perçu les éclats de voix des Atrides autour de cette
glorieuse dépouille.

Agamemnon. — Et nous, prince, quelles basses
insultes ne venons-nous pas d'entendre de la bouche
de ce personnage !

Ulysse. — Quelles insultes ? Je les excuserai, si elles
répliquent à des injures.

Agamemnon. — Il en a essuyées, c'est vrai; mais
je n'ai fait que lui rendre ses mépris.

Ulysse. — Quelles offenses as-tu à lui reprocher ?

Agamemnon. — Il s'oppose à l'abandon du cadavre
et prétend l'ensevelir de force.

Ulysse. — Puis-je te parler franc sans que s'altère
notre amitié ?

Agamemnon. — Parle, ou j'aurais perdu le sens.
Entre tous les Argiens, tu es mon meilleur ami.

Ulysse. — Ecoute-moi donc. Par les dieux, tu n'auras
pas le cœur d'abandonner cet homme sans sépulture.
Ne cède pas à ton ressentiment : il te souffle un déni
de justice. Est-ce qu'Ajax ne me haïssait pas plus que

tout autre dans l'armée depuis que j'avais gagné contre
lui les armes d'Achille? Pourtant, en échange de sa
haine, je veux lui rendre cet hommage qu'il n'y avait
pas devant Troie de guerrier plus valeureux, Achille
excepté. Lui faire affront blesserait l'équité. Ce n'est
pas lui, ce sont les lois divines que tu anéantirais. Devant
la dépouille d'un brave, la rancune doit s'incliner.

AGAMEMNON. — Est-ce toi, Ulysse, qui prends sa
défense contre moi?

ULYSSE. — Oui, c'est moi. Quand il était bien de le
haïr, je le haïssais.

AGAMEMNON. — Et maintenant qu'il est mort, je n'ai
pas le droit de le fouler aux pieds?

ULYSSE. — Ne te prévaux pas, fils d'Atrée, d'un aussi
vil avantage.

AGAMEMNON. — Il n'est pas facile de mettre d'accord
l'autorité royale et la piété.

ULYSSE. — Il l'est d'avoir égard aux sages conseils
d'un ami.

AGAMEMNON. — Tout homme de bien doit s'incliner
devant le roi.

ULYSSE. — Allons donc! Vaincu par l'amitié, le roi
est encore le roi.

AGAMEMNON. — Rappelle-toi quel homme tu prétends honorer.

ULYSSE. — Il fut mon ennemi, mais c'était un vaillant.

AGAMEMNON. — Eh quoi, parce qu'il est mort, ton
ennemi te devient sacré?

ULYSSE. — La vertu a plus d'ascendant sur moi que
la haine.

AGAMEMNON. — Voilà bien la versatilité des hommes!

ULYSSE. — Il est vrai : j'en connais plus d'un, aujour-
d'hui tout miel, demain tout fiel.

AGAMEMNON. — Et tu approuves qu'on recherche
ces amis-là?

ULYSSE. — Je n'ai point coutume de louer les cœurs
inflexibles.

AGAMEMNON. — Nous allons, par ta faute, faire
figure de pleutres.

ULYSSE. — Au contraire, tous les Grecs nous don-
neront raison.

AGAMEMNON. — Bref, tu m'engages à autoriser l'inhumation?

ULYSSE. — Assurément. Ne suis-je pas mortel, moi
aussi?

AGAMEMNON. — Il en va toujours de même : chacun ne travaille que pour soi.

ULYSSE. — Eh! quoi de plus légitime?

AGAMEMNON. — Prends donc sur toi la décision : on ne me l'imputera point.

ULYSSE. — Bon gré mal gré, tu en auras l'honneur.

AGAMEMNON. — Sur tout autre point, sache-le, même plus important, je te donnerais volontiers satisfaction; mais Ajax, là-bas comme ici, restera mon ennemi détesté. Cela dit, loisible à toi de suivre ton sentiment.

LE CORYPHÉE. — Après un tel exemple, Ulysse, insensé qui ne rend pas hommage à ta sagesse innée.

ULYSSE. — Le point final mis à ces incidents, je déclare à Teucer qu'autant je l'ai combattu, autant je deviens son ami. Je veux m'employer avec lui à ensevelir le mort, sans négliger aucun des honneurs que les mortels doivent à leurs grands hommes.

TEUCER. — Noble Ulysse, tu ne mérites que des louanges; tu as fait mentir mes craintes. Il n'est point d'Argien qu'Ajax ait haï plus que toi, et tu es le seul qui soit venu le défendre; tu n'as pas eu la lâche audace d'insulter un mort qui ne peut plus répondre. Quelle différence avec notre grand chef! A les croire frappés de démence, lui et son frère, pour prétendre abandonner sans tombeau ce corps outragé! Puissent le Père qui règne dans l'Olympe, et la Vengeance, qui n'oublie rien, et la Justice, qui arrive à son heure, faire périr misérablement ces misérables, de même qu'ils voulaient indignement jeter au rebut le corps de ce guerrier. Cependant, fils du vieux Laërte, au moment où tu vas toucher à sa sépulture, la crainte me vient d'offenser cette grande ombre. Pour les autres soins prête-nous ton assistance, et si tu veux bien qu'un homme de l'armée nous aide à enlever le corps, nous t'en serons reconnaissants. Je pourvoirai à tout le reste, mais je veux que tu saches que je te tiens pour un homme d'honneur.

ULYSSE. — Je t'offrais mes services de bon cœur; mais, en vérité, je comprends tes scrupules, et je me retire.

(Il sort.)

TEUCER. — *Voilà qui est bien; mais nous avons déjà perdu beaucoup de temps. — Vous autres, hâtez-vous de creuser une fosse; et vous, faites monter la flamme autour du haut trépied pour les purifications. Que quelques hommes aillent prendre dans la tente l'équipement complet d'Ajax, à*

*l'exception de son bouclier. Enfant, si tu es assez fort,
soutiens doucement ton père sous les bras et soulève-le en
même temps que moi : car ses veines encore chaudes laissent
affluer vers la bouche un sang noir. Allons, qu'ils accourent,
tous ceux qui se déclarent ses amis, qu'ils s'empressent de
rendre les derniers devoirs à ce guerrier sans reproche, à cet
Ajax qui n'eut jamais son égal.*

LE CORYPHÉE. — *Certes, les yeux de l'homme lui
apprennent bien des choses; mais de ce que l'avenir leur
dérobe encore, nul n'est devin.*

ANTIGONE

ANTIGONE [44]

PERSONNAGES

ANTIGONE, ISMÈNE, CHŒUR DE VIEILLARDS
THÉBAINS, CRÉON, UN GARDE, HÉMON,
TIRÉSIAS, UN MESSAGER, EURYDICE,
UN MESSAGER DU PALAIS.

Une place à Thèbes, devant le palais des Labdacides.

PROLOGUE

ANTIGONE. — Chère Ismène, ma sœur, toi qui partages mon sort, de tous les maux qu'Œdipe nous a
laissés en héritage, m'en citeras-tu un seul dont Zeus
veuille nous tenir quittes avant la fin de nos jours ? Jusqu'ici, en fait de chagrins, de malédictions, d'affronts, de
mépris, je ne vois pas que rien nous ait été épargné, à toi
aussi bien qu'à moi. Et qu'est-ce que cette proclamation
que le régent, dit-on, adresse au peuple ? N'en as-tu pas
eu vent ? Ne sens-tu pas la haine, pas à pas, qui s'approche de nos bien-aimés ?

ISMÈNE. — Nos bien-aimés, Antigone ? Non, je n'ai
rien appris à leur sujet qui puisse adoucir ou aigrir
encore ma peine. Hier, la perte de nos deux frères, tombés sous les coups l'un de l'autre ; cette nuit, la retraite
de l'armée argienne : je n'en sais pas davantage, et je ne
me trouve ni moins ni plus malheureuse.

ANTIGONE. — J'en étais sûre, et je t'ai donné rendez-
vous hors du palais pour te parler sans témoins.

ISMÈNE. — Que se passe-t-il ? Je vois bien que tu
médites quelque chose ?

ANTIGONE. — La sépulture due à nos deux frères,
Créon ne prétend-il pas l'accorder à l'un et en spolier

l'autre ? On dit qu'il a enseveli Etéocle selon le rite, afin
de lui assurer auprès des morts un accueil honorable,
et c'était son devoir; mais le malheureux Polynice, il
défend par édit qu'on l'enterre et qu'on le pleure : il
faut l'abandonner sans larmes, sans tombe, pâture de
choix pour les oiseaux carnassiers ! Oui, telles seraient les
décisions que Créon le juste nous signifie à toi et à moi,
oui, à moi ! Il viendra tout à l'heure les proclamer
afin que nul n'en ignore ! Il y attache la plus grande
importance et tout contrevenant est condamné à être
lapidé par le peuple. Les choses en sont là, et bientôt
tu devras montrer si tu es fidèle à ta race ou si ton cœur
a dégénéré.

ISMÈNE. — Mais, ma pauvre amie, si les choses en
sont là, que je m'en mêle ou non, à quoi cela nous
avancera-t-il ?

ANTIGONE. — Vois si tu veux prendre ta part de
risques dans ce que je vais faire.

ISMÈNE. — Quelle aventure veux-tu donc courir ?
Quel est ton projet ?

ANTIGONE. — Je veux, de mes mains, enlever le corps.
M'y aideras-tu ?

ISMÈNE. — Quoi ! tu songes à l'ensevelir ? Mais c'est
violer l'édit !

ANTIGONE. — Polynice est mon frère; il est aussi le
tien, quand tu l'oublierais. On ne me verra pas le renier,
moi.

ISMÈNE. — Mais, folle ! et la défense de Créon ?

ANTIGONE. — Créon n'a pas de droits sur mon bien.

ISMÈNE. — Hélas, réfléchis, ma sœur. Notre père
est mort réprouvé, déshonoré; lorsqu'il s'est lui-même
découvert criminel, il s'est arraché les yeux, et sa femme,
qui était sa mère, s'est pendue. Et voici nos deux
frères qui se sont entre-tués, ne partageant entre eux que
la mort, les infortunés ! Demeurées seules, nous deux, à
présent, ne prévois-tu pas l'affreuse fin qui nous guette si
nous enfreignons la loi, si nous passons outre aux édits et à
la puissance du maître ? N'oublie pas que nous sommes
femmes et que nous n'aurons jamais raison contre des
hommes. Le roi est le roi : il nous faut bien obéir à son
ordre, et peut-être à de plus cruels encore. Que nos
morts sous la terre me le pardonnent, mais je n'ai pas
le choix; je m'inclinerai devant le pouvoir. C'est folie
d'entreprendre plus qu'on ne peut.

ANTIGONE. — Je n'ai pas d'ordres à te donner. D'ail-

leurs, même si tu te ravisais, tu ne me seconderais pas
de bon cœur. Fais donc ce qu'il te plaira ; j'ensevelirai
Polynice. Pour une telle cause, la mort me sera douce.
Je reposerai auprès de mon frère chéri, pieusement
criminelle. J'aurai plus longtemps à plaire à ceux de
là-bas qu'aux gens d'ici. Là-bas, mon séjour n'aura
point de fin. Libre à toi de mépriser ce qui a du prix au
regard des dieux.

ISMÈNE. — Je ne méprise rien ; mais désobéir aux lois
de la cité, non : j'en suis incapable.

ANTIGONE. — Invoque ce prétexte... J'irai recouvrir
de terre le corps de mon frère bien-aimé.

ISMÈNE. — Malheureuse, que je tremble pour toi !

ANTIGONE. — Ne te mets pas en peine de moi, assure
ta vie.

ISMÈNE. — Au moins n'avertis personne ; cache bien
ton projet : je le cacherai aussi.

ANTIGONE. — Hélas ! parle, au contraire, annonce-le
à tout le monde : je t'en voudrais bien plus de ton
silence.

ISMÈNE. — Ton cœur s'enflamme pour ce qui glace
d'effroi.

ANTIGONE. — Je sais qu'ils sont contents de moi,
ceux que d'abord je dois servir.

ISMÈNE. — Si toutefois tu réussis ; mais tu vises l'impossible.

ANTIGONE. — Quand les forces me manqueront, je
renoncerai.

ISMÈNE. — C'est mal déjà que de tenter l'impossible.

ANTIGONE. — Ne parle pas ainsi, ou je te haïrai, et
le mort te haïra, quand tu reposeras près de lui ; et ce
sera justice. Laisse-moi, laisse mon imprudence courir
ce risque. Quoi qu'il me faille souffrir, je serai morte glorieusement.

ISMÈNE. — Pars, puisque tu l'as résolu. C'est une
folie, sache-le bien ; mais tu sais aimer ceux que tu aimes.

ENTRÉE DU CHŒUR

O le plus beau soleil qui jamais ait brillé
       sur les Sept Portes de Thèbes,
enfin tu nous as lui, bel œil d'un jour doré !
au-dessus des ruisseaux de Dircé [45] *tu t'avances,*
et le chef au bouclier blanc [46] *et l'armée immense d'Argos,*

les voilà devant toi qui fuient à toutes brides
        plus vite qu'ils n'étaient venus !

Le Coryphée. — *Et qui les a conduits sur notre sol ?*
C'est Polynice le rebelle. Comme un aigle à grands cris
l'Argien fondit sur nous, se couvrant d'une aile de neige,
dans la mêlée des armes, et sur les casques flottaient les
crinières chevalines.

Le Chœur.

Il tournoya au-dessus des maisons,
— *autour de la muraille à la septuple bouche*
les lances resserraient leur cercle meurtrier —
        et tout soudain il est parti
avant que notre sang ait repu ses mâchoires
et que notre rempart, couronne de la ville,
        ait croulé sous les flammes résineuses.
    Et dans la plaine, partout, Arès grondait à ses trousses,
            laissant le Dragon [47] *maître du terrain.*

Le Coryphée. — *Zeus plus que tout déteste les vantards,*
et quand il a vu l'Argien se ruer comme un torrent, ivre du
tintamarre de ses armes dorées, sa foudre du haut des
créneaux a précipité l'imprudent qui déjà criait victoire [48].

Le Chœur.

Sur la terre, qui retentit, il s'écroula, comme Tantale [49],
la flamme au poing, lui qui, d'une fougue insensée,
        d'une ardeur de bacchante faisait rage
        en rafales meurtrières sur la cité.
            Ainsi de celui-là.
Mais à d'autres le grand Arès distribuait d'autres destins,
            chargeant avec furie,
        cheval de main de la bataille.

Le Coryphée. — *Aux sept Portes sept capitaines, à sept*
des nôtres opposés, laissèrent à Zeus libérateur leurs armes
d'airain en offrande. Seuls, les princes maudits, les deux
frères germains, affrontés lance contre lance, prirent chacun
sa part d'une commune mort.

Le Chœur.

Enfin, payant de gloire notre amour,
dans Thèbe, à grand arroi de chars [50], *la Victoire fait son*
        Puisque la guerre est finie,   [*entrée !*
        n'y pensez plus, maintenant !
    Courons visiter les temples
    et déployons des chœurs toute la nuit,
        et que les conduise Bacchos,
        Bacchos qui naquit d'un éclair
        dont a tremblé le sol thébain [51].

LE CORYPHÉE. — *Mais voici que s'avance notre roi Créon, le fils de Ménécée, préoccupé des nouveaux événements que les dieux nous envoient. Dans quelle pensée a-t-il convoqué notre sénat ?*

PREMIER ÉPISODE

CRÉON. — Citoyens, après la tourmente qui nous a secoués, les dieux nous ont remis d'aplomb. Je vous ai convoqués entre tous, vous qui avez toujours été, je le sais, les loyaux soutiens du trône ; vous l'étiez sous Laïos, vous le fûtes lorsqu'Œdipe rétablit nos affaires, et vous avez conservé, après la mort de ce prince, votre fidèle attachement aux enfants royaux. Depuis le jour que les deux frères, succombant à leurs destins jumeaux, ont péri, l'un par l'autre frappés, l'un par l'autre criminels, le pouvoir souverain m'est revenu comme au plus proche parent. Or il est impossible de juger du caractère, de l'intelligence et des idées d'un homme tant qu'il n'a pas fait ses preuves au gouvernement et à la garde des lois. Quiconque assume la direction d'un Etat, s'il a d'autres soucis que le bien public et se laisse clouer la langue par je ne sais quelle timidité, je dis — et je l'ai toujours dit — que c'est le pire des lâches. Et quiconque préfère à sa patrie un être cher est pour moi comme s'il n'était pas. Que Zeus le sache, qui lit dans les cœurs : je ne suis pas homme à me taire quand je vois l'égarement d'un seul mettre en péril le sort de tous. Jamais je n'aurai pour ami l'ennemi public. J'ai conscience que le salut de la patrie est le salut de chacun et qu'il n'y a pas d'amitié qui tienne dans une patrie en détresse. Tels sont les principes au nom desquels j'entends gouverner ; ils inspirent l'arrêté que je fais proclamer concernant les fils d'Œdipe : Etéocle, guerrier hors de pair, mort en servant son pays, sera enseveli avec tous les honneurs qui accompagnent sous la terre les plus glorieux morts ; mais son frère Polynice, le banni qui n'est revenu que pour livrer aux flammes sa patrie et ses dieux, s'abreuver du sang fraternel et réduire les siens en esclavage, défense publique est faite aux citoyens de l'honorer d'un tombeau, de le pleurer ; que son corps gise, privé de sépulture, proie des oiseaux et des chiens, objet d'opprobre. Telle est ma décision. Jamais je ne souffrirai que les scélérats usurpent les honneurs qu'on doit aux gens de bien. En revanche, tout patriote, vivant ou mort, me trouvera prêt à l'honorer.

LE CORYPHÉE. — Sur le bon et sur le mauvais serviteur du pays, Créon, fils de Ménécée, la sentence est rendue, c'est bien : il t'appartient de porter des décrets à ta guise aussi bien sur les morts que sur nous autres les vivants.

CRÉON. — Comment pensez-vous assurer l'exécution de mes ordres ?

LE CORYPHÉE. — Confie cette charge à de plus jeunes que nous.

CRÉON. — Bien entendu, j'ai placé des gardes près du cadavre.

LE CORYPHÉE. — Que pouvons-nous d'autre pour te servir ?

CRÉON. — Te garder de toute collusion avec les contrevenants.

LE CORYPHÉE. — Personne n'est assez fou pour désirer la mort.

CRÉON. — Tel serait le salaire, en effet. Mais la cupidité a souvent perdu les hommes.

(Entre un garde.)

LE GARDE. — Roi, je ne dirai pas que la hâte m'a coupé le souffle et que j'ai couru d'un pied léger. Plus d'une fois je me suis arrêté pour réfléchir et j'ai failli souvent faire demi-tour. Et je me chapitrais en moi-même : « Pauvre fou, pourquoi courir à une punition certaine ? — Allons, bon ! vas-tu encore tergiverser ? Et si Créon apprend l'affaire par un autre, n'est-ce pas toi qui en pâtiras ? » A rouler tout cela dans ma tête, je n'avançais guère, et c'est ainsi qu'un bout de chemin devient une longue route. A la fin du compte, j'ai préféré me présenter devant toi. Je vais te faire mon rapport, vaille que vaille. J'ai bon espoir qu'il ne peut rien m'arriver que ce qui est inscrit à mon rôle.

CRÉON. — Eh bien ? qu'est-ce qui t'inquiète ?

LE GARDE. — Avant d'aller plus loin, je veux me mettre à couvert ; ce n'est pas moi qui ai fait le coup, et je n'ai pas vu celui qui l'a fait. Je n'ai pas mérité que l'on me fasse des ennuis.

CRÉON. — Voilà bien des feintes et des embarras. Tu m'as pourtant l'air de vouloir nous annoncer quelque chose.

LE GARDE. — Les mauvaises nouvelles ont de la peine à sortir.

CRÉON. — Parle, à la fin. Après, tu t'en iras soulagé.

LE GARDE. — En un mot comme en cent, quelqu'un a

répandu de la terre sèche sur le cadavre, conformément aux rites.

CRÉON. — Que dis-tu ? Quel homme a eu cette audace ?

LE GARDE. — Je l'ignore. On ne relevait ni entaille de bêche, ni couche de terre remuée à la pioche. Le sol était dur, sec, sans une fente, sans une ornière : l'ouvrier n'a pas laissé de traces. Quand le premier gardien de jour nous a fait constater la chose, ç'a été pour nous une surprise plutôt désagréable. Le cadavre était devenu invisible. Il n'était pas enterré, non, mais recouvert de poussière, juste de quoi éviter le sacrilège. Nulle marque non plus d'une bête sauvage ou de quelque chien qui serait venu et l'aurait déchiqueté. Pour le coup, le ton monte, on s'accuse entre gardiens, et chaque fois les poings finissaient par s'en mêler, sans qu'il y eût quelqu'un pour mettre le holà. Chacun suspectait le voisin, mais les preuves faisaient défaut et tout le monde se disculpait à qui mieux mieux. Nous étions prêts à empoigner le fer rouge, à marcher dans les flammes, à jurer le grand serment par les dieux, pour prouver que nous étions innocents du crime, que nous ne savions même pas qui pouvait l'avoir préparé ou exécuté. Bref, comme tout cela ne menait à rien, l'un de nous a proposé une solution qui nous a fait baisser la tête en frissonnant, car nous n'avions rien à y redire, certes, mais rien de bon à en attendre : c'était de te faire un rapport fidèle et complet. L'avis l'emporte, on tire au sort, et la mission m'échoit : voilà bien ma chance ! Je peux dire que pas plus que vous je ne suis ici pour mon plaisir ; car on en veut toujours aux messagers de malheur.

LE CORYPHÉE. — Roi, les dieux ne sont sans doute pas étrangers à ce mystère. C'est la pensée qui m'est venue tout de suite.

CRÉON. — N'en dis pas plus, tu me pousserais à bout. Quelle sottise, à ton âge ! Prétendre que les dieux prennent soin de ce cadavre est une idée révoltante ! Quoi ! Ils nous auraient dérobé, pour le glorifier comme un bienfaiteur, un homme qui venait mettre le feu aux colonnes de leurs temples, détruire leur culte, leur terre, leurs lois ? Quand as-tu vu les dieux honorer les scélérats ? Mais j'ai déjà remarqué que des mécontents murmurent contre mes ordres, branlent la tête sous cape, ne plient pas l'encolure au joug d'une obéissance loyale. Ce sont eux, les faits me le démontrent, qui ont payé les gardes pour faire le coup. L'argent, ah ! maudite engeance, fléau des humains !

Il ruine les cités, il chasse les hommes de leurs maisons; maître corrupteur, il pervertit les consciences, leur enseigne des ruses criminelles, les initie à toutes les impiétés. Seulement les exécuteurs mercenaires de ce forfait s'y sont pris de telle manière que tôt ou tard ils seront punis. S'il est vrai que je n'ai pas perdu tout respect de Zeus, écoute bien ceci, que j'appuie d'un serment : trouvez le coupable et amenez-le-moi, que je l'aie devant les yeux, — faute de quoi non seulement vous serez mis à mort, mais auparavant on vous pendra par les mains jusqu'à ce que vous l'ayez dénoncé. Ainsi vous comprendrez que tous les gains ne sont pas de bonne prise, et qu'il ne faut pas accepter d'argent de n'importe qui. On voit chaque jour les profits malhonnêtes ruiner plus de gens qu'ils n'en tirent d'affaire.

LE GARDE. — Ai-je encore droit à la parole, ou est-ce que tu m'as assez vu ?

CRÉON. — Cette fois encore, ne vois-tu pas que tes impertinences m'indisposent ?

LE GARDE. — Est-ce aux oreilles ou au cœur qu'elles te mordent ?

CRÉON. — Pourquoi te mettre en peine si je souffre ici ou là ?

LE GARDE. — C'est le coupable qui t'a touché au cœur, Moi, je n'irrite que tes oreilles.

CRÉON. — Quel impudent raisonneur tu fais, en vérité !

LE GARDE. — En tout cas, l'auteur de l'attentat, ce n'est pas moi.

CRÉON. — Et pourquoi ne serait-ce pas toi ? La cupidité t'aura perdu.

LE GARDE. — Ah ! misère ! quand on a l'esprit prévenu d'une idée, on ne sait plus démêler le vrai du faux.

CRÉON. — Moque-toi de mes soupçons : si vous ne me découvrez les coupables, je vous forcerai bien à reconnaître que les gains honteux ne rapportent que des ennuis.

(Il rentre dans le palais.)

LE GARDE. — Eh ! qu'on les découvre, c'est tout ce que je demande. Mais arrêtés ou non — et cela, c'est affaire de chance — tu ne me reverras pas de sitôt. Ma foi, je n'espérais pas m'en tirer à si bon compte, et je dois aux dieux une fière chandelle !

(Il se retire.)

CHANT DU CHŒUR

Entre tant de merveilles du monde, la grande merveille, c'est
                                          [*l'homme.*
Il parcourt la mer qui moutonne quand la tempête souffle du
    il passe au creux des houles mugissantes,   [*sud,*
et la mère des dieux, la Terre souveraine,
        l'immortelle, l'inépuisable,
            une année après l'autre
        il la travaille, il la retourne,
alignant les sillons au pas lent de ses mules.
        Le peuple oiseau, race légère
et les fauves des bois et la faune marine,
il les capture au creux mouvant de ses filets,
            cet inventeur de stratagèmes !
            Il attire dans ses pièges
            le gros gibier des plateaux,
il courbe sous le collier le col crépu du cheval,
ou le taureau des monts dans le plein de sa force.
Et le langage et la pensée agile et les lois et les mœurs,
        il s'est tout enseigné sans maître,
        comme à s'abriter des grands froids
        et des traits perçants de la pluie.
Génie universel et que rien ne peut prendre
        au dépourvu, du seul Hadès
        il n'élude point l'échéance,
bien qu'à des cas désespérés, parfois, il ait trouvé remède.
Riche d'une intelligence incroyablement féconde,
du mal comme du bien il subit l'attirance,
            et sur la justice éternelle
            il greffe les lois de la terre.
Mais le plus haut dans la cité se met au ban de la cité
Si, dans sa criminelle audace, il s'insurge contre la loi.
        A mon foyer ni dans mon cœur
        Le révolté n'aura jamais sa place.

LE CORYPHÉE. — *Par quel prodige... Non, je n'ose en
croire mes yeux, mais comment nier que c'est ma petite
Antigone que j'aperçois ? Ah ! malheureuse, digne fille du
malheureux Œdipe, se peut-il ? Est-ce bien toi qu'on amène
rebelle aux ordres du prince ? Toi qu'on aurait surprise à
commettre cette folie ?*

DEUXIÈME ÉPISODE

Le garde. — La voici, la coupable. Prise en flagrant délit. Où est donc Créon ?

Le Coryphée. — Il était rentré au palais, mais il revient à point nommé.

Créon. — Qu'y a-t-il ? Pourquoi dites-vous que j'arrive à propos ?

Le garde. — Roi, il ne faut jurer de rien. Une idée survient, qui fait échec à ce qu'on avait pensé. Je m'étais vanté que vous ne me reverriez pas de sitôt, car tes menaces m'avaient secoué rudement. Mais une joie sur laquelle on n'osait plus compter, rien ne peut faire autant de plaisir. J'avais juré de n'en rien faire, c'est vrai, mais je suis revenu, et je t'amène cette jeune fille qu'on a surprise en train d'arranger la sépulture. Cette fois on n'a pas eu besoin d'agiter les dés, car c'est à moi, à moi seul, qu'est échue la bonne aubaine. Maintenant que tu la tiens, roi, à toi de l'interroger et d'obtenir ses aveux. Me voici tiré d'affaire, et j'ai bien gagné ma liberté.

Créon. — Cette fille que tu amènes, où l'as-tu prise, et comment ?

Le garde. — Elle ensevelissait le mort. Que veux-tu savoir de plus ?

Créon. — Comprends-tu la portée de tes paroles ? Et dis-tu bien la vérité ?

Le garde. — Je l'ai vue ensevelissant le cadavre que tu as interdit d'ensevelir. Cela n'est-il point clair et précis ?

Créon. — Comment a-t-elle été découverte et prise sur le fait ?

Le garde. — Voici l'affaire. J'arrive, encore étourdi de tes menaces. Aussitôt, nous balayons la poussière qui recouvrait le cadavre et nous le mettons à nu. Comme il commençait à se décomposer, nous allons nous asseoir sur une butte voisine, en plein vent, à cause de l'odeur. Pour mieux nous tenir éveillés, nous nous gourmandions entre nous, sans nous passer la moindre distraction. Nous sommes restés ainsi jusqu'au moment où le soleil a gagné le milieu du ciel, — et ses rayons étaient cuisants. Mais voilà qu'un coup de vent soulève un tourbillon de poussière, véritable plaie céleste qui envahit toute la plaine, cinglant le feuillage, emplissant l'air jusqu'aux nues. Les yeux fermés, nous nous courbions sous le fléau.

Au bout d'un long moment, quand la bourrasque s'est éloignée, nous apercevons la fillette qui pousse des lamentations aiguës, comme fait un oiseau affolé, quand il arrive au nid et n'y trouve plus ses petits. Elle aussi, en voyant le corps exhumé, elle se prend à gémir, à crier, à maudire les auteurs du sacrilège. De ses mains, elle amasse à nouveau de la poussière; puis, levant un beau vase de bronze, elle couronne le cadavre d'une triple libation. Nous accourons, nous l'appréhendons; elle ne paraissait nullement effrayée. Nous l'interrogeons sur ce qu'elle avait fait la première fois, sur ce qu'elle venait de faire; elle a tout avoué. J'en étais heureux et pourtant cela me faisait de la peine, car s'il est doux d'échapper au malheur, on n'aime point à y jeter des gens qu'on aime bien. Mais enfin, pour moi, n'est-ce pas, mon salut avant tout.

CRÉON. — Eh bien, toi, — oui, toi qui baisses le front vers la terre, reconnais-tu les faits?

ANTIGONE. — Je les reconnais formellement.

CRÉON (au garde). — File où tu voudras, la conscience légère; tu es libre.

(A Antigone).

Réponds en peu de mots. Connaissais-tu mon édit?

ANTIGONE. — Comment ne l'aurais-je pas connu? Il était public.

CRÉON. — Et tu as osé passer outre à mon ordonnance?

ANTIGONE. — Oui, car ce n'est pas Zeus qui l'a promulguée, et la Justice [52] qui siège auprès des dieux de sous terre n'en a point tracé de telles parmi les hommes. Je ne croyais pas, certes, que tes édits eussent tant de pouvoir qu'ils permissent à un mortel de violer les lois divines : lois non écrites, celles-là, mais intangibles. Ce n'est pas d'aujourd'hui ni d'hier, c'est depuis l'origine qu'elles sont en vigueur, et personne ne les a vues naître. Leur désobéir, n'était-ce point, par un lâche respect pour l'autorité d'un homme, encourir la rigueur des dieux? Je savais bien que je mourrais; c'était inévitable — et même sans ton édit! Si je péris avant le temps, je regarde la mort comme un bienfait. Quand on vit au milieu des maux, comment n'aurait-on pas avantage à mourir? Non, le sort qui m'attend n'a rien qui me tourmente. Si j'avais dû laisser sans sépulture un corps que ma mère a mis au monde, je ne m'en serais jamais consolée; maintenant, je ne me tourmente plus de rien. Si tu estimes que je me conduis comme une folle, peut-être n'as-tu rien à m'envier sur l'article de la folie!

Le Coryphée. — Comme on retrouve dans la fille le caractère intraitable du père! Elle ne sait pas fléchir devant l'adversité.

Créon. — Apprends que c'est le manque de souplesse, le plus souvent, qui nous fait trébucher. Le fer massif, si tu le durcis au feu, tu le vois presque toujours éclater et se rompre. Mais je sais aussi qu'un léger frein a bientôt raison des chevaux rétifs. Oui, l'orgueil sied mal à qui dépend du bon plaisir d'autrui. Celle-ci savait parfaitement ce qu'elle faisait quand elle s'est mise au-dessus de la loi. Son forfait accompli, elle pèche une seconde fois par outrecuidance lorsqu'elle s'en fait gloire et sourit à son œuvre. En vérité, de nous deux, c'est elle qui serait l'homme, si je la laissais triompher impunément. Elle est ma nièce, mais me touchât-elle par le sang de plus près que tous les miens, ni elle ni sa sœur n'échapperont au châtiment capital. Car j'accuse également Ismène d'avoir comploté avec elle cette inhumation. Qu'on l'appelle : je l'ai rencontrée tout à l'heure dans le palais, l'air égaré, hors d'elle. Or ceux qui trament dans l'ombre quelque mauvais dessein se trahissent toujours par leur agitation... Mais ce que je déteste, c'est qu'un coupable, quand il se voit pris sur le fait, cherche à peindre son crime en beau.

Antigone. — Je suis ta prisonnière; tu vas me mettre à mort : que te faut-il de plus?

Créon. — Rien. Ce châtiment me satisfait.

Antigone. — Alors, pourquoi tardes-tu? Tout ce que tu dis m'est odieux — je m'en voudrais du contraire — et il n'est rien en moi qui ne te blesse. En vérité, pouvais-je m'acquérir plus d'honneur qu'en mettant mon frère au tombeau? Tous ceux qui m'entendent oseraient m'approuver, si la crainte ne leur fermait la bouche. Car la tyrannie, entre autres privilèges, peut faire et dire ce qu'il lui plaît.

Créon. — Tu es seule, à Thèbes, à professer de pareilles opinions.

Antigone, *désignant le chœur*. — Ils pensent comme moi, mais ils se mordent les lèvres.

Créon. — Ne rougis-tu pas de t'écarter du sentiment commun?

Antigone. — Il n'y a point de honte à honorer ceux de notre sang.

CRÉON. — Mais l'autre, son adversaire, n'était-il pas ton frère aussi ?

ANTIGONE. — Par son père et par sa mère, oui, il était mon frère.

CRÉON. — N'est-ce pas l'outrager que d'honorer l'autre ?

ANTIGONE. — Il n'en jugera pas ainsi, maintenant qu'il repose dans la mort.

CRÉON. — Cependant ta piété le ravale au rang du criminel.

ANTIGONE. — Ce n'est pas un esclave qui tombait sous ses coups ; c'était son frère.

CRÉON. — L'un ravageait sa patrie ; l'autre en était le rempart.

ANTIGONE. — Hadès n'a pas deux poids et deux mesures.

CRÉON. — Le méchant n'a pas droit à la part du juste.

ANTIGONE. — Qui sait si nos maximes restent pures aux yeux des morts ?

CRÉON. — Un ennemi mort est toujours un ennemi.

ANTIGONE. — Je suis faite pour partager l'amour, non la haine.

CRÉON. — Descends donc là-bas, et, s'il te faut aimer à tout prix, aime les morts. Moi vivant, ce n'est pas une femme qui fera la loi.

LE CORYPHÉE. — *Ah ! voici Ismène qui paraît devant la porte : elle laisse couler ses larmes pour sa sœur bien-aimée. Un nuage sur son front assombrit son visage meurtri par cette pluie qui mouille ses joues charmantes.*

CRÉON. — Et toi, vipère, qui te glissais à mon insu dans la maison pour me sucer le sang, — car sans m'en douter, je nourrissais deux pestes, deux ennemies de mon trône — allons, parle : avoueras-tu la part que tu as prise à ces soins funéraires ou vas-tu jurer que tu ignorais tout ?

ISMÈNE. — Ce qui s'est fait est aussi mon œuvre, si elle veut bien en convenir. Je m'en reconnais responsable.

ANTIGONE. — Tu n'en as pas le droit, car tu t'es dérobée, et j'ai agi seule.

ISMÈNE. — Maintenant que tu as le sort contre toi, je suis fière d'être à tes côtés dans le péril.

ANTIGONE. — Et qui s'est chargée de tout ? Hadès et nos morts ne s'y tromperont pas. Je n'ai point d'amour pour qui ne m'aime qu'en paroles.

ISMÈNE. — Ma sœur, ne me juge pas indigne de ta piété envers le mort : laisse-moi mourir à tes côtés.

ANTIGONE. — Non, je ne partagerai pas ma mort avec toi. Ne t'approprie pas un ouvrage auquel tu n'as pas travaillé. Que je meure, moi, ce sera bien.

ISMÈNE. — Abandonnée de toi, quel goût veux-tu que je trouve à la vie ?

ANTIGONE. — Confie-toi à Créon : tu lui es toute acquise.

ISMÈNE. — Quelle satisfaction éprouves-tu donc à me blesser ?

ANTIGONE. — Tiens, tu me ferais rire, si j'avais le cœur à rire.

ISMÈNE. — A présent, du moins, ne puis-je rien faire pour toi ?

ANTIGONE. — Sauve ta vie. Je n'en suis pas jalouse.

ISMÈNE. — Quelle n'est pas ma misère ! Faut-il que tu m'écartes même de ta mort ?

ANTIGONE. — Tu as opté pour la vie ; moi, je préfère mourir.

ISMÈNE. — Ce n'est pas faute pourtant que je t'aie mise en garde !

ANTIGONE. — Tu t'es crue sage ; d'autres m'ont approuvée.

ISMÈNE. — La faute est malgré tout égale entre nous deux.

ANTIGONE. — Ne te décourage pas : ta vie est devant toi ; la mienne est finie ; il y a longtemps que je l'ai consacrée à mes morts.

CRÉON. — Il n'en faut plus douter : ces deux filles sont folles, l'une depuis peu, l'autre depuis sa naissance.

ISMÈNE. — O roi, le peu de raison que la nature nous donne ne résiste pas au malheur.

CRÉON. — C'est du moins ton cas, depuis que tu as pris le parti des méchants.

ISMÈNE. — Privée d'elle, quelle existence vide je vais traîner !

CRÉON. — Ne parle plus de ta sœur : tu n'as plus de sœur.

ISMÈNE. — Vas-tu donc livrer à la mort la fiancée de ton fils ?

CRÉON. — Il trouvera d'autres sillons pour ses semailles !

ISMÈNE. — Ce n'est pas pour en venir là qu'ils se sont engagés l'un à l'autre !

CRÉON. — Je n'ai que faire de mauvaises femmes pour mes fils.

ISMÈNE. — Cher Hémon, que ton père fait bon marché de ton cœur !

CRÉON. — Tu m'importunes, à la fin, avec ce mariage.

LE CORYPHÉE. — Quoi ! ton propre fils, tu le priveras de celle qu'il aime ?

CRÉON. — Hadès lui-même va prononcer la rupture.

LE CORYPHÉE. — La chose est résolue, je le vois : elle mourra.

CRÉON. — Tu l'as dit. Et nous ne tardons que trop. Serviteurs, qu'on les mène au palais, qu'on les y tienne sous bonne garde : les plus hardis cherchent à s'enfuir, quand ils voient Hadès face à face.

CHANT DU CHŒUR

Heureux qui jusqu'en son vieil âge ignore le goût du malheur !
Quand une fois le ciel a frappé la maison,
*   la ruine de proche en proche*
gagne et n'épargne pas un seul des descendants.
*   Ainsi les lames énormes*
qui, sous les souffles furieux venus de Thrace
roulent à la surface des ténèbres salines,
*   amènent du fond de l'abîme*
un sable noir, jouet du vent rageur,
et heurtent les récifs côtiers qui leur répondent en grondant.

Depuis l'ancien temps je vois, sous le toit des Labdacides,
malheur sur malheur frapper les vivants après les morts.
*   Le père n'en garde point les enfants,*
*   un dieu les abat à leur tour,*
*   — il n'est point de rémission ! —*
Aujourd'hui l'ultime espoir qui brillait dans ce palais,
*   le suprême surgeon de la race d'Œdipe,*
*   le voilà tantôt moissonné,*
rançon de la rouge poussière[53] *aux dieux d'en bas consacrée*
et de pensers et de discours où souffla l'esprit d'imprudence.

Ta toute-puissance, ô Zeus, comment l'orgueil des humains
*   la tiendrait-il en échec ?*
*   Ni le sommeil qui tout entraîne vers sa fin,*
*   ni les mois, enfants des dieux, dans leur cours infatigable,*
*   n'ont de prise sur elle. Éternellement jeune,*
*   maître absolu, tu sièges sur l'Olympe,*

dans une aveuglante clarté !
    Et demain comme hier
et toujours, prévaudra
cette loi : nul mortel n'atteint
l'extrême du bonheur qu'il ne touche à sa perte.

    La mobile espérance
    console bien des hommes,
mais de bien des hommes aussi abuse les désirs crédules :
vers celui qui n'y prenait garde elle se glisse,
    il s'est brûlé ! Son pied touchait le feu...
        Quelle sagesse éclate
        en l'adage fameux :
Un esprit égaré prend le mal pour le bien.
        Un moment suffit pour le perdre.

LE CORYPHÉE. — *Voici Hémon, ton fils puîné. Je gage qu'il accourt anxieux du sort d'Antigone, sa jeune fiancée, et qu'il se désespère à cause de son mariage rompu.*

TROISIÈME ÉPISODE

CRÉON. — Nous le saurons bientôt plus clairement que par les devins. Mon fils, le décret irrévocable qui condamne ta fiancée va-t-il te dresser furieux contre ton père, ou nous gardes-tu, toi du moins, une affection à toute épreuve ?

HÉMON. — Mon père, je t'appartiens ; tes conseils me dirigent dans la bonne voie et je les suivrai toujours. Aucun mariage n'aura plus de prix à mes yeux que ta sage autorité.

CRÉON. — Voilà précisément, mon fils, les sentiments qu'il sied d'avoir : oui, tout doit passer après la volonté d'un père. Les hommes souhaitent de voir grandir dans leur maison des enfants soumis, qui embrassent leurs querelles et leurs amitiés. Donner la vie à des ingrats, n'est-ce pas engendrer nous-mêmes nos propres misères, à la grande joie de qui nous hait ? Mon enfant, l'amour n'est qu'un plaisir : ne perds pas la raison pour une femme. Dis-toi que l'étreinte d'une méchante épouse a de quoi refroidir un mari. Quelle plaie plus pernicieuse qu'un ami pervers ? Allons, repousse comme un être malfaisant cette malheureuse fille, laisse-la se marier chez Hadès, si cela lui plaît. Puisque seule dans la cité je l'ai trouvée rebelle, j'entends ne pas tromper la confiance du peuple : je la condamne à mort. Elle pourra bien implorer à grands cris Zeus familial : si, dans mon propre foyer, je nourris la révolte, les étrangers se croiront tout permis. Quiconque respecte la règle dans sa famille saura faire, dans la cité, respecter la justice. L'orgueil qui viole les lois et prétend dicter ses ordres au pouvoir n'a pas à compter sur mon approbation. L'élu d'un peuple doit être écouté en toutes choses, grandes et petites, justes ou injustes. Je ne doute pas qu'un citoyen discipliné ne sache commander aussi bien qu'il se plie à obéir; dans la bataille, il fera front vaillamment, en loyal serviteur du pays. L'anarchie est le pire des fléaux; elle ruine les cités, détruit les foyers, rompt les lignes du combat, sème la panique, alors que la discipline sauve la plupart de ceux qui restent à leur poste. C'est pourquoi notre devoir est de défendre l'ordre et de ne jamais souffrir qu'une femme ait le dessus. Mieux vaut tomber, s'il le faut, sous les coups d'un homme, que d'être appelé le vaincu d'une femme.

LE CORYPHÉE. — Si l'âge ne m'a pas ravi tout jugement, voilà, me semble-t-il, raisonner en homme de grand sens.

HÉMON. — Père, les dieux ont doté les humains de la raison, qui est le plus précieux des biens. Certes — et me préserve le ciel d'en être jamais capable — je ne saurais affirmer que tu as tort. Seulement d'autres peuvent aussi être dans le vrai. Par exemple, je suis bien placé pour connaître avant toi les opinions, les intrigues, les murmures. Ta présence glace l'homme du peuple, s'il veut tenir des propos susceptibles de blesser tes oreilles. Moi, je passe inaperçu, j'entends ce qu'on dit ici et là. C'est ainsi que j'ai compris combien la ville plaint cette jeune fille : aucune femme n'a moins mérité une mort infamante après une si belle action; son frère tué à la guerre était privé de sépulture, elle n'a pas voulu abandonner son corps aux chiens et aux oiseaux carnassiers ? Cela mériterait plutôt une couronne d'or. Voilà les propos qui vont leur train sous le manteau. Père, ton bonheur m'est plus cher que tout : un père florissant fait l'orgueil de ses enfants comme de beaux enfants sont l'orgueil de leur père. Mais montre-toi moins absolu dans tes jugements; ne te crois pas l'unique détenteur de la vérité. Ceux qui pensent avoir seuls reçu la sagesse en partage ou posséder une éloquence, un génie hors de pair, on découvre à l'épreuve l'inanité de leurs prétentions. Même pour un grand clerc, il n'y a pas de honte à s'instruire sans cesse et à réformer ses jugements. En temps de crue, le long des torrents, tu vois les arbres qui savent plier sauver leurs jeunes pousses, mais ceux qui tiennent tête sont déracinés; et le marin qui ne laisse pas de jeu à la voile naviguera bientôt la quille en l'air. Allons, cède en ton cœur, reviens sur ton arrêt. Si ma jeunesse n'est pas dénuée de tout bon sens, je dirai que rien n'est supérieur à un homme expérimenté, mais que de tels sages ne courent pas les rues, et qu'à tout prendre il n'est jamais déshonorant d'écouter un avis judicieux.

LE CORYPHÉE. — Roi, s'il y a du bon sens dans ses paroles, il convient que tu en fasses ton profit, comme lui des tiennes. De part et d'autre, vous avez parlé pertinemment.

CRÉON. — A notre âge, souffrir qu'un jouvenceau nous donne des leçons de sagesse!

HÉMON. — Ne retiens que ce qui est juste. Je suis jeune, c'est vrai, mais juge-moi sur mes actes, non sur mon âge.

CRÉON. — La belle action, en vérité, que d'honorer des rebelles!

HÉMON. — Je n'intercéderais pas pour des cœurs dépravés.

CRÉON. — Eh! n'est-ce pas justement le cas de cette fille?

HÉMON. — Le peuple de Thèbes est unanime à le nier.

CRÉON. — Appartient-il à l'opinion publique de nous dicter notre conduite?

HÉMON. — Ne vois-tu pas que tu parles là comme un jeune homme?

CRÉON. — Ce n'est pas pour moi, peut-être, que je dois gouverner?

HÉMON. — De cité faite pour un seul, il n'en existe pas.

CRÉON. — N'est-ce pas un principe reconnu que la cité appartient au souverain?

HÉMON. — Il ferait beau te voir régner sur un désert.

CRÉON. — Ce garçon, à ce qu'il me semble, fait cause commune avec la femme.

HÉMON. — Est-ce donc toi la femme? C'est ton intérêt que je défends.

CRÉON. — Misérable! en faisant le procès de ton père?

HÉMON. — C'est que je te vois prêt à commettre une injustice.

CRÉON. — Je commets une injustice quand je fais respecter mon pouvoir?

HÉMON. — Tu le fais mal respecter si c'est aux dépens des dieux.

CRÉON. — Ah! vile nature, qu'une femme asservit!

HÉMON. — Tu ne me trouveras point asservi à des sentiments bas.

CRÉON. — Tous les mots que tu dis ne sont que pour elle.

HÉMON. — Et pour toi aussi, et pour moi, et pour les dieux infernaux.

CRÉON. — Cette femme, non, jamais tu ne l'épouseras vivante.

HÉMON. — Elle mourra donc, mais de sa mort un autre périra.

CRÉON. — Tu as le front de me menacer, maintenant? Tout beau!

HÉMON. — Où vois-tu que je te menace? Je ne fais que répondre à tes pauvres raisons.

CRÉON. — Pauvre cervelle toi-même, il va t'en cuire de tes remontrances!

HÉMON. — Si tu n'étais mon père, je dirais que c'est toi qui as le cerveau troublé.

CRÉON. — Vil jouet d'une femme, ne me romps plus la tête.

HÉMON. — Tu t'étourdis de paroles pour t'empêcher de m'entendre!

CRÉON. — Vraiment? Par l'Olympe, tu vas payer cher tes reproches insolents. — *(A un serviteur.)* Amène cette odieuse fille; je veux la faire périr, séance tenante, sous les yeux de son fiancé.

HÉMON. — Cela, vois-tu, n'y compte pas : elle ne mourra pas sous mes yeux. Et toi, tu n'auras plus jamais à souffrir ma présence. Donne ta folie en spectacle à tes courtisans.

(Il sort.)

LE CORYPHÉE. — Roi, ce garçon est parti brusquement, dans un transport de fureur. À son âge, la douleur est mauvaise conseillère.

CRÉON. — Qu'il s'agite, qu'il passe les bornes, ce petit orgueilleux! Les deux jeunes filles n'échapperont pas à leur sort.

LE CORYPHÉE. — Quoi! tu veux les mettre à mort toutes les deux?

CRÉON. — Tu as raison : pas celle dont la main est innocente.

LE CORYPHÉE. — Et quel supplice réserves-tu à l'autre?

CRÉON. — Je la reléguerai en un lieu désert et je la murerai vivante dans un caveau, en lui laissant de nourriture ce qu'en prescrivent les rites, afin que la ville échappe à la souillure. Là-dessous, en priant Hadès, son dieu favori, elle obtiendra peut-être de ne pas mourir. Sinon, elle mesurera du moins la vanité des honneurs qu'on rend aux morts.

(Il rentre dans le palais.)

CHANT DU CHŒUR

Erôs[54], *jouteur irrésistible, Erôs,*
qui ne respectes rien, ni l'opulence,
ni la candeur des jeunes filles, dont les joues
s'empourprent de ton feu dans leur sommeil,
toi qui hantes les flots, les champs et les tanières,
aucun immortel ne t'évite,
aucun des hommes périssables,
et qui t'abrite en son cœur,
c'en est fait de sa raison!
L'esprit du juste même,
pour le perdre, tu le séduis à l'injustice.
Ne viens-tu pas, entre ces hommes,
d'exciter une haine au même sang nourrie?
Vainqueur est l'attrait qui rayonne
des yeux de la jeune épousée;
le Désir a sa place entre les grandes Lois
qui règnent sur le monde,
et sans combat la divine Aphrodite
fait de nous ce qu'elle veut.

LE CORYPHÉE. — *Mais à mon tour je me révolte et ne puis retenir mes larmes lorsque je vois notre Antigone s'avancer déjà vers la chambre où toute vie, un jour, s'endort.*

QUATRIÈME ÉPISODE

ANTIGONE.

Regardez, citoyens de ma patrie :
sur mon dernier chemin
je m'avance, et je vois
mon dernier soleil.
Puis jamais plus. Hadès, qui tout endort,
aux bords de l'Achéron m'entraîne encor vivante
et de mon bonheur nuptial
dépossédée, et sans qu'au seuil de mon époux

le chant rituel m'ait chantée.
L'Achéron sera mon époux.

LE CORYPHÉE. — *Glorieuse, admirée, tu t'en vas vers ce monde secret où sont les morts. Ni une maladie ne t'a flétrie, ni une épée ne t'a meurtrie : prenant ta loi en toi-même, vivante, ô destin inouï, tu vas descendre chez Hadès.*

ANTIGONE.

On m'a conté la triste fin
de cette phrygienne alliée à mon sang,
    Niobé [55], la fille de Tantale,
        au sommet du mont Sipyle :
    pareille au lierre qui s'attache,
une écorce de pierre emprisonna ses membres ;
            sur sa chair épuisée,
            on dit que sans relâche
    la pluie et la neige font rage   [sellent.
et que sans fin de ses paupières les larmes sur son cou ruis-
Pareil est le destin qui me couche au tombeau.

LE CORYPHÉE. — *Déesse elle était née et fille de déesse, nous sommes nés mortels et enfants de mortels ; quand tu ne seras plus, quelle gloire pour toi d'avoir connu le sort d'une divinité, entrant vivante dans la mort !*

ANTIGONE.

Tu te moques de moi. Par les dieux de nos pères,
As-tu le cœur de m'outrager en face ?
Attends du moins que je sois morte ...
    O ville, ô de ma ville
        opulents citoyens,
fontaines de Dircé, belles places de Thèbes,
        où se pressent les chars,
unanimes vous me rendrez ce témoignage :
je n'aurai pas eu même un pleur de mes amis,
au moment où je pars — de quelles lois victime ! —
        pour cet asile souterrain,
            cet étrange tombeau...
                Telle est mon infortune :
je suis encore et ne suis plus parmi les hommes,
séparée à la fois des vivants et des morts.

LE CORYPHÉE.

En courant, par ton audace entraînée,
    contre le trône altier de la justice
tu as donné du front, fille trop violente...
Sans doute expiais-tu quelque exploit de ton père ?

ANTIGONE.

Ah ! tu as touché là ma plaie à vif,

> *mon triple sujet de plaintes,*
> *le malheur de mon père et de notre famille,*
> *le malheur qui n'épargne aucun des Labdacides !*
> *Sur le lit maternel, ô malédiction*
> *jetée, ô couple impur du fils et de sa mère,*
> *las ! de mon père et de ma mère infortunée...*
> *C'est donc là, c'est donc là mes parents ? Malheureuse !*
> *Eh bien, chers parents, me voici : maudite*
> *et sans mari, je viens habiter avec vous...*
> *Et toi, mon frère, dont les noces*
> *furent la source de nos maux* [56],
> *en mourant tu m'as pris ma vie.*

LE CORYPHÉE.

> *Des honneurs qu'elle rend la piété s'honore :*
> *Mais, quand on a la charge du pouvoir,*
> *On ne peut tolérer la désobéissance.*
> *C'est ton esprit d'indépendance qui te perd.*

ANTIGONE.

> *Donc les pleurs, l'amitié ni les chants d'hyménée*
> *sur mon dernier chemin ne m'auront fait escorte,*
> *et plus jamais ne s'ouvrira*
> *pour moi cet œil sacré du jour !*
> *Telle est ma loi, infortunée :*
> *sur mes malheurs pas une larme,*
> *pas un soupir ami !*

(Créon paraît sur le seuil du palais.)

CRÉON. — Savez-vous que, s'il était permis de se répandre ainsi, avant de mourir, en complaintes et en gémissements, on n'en finirait plus. N'allez-vous pas l'emmener au plus vite ? Et observez bien surtout ce que j'ai dit : enfermez-la dans le caveau et l'y laissez à sa solitude, soit qu'elle appelle la mort, soit qu'elle essaie de vivre emmurée là-dessous. Moi, j'ai les mains pures à l'égard de cette jeune fille : elle sera privée de la communion des vivants.

ANTIGONE. — Tombeau, ma chambre nuptiale, mon éternelle prison dans la terre ! Je vais y retrouver les miens, que Perséphone a presque tous accueillis parmi les morts. La dernière et de loin la plus misérable, je descends à mon tour, avant d'avoir épuisé ma part de vie. Mais qu'importe ? Je nourris l'espoir que, là-bas, ma venue sera chère à mon père, et à toi aussi, mère chérie, et à toi, frère bien-aimé ! Quand vous êtes morts, je vous ai lavés de mes mains, je vous ai parés, j'ai versé sur votre

tombe les libations. Et aujourd'hui, Polynice, pour avoir
pris soin de ta dépouille, tu vois mon salaire. Pourtant
j'avais raison. Si j'étais mère et qu'il s'agît de mes enfants,
ou si c'était mon mari qui fût mort, je n'aurais pas violé
la loi pour leur rendre ces devoirs. Quel raisonnement
me suis-je donc tenu ? Je me suis dit que, veuve, je me
remarierais et que, si je perdais mon fils, mon second
époux me rendrait mère à nouveau, mais un frère, maintenant que mes parents ne sont plus sur la terre, je n'ai
plus d'espoir qu'il m'en naisse un autre [57]. Je n'ai pas
considéré autre chose quand je t'ai honorée particulièrement, ô chère tête fraternelle ! Cependant Créon pro-
nonce que j'ai commis un crime d'une audace effroyable.
Il me fait arrêter, il m'emmène, il me prive de mon fiancé,
de mes noces, de ma part d'épouse et de mère ; sans
amis, seule en mon infortune, je descends vivante au
caveau des morts : quel décret divin ai-je donc violé ?
Mais à quoi bon, hélas ! lever encore mes regards vers les
dieux ? Qui appellerais-je au secours, quand ma piété ne
m'a valu que le renom d'impie ? Si les dieux trouvent
bon qu'on m'ait traitée de la sorte, alors, au milieu de
mon supplice, je confesserai que j'étais criminelle ; mais
si le crime est de l'autre côté, puissent mes persécuteurs
n'avoir point à souffrir plus de maux qu'ils ne m'en font
souffrir injustement !

LE CORYPHÉE. — *Toujours le même souffle de passion la*
secoue.

CRÉON. — *Attention ! les gardes pourraient pâtir de*
leur lenteur...

ANTIGONE. — *Ah ! voilà qui m'annonce ma mort toute*
proche !

CRÉON. — *N'espère pas en être quitte pour la peur.*

ANTIGONE. — *Capitale du pays thébain, cité de mon père*
et vous, dieux, mes ancêtres, c'en est fait ; on m'emmène.
Regardez, notables de Thèbes, la dernière de vos princesses.
Voyez quel traitement je subis — et du fait de quelles gens !
— à cause de ma piété.

(On l'emmène.)

CHANT DU CHŒUR

De Danaé aussi ce fut le sort [58]
    d'échanger la clarté du ciel
contre la nuit d'une prison d'airain :
ensevelie en sa chambre tombale,

elle a subi le joug. Cependant, elle aussi
   était d'illustre race, ô mon enfant !
et elle choyait dans son sein la pluie de Zeus, les germes d'or...
Mais la puissance du destin est une terrible puissance :
ni la prospérité, ni Arès, ni les tours,
ni les vaisseaux fouettés des vagues ne l'évitent.

Au joug encor, le fils trop bouillant de Dryas,
le roi des Edoniens [59] ! Cet insolent, ce fou,
Dionysos le rive aux pierres d'un cachot :
ainsi s'épuise goutte à goutte cette audace
incroyable, captée au vif de sa fureur.
L'insensé (il le voit maintenant) — qui blessait
le dieu de sa langue insolente, se vantant
    d'éteindre l'ardeur des ménades [60]
     et le feu des torches mystiques,
     et provoquant les Sœurs musiciennes !

En revenant des Rochers Noirs [61], on trouve, entre deux
                       mers jumelles,]
les promontoires du Bosphore et la sinistre Salmydesse :
   c'est là qu'Arès en Thrace révéré
    a vu les deux fils de Phinée [62]
     déchirés d'une plaie atroce :
leur marâtre cruelle et qu'un dieu excitait
   avait percé les globes de leurs yeux,
sans autre glaive que ses doigts ensanglantés,
    et la pointe de ses navettes !

Les malheureux, se consumant dans la douleur,
pleuraient sur le destin qui les avait fait naître
    d'une indésirable union.
     Et pourtant leur mère tenait
     aux antiques Erechthéides,
     et, parmi les rocs solitaires
     nourrie au milieu des orages,
  l'enfant des dieux, la fille de Borée,
galopait avec les chevaux dans les gorges de la montagne.
    Tu vois qu'elle aussi fut la proie
   des vieilles Parques éternelles, mon enfant !

CINQUIÈME ÉPISODE

(Entre Tirésias, guidé par un petit garçon.)

TIRÉSIAS. — Notables de Thèbes, me voici avec mon guide ; il a des yeux pour nous deux, car l'aveugle ne pourrait marcher autrement.

CRÉON. — Qu'y a-t-il de nouveau, vénérable Tirésias ?

TIRÉSIAS. — Je te l'apprendrai, mais il faut écouter le devin.

CRÉON. — Je ne me suis jamais écarté de tes avis.

TIRÉSIAS. — Aussi as-tu gouverné dans la bonne direction.

CRÉON. — Je reconnais hautement tes bons offices.

TIRÉSIAS. — Sache donc que tu frôles, cette fois encore, le tranchant de la fortune[63].

CRÉON. — Qu'y a-t-il ? Je frissonne à tes paroles.

TIRÉSIAS. — Ecoute ce que mon art m'a révélé. J'avais pris place sur l'antique siège augural, port des présages, lorsque je perçus un piaillement confus d'oiseaux en fureur, un ramage inintelligible. Cependant, au vacarme de leurs ailes, je compris qu'ils s'entre-déchiraient. Aussitôt, saisi de crainte, je voulus faire brûler une victime sur l'autel : mais au lieu que la flamme s'élevât au-dessus des chairs, la graisse des cuisses, en fondant sur la cendre, dégouttait, fumait et crépitait ; le fiel s'en allait en vapeur et l'humeur grasse coulait en laissant les os saillir à nu. D'après les indications que me donnait cet enfant, je comprenais que les viscères consacrés se consumaient sans fournir de présage. Car cet enfant me sert de guide, à moi qui guide les autres. Or je dis que la cité souffre de ton fait. Nos autels, tous les foyers où l'on sacrifie, sont pleins de lambeaux que les oiseaux et les chiens ont arrachés à la dépouille de l'infortuné fils d'Œdipe. Les dieux n'agréent plus les prières des sacrifiants ni la flambée des cuisses immolées, et les oiseaux ne font plus éclater des cris de bon augure, car ils ont dévoré le sang coagulé d'un cadavre. Réfléchis, mon fils. Tout le monde est sujet à se tromper, et l'on n'est point pour autant un insensé ni un malheureux, pourvu qu'on ne s'obstine pas dans sa faute. Mais entêtement se condamne à maladresse. Allons, cède au mort, ne persécute pas un cadavre. Un mort n'a pas besoin d'être tué deux fois. Je te parle pour ton bien, car je te veux du bien. Il fait bon écouter la sagesse d'un ami, quand elle sert nos intérêts.

CRÉON. — Ah! vieillard, tous, comme des archers, vous me prenez pour cible! Il ne me manquait plus que d'en passer par les devins. Tous mes proches m'ont déjà vendu, expédié! Eh bien, thésaurisez, achetez l'alliage de Sardes[64] et l'or de l'Inde : à votre aise, mais vous n'ensevelirez pas ce mort. Jamais, pas même s'il prend fantaisie aux aigles de Zeus d'en porter des lambeaux jusqu'au trône de leur maître, jamais je ne tremblerai au point de laisser ensevelir cette chair souillée, car je sais que rien d'humain n'a le pouvoir de souiller une divinité. La chute, vénérable Tirésias, guette les plus adroits, et ils en sont pour leur courte honte, lorsqu'ils mettent leur honteuse faconde au service de leur cupidité.

TIRÉSIAS. — Hélas! est-il un homme pénétré de cette vérité...

CRÉON. — Eh bien, qu'y a-t-il? Encore un lieu commun?

TIRÉSIAS. — ... que la sagesse vaut tous les biens du monde?

CRÉON. — Et non moins, je pense, que l'imprudence est la pire des pestes?

TIRÉSIAS. — Tu es justement sujet à cette maladie-là.

CRÉON. — Je m'abstiendrai de rendre au devin ses injures.

TIRÉSIAS. — Et cependant tu m'injuries, quand tu m'accuses de prédire des mensonges.

CRÉON. — Que toute cette race devineresse aime donc l'argent!

TIRÉSIAS. — Celle des rois ne dédaigne pas les plus honteux profits.

CRÉON. — Oublies-tu que c'est de tes maîtres que tu parles?

TIRÉSIAS. — Je n'oublie rien : si tu règnes sur ce peuple après l'avoir sauvé, c'est bien grâce à moi.

CRÉON. — Oh! tu es habile en ton art; seulement un peu trop enclin à nuire.

TIRÉSIAS. — Tu feras tant que je ne retiendrai plus les secrets dont je suis dépositaire.

CRÉON. — Eh, donne-leur l'essor, si du moins ce n'est pas l'intérêt qui t'inspire.

TIRÉSIAS. — L'intérêt qui m'inspire aujourd'hui, il me semble que c'est le tien.

CRÉON. — Sois-en bien averti : aucun marchandage ne me fera revenir sur mes décisions.

TIRÉSIAS. — Soit. Je t'avertis donc à mon tour que

plusieurs soleils n'accompliront pas leur course que tu ne
donnes à la mort un enfant de tes entrailles en expiation
des victimes dont tu as à répondre : en premier lieu, cette
jeune vie que tu as soustraite à la lumière du jour pour la
murer indignement dans un cachot souterrain; en second
lieu, ce mort que tu retiens, lui, en peine à la surface de la
terre, loin des dieux d'en bas, privé des honneurs
funèbres et des purifications. Tu n'as pas de droits sur
eux; ils ne sont plus du ressort des divinités d'en haut;
donc, tu leur fais violence. C'est pourquoi, préparant
sans hâte leur embuscade funeste, les Érinyes, exécu-
trices de la vindicte infernale, t'impliqueront dans les
malheurs mêmes que tu as provoqués. Examine maintenant si l'appât du gain me dicte mes prophéties : je déclare
que le moment est proche où ta maison résonnera des cris
rituels poussés sur des morts et des mortes. Déjà des villes
se soulèvent, où les chiens, les bêtes sauvages, les oiseaux,
colportant l'impure puanteur, ont consacré sur les autels
domestiques des lambeaux décomposés. J'ai dit. Tu m'as
poussé à bout, je t'ai lancé mes traits d'une main sûre,
dans l'amertume de mon cœur, et tu n'échapperas pas à la
douleur cuisante. Allons-nous-en, mon enfant, reconduis-
moi chez nous. Laissons-le passer sa fureur sur de plus
jeunes. Qu'il apprenne à faire entrer plus de sérénité
dans son langage et plus de raison dans ses sentiments.

(Il sort.)

LE CORYPHÉE. — Prince, le devin nous quitte sur des
prédictions effrayantes. Or depuis le temps de mes cheveux noirs — qui sont blancs aujourd'hui — de tout ce
que sa voix nous a prophétisé, je sais que rien n'a menti.

CRÉON. — Je le sais aussi et mon esprit se trouble...
Il est terrible de céder; mais, si je résiste, je m'expose
aux plus terribles coups du sort.

LE CORYPHÉE. — De la prudence, Créon, fils de
Ménécée !

CRÉON. — Que faire ? Donne-moi un conseil : je le
suivrai.

LE CORYPHÉE. — Fais sortir la jeune fille de son caveau
souterrain; dresse au mort un tombeau.

CRÉON. — Ainsi tu approuves ce parti ? Tu es d'avis
que je cède ?

LE CORYPHÉE. — Oui, roi, et sans perdre un moment :
le châtiment divin marche bon pas et coupe la retraite au
coupable.

CRÉON. — Hélas! je me dédis, non sans peine, mais il le faut. Contre la nécessité la lutte est sans espoir.

LE CORYPHÉE. — Va, et ne t'en remets pas à d'autres.

CRÉON. — Je pars. Holà, serviteurs, rassemblez-vous, prenez des haches et courez jusqu'à cet endroit qu'on aperçoit d'ici. Ainsi, je me suis déjugé. Cette jeune fille que j'ai mise aux fers, je vais la délivrer moi-même. Le mieux, je le crains fort, est de respecter, jusqu'à la fin de ses jours, les lois fondamentales.

CHANT DU CHŒUR

Dieu aux cent noms, orgueil de la nymphe ta mère,
    qui est une fille de Cadmos [65],
ô rejeton de Zeus au sourd tonnerre,
tu festonnes les bords de l'illustre Italie [66],
    et dans les vallons d'Eleusis,
au sanctuaire de Deô [67], *visité de tous les Hellènes,*
    tu règnes, ô Bacchos, et dans Thèbes encore,
        la cité mère des Bacchantes,
tu résides non loin du cours de l'Isménos [68],
là où leva l'âpre semence du Dragon.

Elle t'a vu la flamme illuminant les crêtes
        jumelles, dans les parages
où les nymphes Coryciennes [69] *vont dansant,*
        compagnes de tes jeux,
        et la fontaine Castalie.
Ayant quitté Nysa [70], *ses rocs vêtus de lierre*
        et les vignobles de ses côtes,
        aux cris de l'évohé [71] *mystique,*
tu viens nous visiter, et tu parcours nos rues.

            Car, entre toutes, notre ville
        t'est chère, elle est chère à la Nymphe
qui tomba foudroyée en te donnant le jour [72].
        Mais aujourd'hui tu vois de quel fléau
        ce peuple est de nouveau la proie.
Accours, ô Purificateur, d'un bond franchissant le Parnasse
        ou l'Euripe aux remous grondants.

Iô! chef du chœur des astres à la lumineuse haleine,
toi que fêtent les cris qui montent dans la nuit,
        enfant, race de Zeus,
apparais, ô mon Roi, au milieu d'un cortège
de Thyiades [73] *qui, délirantes, jusqu'à l'aube,*
dansent, dansent pour toi, leur seigneur, Iacchos!

DERNIER ÉPISODE

(Entre un messager.)

LE MESSAGER. — Vous qui vivez près du palais, sous la garde des Fondateurs [74], d'aucun homme vivant je n'affirmerais qu'il faut le féliciter ou le plaindre de son sort. On voit tous les jours la Fortune précipiter les heureux, relever les misérables, et son inconstance déjoue les plus sûres prévisions. Créon, naguère, me semblait digne d'envie. Il avait libéré le sol thébain, il était monté sur le trône, il régnait, monarque absolu, il fleurissait en beaux enfants : tout s'est évanoui ! Quand un homme a perdu ce qui faisait sa joie, je tiens qu'il ne vit plus, c'est un mort qui respire. Remplissez de trésors un palais, menez un train royal : là où manque le plaisir de vivre, tout le reste en comparaison ne vaut pas l'ombre d'une fumée.

LE CORYPHÉE. — Quelle infortune de nos princes viens-tu encore nous annoncer ?

LE MESSAGER. — La mort des uns, par la faute des autres.

LE CORYPHÉE. — Qui a frappé ? Qui a péri ? Parle.

LE MESSAGER. — Hémon a péri par une main de son sang.

LE CORYPHÉE. — La main de son père, ou sa propre main ?

LE MESSAGER. — Il s'est frappé lui-même, révolté contre un père assassin.

LE CORYPHÉE. — Ah ! devin, elles ne mentaient donc pas, tes prédictions !

LE MESSAGER. — Tels sont les faits ; il faut maintenant en prévoir les suites.

LE CORYPHÉE. — Justement j'aperçois Eurydice, la malheureuse épouse de Créon. Est-ce par hasard qu'elle est sortie ? Ou a-t-elle entendu qu'on parlait de son fils ?

EURYDICE *(sur le seuil du palais)*. — Citoyens, vos paroles sont venues jusqu'à moi, comme je sortais pour adresser mes supplications à la déesse Pallas. Au moment où s'ouvrait la porte, le bruit d'un malheur touchant les miens a frappé mes oreilles et je suis tombée à la renverse dans les bras de mes femmes, paralysée par la terreur... Allons, quelle que soit la nouvelle, répétez-la devant moi. Je saurai entendre mon malheur : j'ai l'habitude.

LE MESSAGER. — Ma chère maîtresse, j'ai assisté aux événements et je n'omettrai rien de la vérité. A quoi bon l'adoucir, si l'on découvre ensuite que je l'ai faussée ? Le chemin de la vérité est le droit chemin. Or donc, c'est moi qui ai guidé le roi à travers la plaine, vers une butte où gisait encore, déchiqueté par les chiens, le corps lamentable de Polynice. En premier lieu, nous avons supplié la Gardienne des routes et Pluton [75] de nous être favorables en dépit de leur ressentiment. Puis nous avons baigné le corps dans l'eau pure et nous l'avons enveloppé de branchages frais. Ce qui restait de ces rameaux, nous l'avons fait brûler, avant de déposer le mort sous un tertre, dans le sol de la patrie. Nous gagnons alors le caveau de la jeune fille, sa funèbre chambre. De loin, dans la direction de ce tombeau non consacré, l'un de nous perçoit des éclats de voix aigus. Il avertit Créon. Tandis que le maître s'approche, des cris de désespoir lui parviennent confusément. Il gémit, il laisse échapper une plainte amère : « Misérable ! aurais-je deviné juste ? M'avancé-je sur le chemin le plus douloureux de ma vie ? N'est-ce pas la chère voix de mon fils ? Je crois la reconnaître... Serviteurs, courez au caveau, vite ! Percez le mur qui le scelle, glissez-vous à l'intérieur et regardez : je veux savoir si j'entends la voix d'Hémon ou si les dieux se jouent de moi. » Nous exécutons l'ordre de notre maître désemparé. Au fond du tombeau, nous découvrons la jeune fille pendue, le cou serré dans un nœud de son écharpe de lin. Hémon s'était jeté contre ce corps qu'il étreignait. Il gémissait sur sa fiancée descendue dans la mort, sur les rigueurs paternelles, sur ses malheureuses amours. Son père l'aperçoit ; il entre, il s'avance, tout secoué de rudes sanglots, et l'appelle d'une voix plaintive : « Infortuné, qu'as-tu fait ? Que voulais-tu faire ? Quel coup a détruit ta raison ? Mon enfant, je t'implore, je te supplie de sortir ! » Mais l'enfant, roulant des yeux de fou, lui crache au visage et dégaine sans lui répondre un mot. Son père bondit de côté, esquivant le coup. Alors le malheureux tourne sa fureur contre lui-même : allongeant le bras, il appuie sur sa poitrine la pointe de son épée et l'enfonce. Conscient encore, d'une étreinte qui déjà défaille, il attire contre lui la jeune fille, dont la joue pâle est inondée par le sang qui gicle en sifflant. Les deux cadavres gisent enlacés : son mariage, l'infortuné l'a consommé chez Hadès, enseignant aux humains qu'il n'est pas de fléau plus pernicieux que l'imprudence.

LE CORYPHÉE. — Que faut-il augurer de ceci ? La reine, sans un mot, s'est retirée.

Le messager. — Tu m'en vois troublé, moi aussi. Je me flatte de l'espoir qu'elle aura jugé plus décent de dérober au public sa douleur maternelle et qu'elle va dire à ses femmes de prendre le deuil dans la maison. Elle a trop de sagesse pour manquer à ces convenances.

Le Coryphée. — Je ne sais ; un trop grand silence me paraît aussi lourd de menaces qu'une explosion de cris inutiles.

Le messager. — Si nous voulons connaître le secret de ce désespoir si bien contenu, entrons dans le palais. Tu as raison : un trop grand silence est lourd de menaces.

Le Coryphée. — *Un instant. Voici le roi qui s'avance, portant dans ses bras — s'il m'est permis de le dire — le témoignage trop clair d'un malheur qu'il ne doit qu'à lui-même.*

Créon.

> *Egarements de ma sagesse,*
> *ô mortelle obstination !*
> *Voyez le même sang produire*
> *les meurtriers et leurs victimes !*
> *Malheur à moi ! décrets funestes !*
> *O mon fils, en ta fleur nouvelle*
> *fauché, par un destin nouveau,*
> *hélas ! hélas ! tu t'es délié de la vie,*
> *et c'est ma faute, ah ! fou que j'étais, c'est ma faute !*

Le Coryphée. — Hélas ! il est bien tard pour voir clair, je le crains.

Créon.

> *Malheureux que je suis,*
> *L'adversité m'ouvre les yeux... Sur mes épaules*
> *un dieu pèse de tout son poids,*
> *il me frappe, il me pousse*
> *dans l'atroce chemin,*
> *renversant, piétinant le bonheur de ma vie !*
> *Hélas ! hélas ! ô dure épreuve d'être un homme !*

(Un messager sort du palais.)

Le messager du palais. — Maître, tu vas entrer en possession de ton malheur tout entier : tu en portes une partie dans tes bras, mais l'autre t'attend à l'intérieur de la maison, et tu ne vas pas tarder, je crois, à l'avoir sous les yeux.

Créon. — Que m'arrive-t-il de pire, ou seulement de plus ?

Le messager du palais. — En digne mère de ton fils,

ta femme vient de succomber, la malheureuse, à la blessure qu'elle s'est faite.

CRÉON.

   Hadès inexorable, insatiable,
   pourquoi, pourquoi t'acharnes-tu sur moi ?
 Quelle est cette nouvelle, encore, cette horrible
  nouvelle ? Ai-je bien entendu ?
  Ah ! mon ami, tu as dit... Quoi ?...
 Ah ! c'est un moribond que tu achèves !
  Quoi ! ma femme, à présent, ma femme
  après mon fils, à son tour, s'est frappée ?
 Ainsi, partout, autour de moi, partout, la mort !...

LE CORYPHÉE. — Regarde : on vient de l'amener du fond
de l'appartement [76].

CRÉON.

Malheureux que je suis !
Je découvre l'autre face de ma misère !
Après cela, quel nouveau coup le sort me tient-il en réserve ?
Je porte dans mes bras mon pauvre enfant,
 et voici, sous mes yeux, l'autre cadavre...
O mère douloureuse ! ô mon petit !

LE MESSAGER DU PALAIS. — Blessée d'une pointe aiguë,
devant l'autel, elle a laissé sur ses yeux ses paupières
pleines d'ombre glisser, non sans avoir gémi sur le beau
trépas de Mégarée, son premier fils, puis sur celui-ci
encore, et maudit, dans son dernier souffle, le père meurtrier de ses enfants.

CRÉON.

   Ah !... Ah !...
 Je suis comme ivre d'horreur.
 Ah ! en plein cœur que ne m'a-t-on frappé
  d'une épée à double tranchant !
   Je suis un misérable...
 Cette fois, j'ai touché le fond de la misère.

LE MESSAGER DU PALAIS. — Elle t'a imputé en mourant
la mort de ses deux fils [77].

CRÉON. — Comment a-t-elle mis fin à ses jours ?

LE MESSAGER DU PALAIS. — Elle s'est frappée sous le
foie, de sa propre main, lorsqu'elle a connu le sort navrant
de son Hémon.

CRÉON.

Malheur à moi ! tout ce qui m'arrive est ma faute,
 je n'en veux accuser personne, que moi-même.
C'est moi qui t'ai tuée... Ah ! comble de misère !
Je l'affirme, c'est moi ! moi seul... Mes bons amis,

Ah! vite, emmenez-moi bien loin d'ici, bien loin!
    Je suis un homme anéanti.

Le Coryphée. — Tu prends le meilleur parti, s'il est du meilleur dans les maux. Lorsqu'ils sont là, le mieux est de les abréger.

Créon.

    Vite, vite, que la mort vienne!
Que je la voie enfin, je la trouverai belle
pour la première fois, car ce sera ma mort!
Qu'elle se hâte à mon appel! Je ne veux plus
    voir encor se lever le jour.

Le Coryphée. — Ce qui doit être sera. Ne prenons charge que du présent. Le reste n'est pas de notre ressort.

Créon. — Tout ce que je désire tient dans la prière que j'ai faite.

Le Coryphée. — Ne forme plus de vœux : à leur lot de malheur les mortels ne peuvent rien changer.

Créon.

    Qu'on l'emmène bien loin, ce misérable fou!
    Mon fils, non, je ne voulais pas
ni toi, que voilà, vous tuer. O détresse, je ne sais plus
    ou me tourner. Tout m'échappe
de ce que je tenais; et, sur mon front,
le destin s'est appesanti. Je n'en puis plus.

Le Coryphée. — Ce qui compte avant tout, pour être heureux, c'est d'être sage. Et surtout il ne faut jamais manquer à la piété. Les présomptueux, de grands coups du sort leur font payer cher leur jactance et leur enseignent, mais un peu tard, la sagesse.

ŒDIPE ROI

ŒDIPE ROI [78]

PERSONNAGES

ŒDIPE, UN PRÊTRE, CRÉON,
CHŒUR DE VIEILLARDS THÉBAINS,
TIRÉSIAS, JOCASTE, UN MESSAGER,
UN SERVITEUR DE LAIOS,
UN MESSAGER DU PALAIS.

Une place, à Thèbes, devant le palais des Labdacides.

PROLOGUE

ŒDIPE *(paraissant sur le seuil de son palais).*

Enfants, rejetons nouveaux de l'ancêtre Cadmos,
quelle assemblée tenez-vous donc là, couronnés de
rameaux suppliants [79] ? La ville est pleine du parfum
de l'encens, tandis qu'éclatent les péans [80] et les lamentations. Ne voulant point, mes enfants, apprendre
d'autrui ce qui vous touche, voyez : moi, Œdipe, — vous
savez tous qui je suis, n'est-ce pas ? — j'ai tenu à venir
en personne. *(Au prêtre.)* Eh bien, vieillard, puisque tu
as qualité pour parler en leur nom, dis-moi ce qui vous
amène : quelle crainte ou quel désir ? Je suis prêt à
vous aider en toutes choses. J'aurais le cœur bien dur,
si je n'avais pitié de votre assemblée suppliante.

LE PRÊTRE. — Œdipe, souverain de mon pays, tu nous
vois, petits et grands, pressés autour de tes autels domestiques, les uns trop faibles encore pour voler loin, d'autres
appesantis par le grand âge — tel je suis, moi, le ministre
de Zeus — et ceux-ci, délégués de la jeunesse. Et le
peuple tient ses assises suppliantes sur toutes les places
publiques, devant les deux temples de Pallas et près du
sanctuaire où vaticine la cendre d'Isménos [81]. Car la cité

— tu le vois toi-même — toute secouée par la tourmente,
peut à peine soulever sa tête hors des gouffres et des
remous sanglants. Elle périt dans les semences de la terre,
elle périt dans les troupeaux, elle périt dans le ventre des
mères. Une plaie tombée du ciel embrase la cité, c'est la
Peste maudite : elle fait le vide dans la maison de Cadmos et le noir Hadès thésaurise les gémissements et les
pleurs [82]. Ces enfants et moi, prosternés devant ton foyer,
nous ne te prenons pas pour un dieu, certes ; mais nous
t'élisons entre tous les hommes, à l'heure du péril, pour
intercéder auprès des dieux : à peine arrivé devant nos murs,
ne nous as-tu pas affranchis du tribut que levait sur nous
le monstre aux énigmes [83] ? Oui, sans que nous t'ayons
favorisé d'aucun renseignement, sans être au fait de rien,
fort seulement de l'appui d'un dieu, tu nous as rendu la
vie, chacun le proclame et le pense. Nous voici donc tous
de nouveau, ô tout-puissant Œdipe, tournés vers toi :
nous te supplions de nous trouver un remède, soit que tu
entendes une voix divine, soit que tu écoutes l'avis de
quelque sage ; car j'observe que l'expérience est toujours
bonne conseillère. Va, ô le meilleur des mortels, redresse la
cité qui penche ; va, ta gloire est en jeu. Ce pays t'appelle
à l'aide parce que tu t'es déjà dévoué pour lui. Qu'il ne
soit pas dit que, sous ton règne, nous ne nous étions relevés
que pour retomber ; rends à la cité un aplomb solide. Jadis,
avec l'assentiment des dieux, tu as rétabli notre fortune :
ne démens pas ton passé. Si tu dois gouverner encore ce
pays, il vaut mieux régner sur des hommes que sur un
désert : qu'est-ce qu'un rempart sans défenseurs, un
navire sans équipage ?

ŒDIPE. — Mes pauvres enfants, je suis loin d'ignorer
quel anxieux espoir vous a conduits jusqu'ici. Je sais
votre commune souffrance, et croyez bien que nul d'entre
vous ne souffre autant que moi. Alors que chacun n'est
atteint que par sa propre douleur, mon cœur gémit tout
ensemble sur la ville, sur moi, sur toi... Non, vous ne me
réveillez pas d'un sommeil tranquille. J'ai versé bien des
larmes, sachez-le, ma pensée a exploré plus d'un chemin.
Après mûre réflexion, je n'ai trouvé qu'un remède, et je
l'ai appliqué : j'ai dépêché au sanctuaire de Pythô [84] mon
beau-frère Créon, le fils de Ménécée, afin qu'il apprenne
d'Apollon ce qu'il faut que je fasse ou dise pour nous
tirer du péril. Je l'avoue, lorsque je compte les jours, je ne
laisse pas d'être inquiet, car son absence excède le temps
prévu. Quoi qu'il en soit, dès son retour, je serais bien

fautif si je n'exécutais à la lettre les instructions de l'oracle.

LE PRÊTRE. — Tu ne pouvais parler plus à propos; on m'annonce à l'instant l'arrivée de Créon.

ŒDIPE. — Apollon, ô mon roi, puisse-t-il nous apporter le salut! La joie rayonne dans son regard.

LE PRÊTRE. — Les nouvelles sont bonnes, si j'en crois à son front cette couronne de laurier avec toutes ses baies.

ŒDIPE. — Nous le saurons bientôt : le voici à portée de la voix. Prince, mon parent, fils de Ménécée, quelle réponse nous rapportes-tu de la part du dieu ?

(Entre Créon.)

CRÉON. — Une bonne réponse. Je veux dire qu'un mal n'en est pas un s'il a une heureuse issue.

ŒDIPE. — Mais quels sont les termes de l'oracle ? Dans tes paroles, je ne vois rien qui m'alarme, rien non plus d'encourageant.

CRÉON. — Si tu crois devoir m'entendre devant tous, je suis prêt à parler; sinon, entrons au palais.

ŒDIPE. — Parle devant tous. Le deuil de ceux-ci m'est plus à cœur que ma vie même.

CRÉON. — Je dirai donc le message du dieu; il est sans équivoque : Phœbos nous enjoint d'extirper de notre terre la souillure qu'elle nourrit; si nous la laissions croître, elle deviendrait incurable.

ŒDIPE. — Par quelle purification ? De quelle espèce est la souillure ?

CRÉON. — Il faut bannir les assassins, ou racheter le meurtre par le meurtre, car c'est du sang versé qui met la fièvre dans la ville.

ŒDIPE. — De quel meurtre le dieu veut-il parler ?

CRÉON. — Prince, Laïos gouvernait ce pays autrefois. C'est à lui que tu as succédé.

ŒDIPE. — On me l'a appris, en effet; mais je n'ai pas connu Laïos personnellement.

CRÉON. — Il fut tué, et le dieu nous commande aujourd'hui sans ambages de punir ses meurtriers.

ŒDIPE. — Mais où sont-ils ? Et où retrouver trace d'un crime ancien ? C'est bien difficile.

CRÉON. — Dans le pays même, a déclaré le dieu. Ce qu'on cherche, on peut le trouver; mais ce qu'on néglige nous échappe.

ŒDIPE. — Est-ce chez lui, est-ce dans la campagne,

est-ce hors de nos frontières que Laïos a rencontré la mort ?

CRÉON. — Il avait annoncé qu'il se rendait à l'étranger pour consulter l'oracle. Il est parti, et n'est jamais revenu.

ŒDIPE. — Pas un messager, pas un compagnon de route n'a rapporté un témoignage dont on ait pu faire état ?

CRÉON. — Tous ont péri dans l'aventure, sauf un, qui prit peur et s'enfuit. Il ne se rappelle qu'une chose...

ŒDIPE. — Laquelle ? Un seul indice pourrait amorcer l'enquête, s'il nous donnait prise à un peu d'espoir.

CRÉON. — Il prétend que les brigands qui les ont assaillis et qui ont tué le roi étaient en force.

ŒDIPE. — Où donc un brigand, si le coup n'avait ici même été monté à prix d'argent, aurait-il puisé tant d'audace ?

CRÉON. — C'est ce que nous avons pensé ; mais la mort de Laïos, dans ces temps troublés, n'a pas trouvé de vengeur.

ŒDIPE. — Eh quoi ! lorsque le trône s'écroulait de la sorte, quel malheur a pu faire obstacle aux recherches ?

CRÉON. — Le Sphinx, avec ses chants insidieux, ne nous laissait pas le loisir de résoudre l'énigme.

ŒDIPE. — Eh bien, ce mystère, je remonterai à sa source, moi, et je l'éclaircirai. Phœbos a pleinement raison, et toi aussi tu as raison, Créon, de prendre en main la cause du mort. Et mon intervention n'est pas moins légitime, lorsque ce pays et le dieu réclament réparation. Ce n'est pas dans l'intérêt d'amis éloignés, c'est dans mon propre intérêt que j'abolirai cette souillure : quel qu'il soit, l'assassin de Laïos m'a déjà condamné ; prêter assistance au défunt, c'est donc me défendre moi-même. Allons, vite, mes enfants, debout ; et emportez ces rameaux suppliants. Que l'un de vous assemble le peuple de Cadmos : je prends en main l'affaire. Avec l'aide du dieu, vous me verrez réussir ; sinon, je ne m'en relèverais pas.

LE PRÊTRE. — Oui, debout, mes enfants, puisque nous tenons du roi la promesse que nous sommes venus chercher. Et puisse Phœbos, qui a envoyé cet oracle, arriver en sauveur et faire cesser le fléau.

(Tous se retirent.)

CHANT D'ENTRÉE DU CHŒUR

LE CHŒUR.
Douce à entendre, ô voix de Zeus,
de Pytho riche en or, qu'es-tu venue
      apporter à l'illustre Thèbes ?
Le cœur tendu par la crainte et palpitant d'inquiétude,
      ô Délien, ô guérisseur [85],
j'ai peur de tes desseins sur moi : qu'as-tu caché
dans le moment qui vient, dans les jours qui viendront ?
Parle, enfant de l'Espoir doré, Voix immortelle.

Première je t'invoque, immortelle Athéna,
fille de Zeus ! Et toi, sa sœur, notre patronne,
assise glorieuse au milieu du rond-point [86],
Artémis, je t'appelle ! Et toi, Phœbos l'archer !
Triple rempart contre la mort, manifestez-vous à mes yeux !
Si jadis du fléau fondant sur le pays
vous avez maîtrisé la flamme meurtrière,
      aujourd'hui encore accourez !

Innombrables, hélas ! les peines que j'endure !
      Quand ce peuple autour de moi souffre,
         mon esprit se sent désarmé
      devant le mal... Les germes meurent
dans cette illustre terre, et pour nos femmes
après les cris et les douleurs il n'y a plus de relevailles !
En rangs serrés, pareils aux oiseaux migrateurs,
pareils aux tourbillons de feu, les morts se ruent
      aux rivages du dieu du soir !

   Par eux la cité se meurt innombrable,
et les cadavres, dans la plaine, sans pitié,
      nourrissent la mortelle pestilence.
Et les épouses et les mères toutes grises,
à grands cris autour des autels, et de toutes parts accourues,
offrent en gémissant leurs douleurs suppliantes,
et le thrène lugubre éclate, et les sanglots, à l'unisson !
      Exauce-les, fille dorée
de Zeus [87], accorde-nous ton gracieux secours !

Et cet Arès féroce, aujourd'hui, qui attaque
      non par l'airain mais par le feu caché,
   — s'ouvrant chemin parmi nos hurlements —
fais-lui montrer le dos et qu'il se sauve

loin de chez nous, vers le palais
  immense d'Amphitrite
ou vers le flot de Thrace aux sinistres mouillages [88] !
  Ce que la nuit n'a pu faire,
  c'est au jour de l'achever.
O prince des éclairs fulgurants, ô Zeus père,
  lance ta foudre
  et pulvérise le fléau !

  O Seigneur Lycien [89], *de ton arc d'or,*
je voudrais voir les traits pleuvoir, irrésistibles,
tutélaires, et voir accourir à mon aide
ces torches dont s'éclaire Artémis, en Lycie,
tandis qu'elle parcourt à grands bonds la montagne !
Et toi, couronné d'or, toi aussi je t'appelle,
  parrain de notre terre,
Bacchos [90] *enluminé de vin, que l'on fête aux cris d'évohé !*
  Laisse là ton cortège de Ménades
et viens, en brandissant un brûlot de résine,
donner la chasse au dieu réprouvé par les dieux !

PREMIER ÉPISODE

ŒDIPE. — Tu appelles au secours... Eh bien, ton appel, si tu veux m'écouter et faire ce qu'il faut pour guérir, il sera entendu et tu seras soulagé. Parlant en homme qui ne sait rien ni des faits ni des versions qui en ont couru, il va de soi que mes recherches tourneraient court si on ne me fournissait aucun indice. Et puisque l'affaire est antérieure à mon arrivée dans votre ville, à vous tous, Cadméens, je déclare hautement ceci : si l'un d'entre vous est en mesure de révéler de quelle main a péri Laïos, fils de Labdacos, je le somme de me dire tout ce qu'il sait. Quand il aurait lieu de craindre pour lui-même, qu'il s'accuse spontanément, coupant court à une dénonciation éventuelle : il n'encourra d'autre peine que de quitter le pays sans être inquiété. D'autre part, si quelqu'un a connaissance que le crime a pour auteur un étranger, qu'il ne garde pas son secret : je saurai le récompenser et ma faveur ne lui fera pas défaut. Mais si l'on se tait, si, tremblant pour un ami ou pour soi, on se dérobe aux aveux, écoutez bien ce que j'ai résolu. Quel que soit le coupable, j'interdis, en tous lieux où s'étend mon autorité souveraine, que personne l'accueille, lui adresse la parole, l'associe aux prières, aux sacrifices, aux lustrations ; vous devez tous l'écarter de vos maisons comme nous portant souillure [91], ainsi que l'oracle pythique vient de me le signifier. Voilà comment je prends en main la cause du dieu et celle du défunt roi. Que le meurtrier qui nous échappe ait agi seul ou qu'il ait eu des complices, je voue ce misérable à traîner, privé de tout, ses misérables jours [92]. Enfin, s'il m'arrivait, le connaissant pour tel, de lui faire place à mon foyer, je me voue moi-même aux malheurs que j'ai appelés sur ses forfaits. Quant à vous, je vous recommande d'observer tout ce que je vous prescris, en considération de moi, du dieu, de notre terre abandonnée du ciel et frappée de stérilité. Même si la puissance divine n'avait point ordonné ces recherches, c'était votre devoir de ne pas laisser ce pays souillé par le meurtre d'un homme de haut lignage, qui était votre roi ; vous deviez mener l'enquête jusqu'au bout. Et moi qui succède à ce roi, moi qui ai pour épouse son épouse et qui aurais ses enfants pour enfants si sa race avait prospéré — mais la fortune, en cela aussi, l'a éprouvé —, au nom de tous ces liens, je combattrai pour sa cause comme s'il était mon père ; je mettrai tout en œuvre pour découvrir le meurtrier de ce prince, fils de Labdacos, petit-fils de Polydore et descendant de l'antique Agénor par son aïeul Cadmos. Quiconque désobéira, j'adjure les dieux que jamais moisson ne lève sur sa terre, que jamais enfant ne naisse de sa femme, et que le fléau qui sévit en ce moment le consume, ou même un plus pernicieux encore. Vous autres, Cadméens, pour autant que vous m'approuvez, puissiez-vous trouver appui dans la Justice et que tous les dieux, en toute occasion, soient avec vous.

LE CORYPHÉE. — Puisque tu m'as impliqué dans tes imprécations, roi, je déposerai sans détours : je n'ai pas commis le meurtre et j'ignore qui l'a commis. A Phœbos, qui a prescrit l'enquête, de livrer le nom du coupable.

ŒDIPE. — Il est vrai, mais aucun homme ne peut forcer la volonté des dieux.

LE CORYPHÉE. — Je voudrais te faire part d'une autre pensée qui m'est venue.

ŒDIPE. — Et d'une troisième encore, si tu le désires ; tout est bon à entendre.

LE CORYPHÉE. — Je sais un prince de la divination, non moins savant que Phœbos lui-même : c'est Tirésias. En le consultant, roi, on éclaircirait le mystère.

ŒDIPE. — Cela aussi, j'y ai songé. Sur le conseil de Créon, j'ai dépêché au devin deux de mes gens pour le guider. Il devrait être ici depuis longtemps.

LE CORYPHÉE. — Il y a bien une autre version des faits, mais vague et ancienne.

ŒDIPE. — Quelle version ? Tout ce qu'on raconte, je l'examine.

LE CORYPHÉE. — Laïos serait mort frappé par des voyageurs.

ŒDIPE. — En effet, je l'ai ouï dire : mais de témoin oculaire, personne n'en a vu.

LE CORYPHÉE. — Si le meurtrier connaît encore la peur, il n'attendra pas l'effet de tes imprécations.

ŒDIPE. — Qui n'a pas tremblé dans l'action, une menace ne l'effraiera guère.

LE CORYPHÉE. — Sans doute, mais il n'est pas loin, celui qui va le démasquer. Voici que l'on conduit vers nous le divin interprète qui seul entre les hommes a le don de seconde vue.

(Paraît Tirésias.)

ŒDIPE. — O Tirésias, toi qui sais tout, les vérités révélables et les vérités interdites, les choses du ciel et les choses de la terre, tes yeux sont aveugles, mais tu sais de quel fléau ce pays est la proie. Nous ne voyons pour lui de secours et de salut qu'en toi, maître, en toi seul. Phœbos — nos messagers, te l'ont-ils appris ? — nous a rendu sa réponse : il n'y a qu'un remède à nos maux; c'est de découvrir les meurtriers de Laïos et de les frapper, soit de mort, soit d'exil. N'épargne donc rien, ni les signes que donnent les oiseaux ni aucune autre ressource de la divination. Eloigne le péril de toi-même et de la ville, éloigne-le de moi; éloigne toute souillure qui nous vienne du mort : tu es notre unique espérance. Rendre service de tout son pouvoir, de toutes ses forces, il n'est pas de plus noble tâche sur la terre.

TIRÉSIAS. — Hélas! hélas! Que la science est chose terrible, quand elle se tourne contre le savant! Je ne l'ignorais certes pas, mais je l'ai oublié; sinon je ne serais pas venu.

ŒDIPE. — Qu'as-tu ? Quel est ce découragement ?

TIRÉSIAS. — Laisse-moi me retirer : nous nous en trouverons mieux l'un et l'autre, crois-moi.

ŒDIPE. — Tu as tort; c'est mal témoigner ton amour à la cité qui t'a nourri que de lui refuser tes lumières.

TIRÉSIAS. — Il m'apparaît que tu as prononcé des paroles dangereuses pour toi-même. Ne voulant point me mettre dans le même cas...

ŒDIPE. — Au nom des dieux, si tu sais quelque chose, ne te détourne pas de nous. Nous t'en supplions tous à genoux.

TIRÉSIAS. — Vous êtes des insensés, tous. Jamais je ne dévoilerai ce que je sais, car je ne veux pas dévoiler ton malheur.

ŒDIPE. — Quoi! connaissant la vérité, tu veux la garder secrète? Songerais-tu à nous trahir et à laisser périr ton pays?

TIRÉSIAS. — Je ne veux point nous faire souffrir l'un et l'autre. C'est en vain que tu m'interroges : tu n'apprendras rien par moi.

ŒDIPE. — O le plus noir des scélérats! — en vérité, un cœur froid comme le roc, tu le mettrais en colère — ne parleras-tu pas? Te montreras-tu inflexible, intraitable?

TIRÉSIAS. — L'emportement dont tu m'accuses, tu ne discernes pas qu'il est dans ta nature, et c'est moi que tu blâmes!

ŒDIPE. — Et qui ne s'emporterait à entendre ces propos offensants pour notre pays?

TIRÉSIAS. — Les choses arriveront d'elles-mêmes, quand mon silence les cacherait.

ŒDIPE. — Si elles doivent arriver, tu as le devoir de me les révéler.

TIRÉSIAS. — Je ne tiens pas à en dire davantage. Libre à toi, si tu en as envie, de lâcher la bride à ton emportement.

ŒDIPE. — J'irai jusqu'au bout de ma pensée, tant je suis hors de moi, en effet. Je te soupçonne d'avoir conçu le crime et de l'avoir commis, sauf que ta main n'a pas frappé. N'était que tu es aveugle, je t'accuserais d'avoir tout perpétré sans complice.

TIRÉSIAS. — Vraiment? Et moi, je t'ordonne, en vertu de l'édit que tu as promulgué, de n'adresser plus jamais la parole ni à ceux-ci ni à moi, car c'est de toi que provient la souillure qui contamine cette terre!

ŒDIPE. — Un langage aussi effronté, espères-tu qu'il restera impuni?

TIRÉSIAS. — Je suis au-dessus de tes menaces, car je porte en moi la vérité vivante.

ŒDIPE. — La vérité? Et qui te l'aurait enseignée? Je doute que ton art y soit pour quelque chose.

TIRÉSIAS. — Ne t'en prends qu'à toi-même, car tu m'as amené à la proférer malgré moi.

ŒDIPE. — Et quelles furent tes paroles ? Redis-les, que je m'en pénètre mieux.

TIRÉSIAS. — N'en as-tu pas déjà saisi le sens ? Ou si tu essaies de m'en faire dire davantage ?

ŒDIPE. — Je ne suis pas sûr d'avoir tout compris. Explique-toi de nouveau.

TIRÉSIAS. — Je dis que tu es le meurtrier que tu recherches.

ŒDIPE. — Tu n'auras pas répété sans dommage des paroles aussi blessantes.

TIRÉSIAS. — Dirai-je le reste, pour te pousser à bout ?

ŒDIPE. — Comme il te plaira. Ce sera parler pour rien.

TIRÉSIAS. — Je déclare que tu es, à ton insu, lié d'un nœud infâme avec ceux que tu chéris le plus au monde et que tu ne soupçonnes pas l'étendue de tes malheurs.

ŒDIPE. — Penses-tu pouvoir me diffamer toujours impunément ?

TIRÉSIAS. — Oui, de par l'autorité du vrai.

ŒDIPE. — Il n'en a aucune sur tes lèvres. Tes oreilles et ton intelligence y demeurent aussi fermées que tes yeux.

TIRÉSIAS. — Malheureux, qui me reproches ce que chacun te reprochera bientôt !

ŒDIPE. — Suppôt des ténèbres, tu ne saurais me nuire, ni à quiconque voit la lumière.

TIRÉSIAS. — Ta destinée n'est pas de tomber sous mes coups. Apollon y pourvoira, par qui ces choses doivent s'accomplir.

ŒDIPE. — Est-ce toi qui as imaginé cette fable ? — Ou Créon, peut-être ?

TIRÉSIAS. — Créon n'est pour rien dans ton malheur ; tu en es le seul artisan.

ŒDIPE. — O richesse, royauté, talents supérieurs, ces vies qu'on trouve si belles, à quelles jalousies vous les exposez! Le pouvoir que la cité m'a remis entre les mains sans que je l'eusse brigué, Créon le convoite, le fidèle Créon, l'ami du premier jour! Complotant ma chute, il me dépêche cet intrigant sorcier, ce rusé charlatan qui a de bons yeux pour le profit, mais aveugle dans son art. Et d'abord, cite-nous un cas où tu aies deviné juste! Lorsque la Chienne était là qui nous chantait des énigmes, comment n'as-tu pas trouvé la bonne réponse pour délivrer tes concitoyens ? Sans doute le premier venu ne pouvait-il en venir à bout, il y fallait le don de divination! Or, on l'a bien vu, ni les oiseaux ni les dieux ne t'ont rien révélé. C'est alors qu'Œdipe se présente; il n'est instruit de rien; il ne consulte pas les oiseaux : par un simple effort de réflexion il en termine avec le monstre! Et tu travailles à me chasser, et tu te vois déjà siégeant auprès du trône de Créon! Je crains qu'elle ne coûte cher aux deux complices, la purification que vous méditez. Si je n'avais égard à ton vieux corps, je te rendrais sage en t'infligeant le traitement que tu me réservais.

LE CORYPHÉE. — Il me semble qu'il a parlé sous l'empire de la passion, mais toi aussi, Œdipe. Et de passion nous n'avons que faire. Comment nous acquitter au mieux des prescriptions de l'oracle, voilà ce qu'il y a lieu d'examiner.

TIRÉSIAS. — Tu es le roi, mais tu dois m'accorder licence de te répondre en égal. J'en ai le droit. Je ne suis pas à ton service, je suis le ministre de Loxias[93]; aussi ne me verra-t-on pas rechercher le patronage de Créon[94]. Puisque tu m'as fait honte d'être aveugle, je te dirai ceci : toi qui as tes yeux, tu ne vois ni dans quel abîme tu es tombé, ni où tu habites, ni de qui tu partages la vie. Sais-tu seulement de qui tu es né? Des tiens, morts et vivants, tu es l'ennemi sans le savoir. Et bientôt, s'approchant pas à pas, terrible, et te frappant tour à tour par ton père et par ta mère, la Malédiction attachée à ton sang[95] te chassera du pays. Alors, toi qui as si bonne vue, tu seras dans la nuit. Où tes cris n'iront-ils pas demander asile? Quel Cithéron[96] ne les répercutera, quand tu connaîtras le secret de tes noces et de ta maison, et vers quel mouillage interdit tu as vogué vent arrière! Tu ne pressens pas la multitude d'autres maux qui te révéleront ce que tu es, par toi-même et pour tes enfants. Après cela, couvre de boue Créon et mes prophéties : jamais mortel ne sera le jouet d'un sort plus cruel que le tien.

ŒDIPE. — Un tel langage de sa part se peut-il tolérer? Va-t'en à la malheure — et plus vite que cela! Délivrenous de ta présence.

TIRÉSIAS. — Je suis venu parce que tu m'as appelé.

ŒDIPE. — Si j'avais prévu tes divagations, je me serais moins pressé de te faire venir.

TIRÉSIAS. — Voilà ce que je suis, à t'en croire : un fou. Les auteurs de tes jours, eux, me jugeaient sage.

ŒDIPE. — Qui cela, dis-tu? Ne t'en va pas. A qui dois-je la vie?

TIRÉSIAS. — Avant ce soir, tu recevras le jour et le perdras.

ŒDIPE. — Tu abuses des énigmes et de l'obscurité.

TIRÉSIAS. — N'excelles-tu pas à débrouiller les énigmes?

ŒDIPE. — Reproche-moi ce qui fait ma gloire!

TIRÉSIAS. — Cet heureux succès aura cependant causé ta ruine.

ŒDIPE. — Si j'ai sauvé ce pays, que m'importe le reste?

TIRÉSIAS. — Je n'ai plus qu'à me retirer. Mon enfant, ramène-moi à la maison.

ŒDIPE. — C'est cela, qu'il te remmène. Ta présence trouble mes idées. Disparais, sans plus nous mettre au supplice.

TIRÉSIAS. — Je m'en irai quand je t'aurai dit ce que j'ai mission de te dire. Je ne crains pas de te parler en face, car tu ne peux rien contre moi. Donc, je te déclare ceci : le meurtrier de Laïos que tu recherches depuis ce matin à grand fracas de proclamations menaçantes, il est ici; on le croit étranger, mais bientôt on découvrira qu'il est né à Thèbes pour son malheur; il perdra ses yeux, il perdra ses richesses; aveugle, mendiant, guidant ses pas d'un bâton, il errera en terre étrangère; il sera révélé de ses propres enfants frère et père, et de celle qui l'a enfanté fils et mari, et de son père rival incestueux et meurtrier. Rentre chez toi et réfléchis à tout cela. Si jamais tu prends ma prédiction en défaut, proclame alors que je n'entends rien à mon art. *(Il sort. Œdipe rentre dans le palais.)*

CHANT DU CHŒUR

Quel est-il, l'homme aux mains sanglantes
qu'à Delphes le rocher prophète [97] *a dénoncé*
comme l'auteur du plus innommable des crimes?
Je dis qu'il est temps pour lui
de fuir d'un pied plus puissant
que les chevaux emportés,
semblables à la tempête :
armé de feux et d'éclairs,
sur lui fond le fils de Zeus,

> *et terribles, infaillibles,*
> *le poursuivent les Furies.*

Pareil à l'éclair, sur les neiges du Parnasse,
> *le mot d'ordre est lancé*
qui commande à tous de traquer le criminel mystérieux.
Le misérable rôde au cœur des bois sauvages,
> *autour des antres, des rochers,*
> *comme un taureau perdu,*
morne, seul avec le bruit morne de ses pas,
> *rusant pour voler sa victime*
à l'oracle émané du Nombril de la Terre [98].
> *Mais la voix du dieu, sans répit,*
> *bourdonne autour de ses oreilles...*

> *Terrible, terrible est le trouble*
que le savant observateur des vols d'oiseaux
> *a jeté dans mon cœur !*
N'osant croire ou nier, je ne sais plus que dire,
> *Je me perds en conjectures;*
> *passé, présent, tout m'est énigme...*
Entre le fils de Polybe et les Labdacides,
> *couvait donc une querelle ?*
> *Mais, non plus aujourd'hui qu'hier,*
sur la foi de quel témoignage irais-je attaquer le renom
dont jouit ici notre Œdipe, et, fidèle aux seuls Labdacides,
m'instituer le justicier d'un crime obscur ?

Certes, pour Zeus, pour Apollon, les mortels n'ont pas de
> *mais qu'un devin en sache plus que moi,*   [*secrets;*
c'est un point fort douteux : le plus ou moins d'adresse
d'un homme à l'autre fait toute la différence!
Je ne me joindrai pas sans preuve à ceux qui chargent
Car, chacun l'a pu voir, lorsque la vierge ailée,   [*Œdipe.*
> *naguère, l'arrêta dans son chemin,*
l'épreuve l'a consacré sage et précieux à la cité.
> *Non, jamais je ne voudrai*
> *le condamner dans mon cœur!*

DEUXIÈME ÉPISODE

CRÉON. — Citoyens, qu'ai-je appris ? Le roi Œdipe
lance contre moi une étrange accusation. C'est intolé-
rable, et je viens en faire justice. Si, dans le malheur présent, il estime que je lui ai fait du tort, soit par mes

bles, soit par mes actes, je n'ai pas dessein de vieillir chargé d'une telle imputation. Il ne s'agit pas d'une faute sans conséquence, mais d'un crime qui m'expose à passer pour un traître aux yeux du public, pour un traître à vos yeux et aux yeux de nos amis.

LE CORYPHÉE. — Il se sera laissé emporter par la colère; il n'a pas réfléchi.

CRÉON. — Où a-t-il pu prendre que j'aie suborné le devin pour mentir?

LE CORYPHÉE. — Il l'a prétendu, en effet, mais j'ignore ce qui l'y poussait.

CRÉON. — Quoi! voyant clair, maître de sa raison, m'avoir accusé de la sorte?

LE CORYPHÉE. — Je ne suis pas juge de ce que font les grands. Mais le voici qui sort du palais.

ŒDIPE. — Toi, ici? Comment as-tu osé... Mais voyez de quel front il se présente au palais, lui qui, de toute évidence, en veut à ma vie, lui, cet aventurier, l'usurpateur avéré de mon trône! Au nom des dieux, dis-moi, me prenais-tu pour un lâche ou pour un fou lorsque tu as ourdi ce complot? Croyais-tu que je ne verrais pas ramper vers moi tes intrigues? Ou que, mis en éveil, je ne me défendrais pas? Quelle tentative absurde! Sans fortune personnelle, sans partisans, tu voudrais faire main basse sur un trône qu'on n'a aucune chance d'obtenir si l'on n'est très populaire ou très riche?

CRÉON. — Sais-tu ce que tu dois faire? Laisse-moi, en égal, répondre à tes griefs; tu jugeras ensuite à meilleur escient.

ŒDIPE. — Tu es un habile discoureur, mais je ne suis guère disposé à t'entendre: je te découvre plein de haine, décidé à me perdre.

CRÉON. — Sur ce point, précisément, écoute mes explications.

ŒDIPE. — Sur ce point, précisément, ne joue pas l'innocence.

CRÉON. — Si tu crois gagner quelque chose à cette arrogance hors de propos, tu te trompes.

ŒDIPE. — Si tu crois qu'un crime contre un parent restera impuni, tu fais erreur.

CRÉON. — Tu as raison, et je pense comme toi là-dessus. Mais apprends-moi mon crime.

ŒDIPE. — M'as-tu conseillé ou ne m'as-tu pas conseillé de mander notre auguste devin?

CRÉON. — Je te l'ai conseillé et je le ferais encore.

ŒDIPE. — Or depuis combien de temps Laïos...

CRÉON. — Laïos ? Qu'a-t-il fait ? Je ne comprends pas.

ŒDIPE. — ...a-t-il disparu, mystérieusement assassiné ?

CRÉON. — Cela remonte fort loin déjà.

ŒDIPE. — A cette époque, le devin exerçait-il son art ?

CRÉON. — Oui, non moins savant, non moins estimé.

ŒDIPE. — En ce temps-là, a-t-il fait mention de moi ?

CRÉON. — Jamais, du moins en ma présence.

ŒDIPE. — N'avez-vous pas fait d'enquête au sujet du meurtre ?

CRÉON. — Nous en avons fait une, comme c'était notre devoir, mais sans résultat.

ŒDIPE. — Pourquoi votre habile homme a-t-il alors tenu secret ce qu'il dévoile aujourd'hui ?

CRÉON. — Je n'en sais rien, et je préfère me taire de ce que j'ignore.

ŒDIPE. — Il y a pourtant une chose dont tu peux parler sciemment.

CRÉON. — Si c'est une chose que je sais, je te répondrai volontiers.

ŒDIPE. — Si le devin n'était pas ton complice, jamais il ne m'aurait imputé le meurtre de Laïos.

CRÉON. — S'il te l'a imputé ou non, tu le sais mieux que moi. Mais j'ai, moi aussi, des questions à te poser.

ŒDIPE. — Interroge. On ne découvrira pas en moi un assassin.

CRÉON. — Dis-moi, n'as-tu pas épousé ma sœur ?

ŒDIPE. — Cela, je ne pourrais pas le nier.

CRÉON. — Ne partage-t-elle pas avec toi les prérogatives royales ?

ŒDIPE. — Elle obtient de moi tout ce qu'elle veut.

CRÉON. — Et moi, le troisième dans la cité, ne me traitez-vous pas en égal ?

ŒDIPE. — C'est même en quoi ta félonie éclate.

CRÉON. — En aucune façon, si tu voulais y réfléchir avec moi. Considère d'abord ceci : à puissance égale, crois-tu les soucis du pouvoir préférables à un repos que rien ne trouble ? Pour moi, si j'aime à régner, je ne tiens pas au titre. Quiconque sait régler ses désirs raisonne de même. Grâce à toi, je fais ce que je veux et je n'ai rien à craindre. Si j'étais le roi, que de choses il me faudrait faire à contrecœur ! Comment la royauté me plairait-elle plus que l'exercice d'une puissance libre de tout souci ? J'ai l'esprit encore trop sain pour souhaiter autre chose que les profits et les honneurs. Chacun me

salue, chacun me courtise; ceux qui briguent tes faveurs
s'adressent à moi, car de moi dépend leur succès. Et
j'échangerais ceci contre cela? Une telle ambition serait
folie. Je ne convoite rien de tel; même aidé d'un complice,
je ne m'y risquerais pas. Si tu veux en avoir le cœur net,
fais le voyage de Pythô, contrôle mon rapport. Et si tu
établis que j'ai conspiré avec le devin, alors nous serons
deux pour réclamer ma tête, mais ne m'accuse pas sur
de vagues soupçons que tu t'es forgés à part toi. Il est
inique de prêter gratuitement le mal aux gens de bien et
le bien aux scélérats; chasser un ami loyal, autant vaut,
à mon sens, se priver de la vie, qui est le plus cher de
nos biens. Allons, la clarté se fera dans ton esprit avec le
temps, car le temps seul fait rendre justice à l'honnête
homme. Un traître, il suffit d'un jour pour le démasquer.

LE CORYPHÉE. — En conscience, il s'est bien défendu,
roi. Et qui juge lentement juge sûrement.

ŒDIPE. — A une attaque aussi prompte que perfide,
prompte également doit être la riposte. Si je demeure
sans réaction, il a gagné d'avance; je suis mis en échec.

CRÉON. — Quelles sont tes intentions? De me chasser
du pays?

ŒDIPE. — Pas si bête! Je veux ta mort, non ta fuite.

CRÉON. — Il faudra d'abord faire la preuve de mes
prétendues convoitises.

ŒDIPE. — Ainsi tu te poses en insoumis, en rebelle?

CRÉON. — Je vois que tu as l'esprit brouillé, voilà tout.

ŒDIPE. — En tout cas, je veille à ma propre sûreté.

CRÉON. — Je dois défendre aussi la mienne.

ŒDIPE. — Toi? tu n'as jamais été qu'un fourbe!

CRÉON. — Et si tu t'étais mépris du tout au tout?

ŒDIPE. — N'importe! Je te ferai baisser pavillon.

CRÉON. — Devant les abus de l'arbitraire, jamais.

ŒDIPE. — O cité, cité de Thèbes!...

CRÉON. — Autant que toi j'en suis le citoyen.

LE CORYPHÉE. — Arrêtez, princes. Fort à propos pour
vous, j'aperçois Jocaste qui sort du palais. Vous devriez
la prendre pour arbitre.

(Paraît Jocaste.)

JOCASTE. — Malheureux! Pourquoi avoir soulevé cette
querelle insensée? Quand la patrie est si malade, ne
rougissez-vous point d'attiser des haines entre vous?
Œdipe, rentre au palais; Créon, rentre chez toi. Et
n'envenimez plus de misérables disputes.

CRÉON. — Ma sœur, il prend fantaisie à Œdipe de traiter son beau-frère de la plus odieuse façon. Il me donne à choisir entre l'exil et la mort.

ŒDIPE. — C'est exact. Je l'ai surpris tramant avec une adresse perfide un complot contre ma personne.

CRÉON. — Que la malédiction divine soit sur moi, et que je meure dans l'instant, si j'ai rien fait de ce dont tu m'accuses.

JOCASTE. — Au nom des dieux, Œdipe, crois-le, par respect pour le serment qui les atteste, par égard pour moi et pour ceux qui nous écoutent.

LE CHŒUR.

Écoute-le de bon cœur, prince,
et de sang-froid, je t'en supplie.

ŒDIPE. — *Que veux-tu que j'accorde à ta prière ?*
LE CHŒUR.

Toujours il fut homme de sens ;
son serment le rend auguste ; il a droit à ton respect.

ŒDIPE. — Comprends-tu bien ce que tu demandes ?
LE CORYPHÉE. — Assurément.
ŒDIPE. — Explique donc ta pensée.
LE CHŒUR.

L'ami que son serment oblige, ne va pas
déshonorer son nom en l'accusant sans preuves.

ŒDIPE. — Réfléchis que, demander sa grâce, c'est demander ma mort ou mon exil.
LE CHŒUR.

Par le Soleil, qui siège au premier rang des dieux,
puissé-je sans un dieu pour moi, sans un ami,
périr de malemort si j'ai cette pensée !
Mais, le cœur consumé des maux de la patrie,
vraiment, c'est trop, s'il me faut voir votre discorde,
aggraver encore nos peines !

ŒDIPE. — Qu'il s'en aille, soit ; mais autant vaut me condamner à mort, ou à l'exil, et dans les deux cas à la honte. Je me laisse attendrir par tes prières. Lui, partout et toujours, il ne saura m'inspirer que de la haine.

CRÉON. — Tu cèdes à contrecœur, mais le chagrin t'accablera quand ta colère sera tombée. Des natures comme la tienne sont des fléaux pour elles-mêmes, et ce n'est que justice.

ŒDIPE. — Vas-tu enfin me délivrer de ta présence ?

CRÉON. — Je pars, méconnu de toi, mais toujours le même à leurs yeux.

(Il sort.)

LE CHŒUR.

Reine, que tardes-tu ? Rentre au palais avec Œdipe.

JOCASTE. — *Sachons d'abord ce qui est arrivé.*

LE CHŒUR.

> *Sur des soupçons en l'air une querelle est née ;*
> *rien n'est blessant comme un reproche injuste.*

JOCASTE. — Ces reproches partaient-ils des deux côtés ?

LE CORYPHÉE. — Ma foi, oui.

JOCASTE. — Et que disaient-ils donc ?

LE CHŒUR.

> *C'est bien assez, à mon avis, c'est bien assez*
> *des souffrances de la patrie !*
> *Puisque la querelle a cessé, restons-en là.*

ŒDIPE, *au Coryphée*. — Vois-tu comme, avec les meilleures intentions du monde, tu laisses tomber ma cause et faiblir ton zèle.

LE CHŒUR.

> *Mon roi, je te l'ai dit, je te le dis encore,*
> *je ferais preuve de folie et de sottise,*
> *si j'allais t'abandonner, toi,*
> *qui, lorsque mon pays peinait dans la tempête,*
> *fus le bon vent qui l'a guidé. Ah ! de nouveau,*
> *si tu peux, conduis-nous à bon port aujourd'hui !*

JOCASTE. — Au nom des dieux, prince, apprends-moi ce qui a pu te révolter à ce point.

ŒDIPE. — Je te le dirai, ma chère femme, car j'ai plus qu'eux souci de te complaire. Il s'agit de Créon et du complot qu'il a tramé contre moi.

JOCASTE. — Explique-toi donc. Dans la querelle qui vous oppose, qu'as-tu à lui reprocher au juste ?

ŒDIPE. — C'est simple : il prétend que c'est moi qui ai tué Laïos.

JOCASTE. — Sur quoi se fonde sa conviction ? Sur une enquête personnelle ? Sur un rapport qu'on lui aurait fait ?

ŒDIPE. — Il m'a envoyé un traître de devin sur lequel il se décharge du soin de m'accuser.

JOCASTE. — Si tu veux te mettre l'esprit en repos à ce sujet, écoute-moi : tu verras qu'il n'est pas de mortel qui possède vraiment le don de divination. Je te le prouverai en quelques mots. Autrefois, un oracle, rendu à Laïos, non certes par Phœbos en personne, mais enfin, par ses ministres, lui avait annoncé qu'il devait mourir de la main d'un fils qu'il aurait de moi. Et voilà que des brigands, si l'on en croit les bruits qui ont couru, l'assassinent en pays étranger, à la jonction de deux routes. D'ailleurs, trois jours à peine après la naissance de l'enfant, Laïos lui avait lié les pieds et l'avait fait jeter sur une montagne déserte. Il est clair qu'Apollon n'a pas accompli l'oracle : l'enfant n'est pas devenu le meurtrier de son père, et Laïos n'est pas mort de la main de son fils, — comme la crainte l'en obsédait. Pourtant des prophéties lui avaient tracé ce destin... N'y attache donc plus aucune importance. Les vues que le ciel a sur nous, il n'aura besoin de personne pour nous les faire connaître, quand il le jugera utile.

ŒDIPE. — C'est étrange comme en t'écoutant, ma femme, je me sens l'esprit troublé, inquiet.

JOCASTE. — Quelles réflexions t'inspire soudain cette inquiétude ?

ŒDIPE. — J'ai bien entendu, n'est-ce pas, que Laïos fut assassiné à la jonction de deux routes ?

JOCASTE. — Cela s'est dit et n'a pas, jusqu'à présent, été mis en doute.

ŒDIPE. — Dans quelle région la chose s'est-elle passée ?

JOCASTE. — Le pays porte le nom de Phocide. Le meurtre eut lieu à l'endroit où la route qui vient de Delphes rejoint celle de Daulis.

ŒDIPE. — Et combien de temps s'est écoulé depuis ?

JOCASTE. — On a connu le crime un peu avant l'époque où tu as pris le pouvoir.

ŒDIPE. — O Zeus, qu'as-tu prémédité de faire de moi ?

JOCASTE. — D'où te vient cette pensée, Œdipe ?

ŒDIPE. — Ne m'interroge pas encore. Dis-moi plutôt quel aspect avait Laïos : c'était un homme de quel âge ?

JOCASTE. — Il était grand; il commençait à blanchir; d'aspect, il n'était pas très différent de toi.

ŒDIPE. — Malheur à moi! Aurais-je, tout à l'heure sans le savoir, jeté sur ma tête une malédiction effroyable ?

JOCASTE. — Que dis-tu ? J'ose à peine lever les yeux vers toi, prince !

ŒDIPE. — Je crains terriblement que le devin ne voie clair. Un mot encore peut m'en donner la preuve.

JOCASTE. — La crainte me paralyse, mais je ne me déroberai pas à tes questions.

ŒDIPE. — Voyageait-il en petit équipage ou escorté de gardes du corps, comme un chef ?

JOCASTE. — Ils étaient cinq hommes, dont un piqueur; il n'y avait pas d'autre voiture que la sienne.

ŒDIPE. — Ah! cela déjà est trop clair... Et qui vous a fait ce rapport, dis-moi, femme?

JOCASTE. — Un domestique, le seul survivant.

ŒDIPE. — Est-ce qu'il vit encore dans la maison?

JOCASTE. — Non. A son retour, lorsqu'il t'a vu régnant à la place de son défunt maître, il m'a pris la main et m'a suppliée de le laisser partir pour les champs comme berger, afin de vivre le plus loin possible d'une ville qu'il ne voulait plus voir. Je l'ai donc laissé partir. Même pour un esclave, ce n'était pas trop payer sa fidélité.

ŒDIPE. — Peut-on le faire revenir promptement?

JOCASTE. — C'est facile. Mais pourquoi désires-tu le voir?

ŒDIPE. — Ma femme, je crains fort d'en avoir beaucoup trop dit tout à l'heure. Voilà pourquoi je veux voir ce bonhomme.

JOCASTE. — Il viendra. Mais ne suis-je pas digne, moi aussi, mon cher prince, que tu me fasses part de tes inquiétudes?

ŒDIPE. — Je ne puis te refuser cela, quand je vois le peu d'espoir qui me reste. Au point où j'en suis, pourrais-je trouver un confident plus sûr que toi?

J'ai pour père Polybe, de Corinthe; ma mère, Mérope, est originaire de la Doride[99]. J'étais considéré là-bas comme le premier des citoyens, lorsque survint un incident propre, certes, à m'étonner, mais indigne que je le prisse à cœur. Au milieu d'un festin, après boire, un convive échauffé par le vin me traite d'enfant supposé. Blessé dans mon orgueil, je me contins à grand'peine tout le reste du jour. Le lendemain, j'allai questionner mon père et ma mère. Ils s'indignèrent contre l'insolent. Bien que leur tendresse me fût douce, la brûlure de l'insulte avait pénétré profondément dans mon cœur. A l'insu de mes parents, je me rendis donc à Pytho. Phœbos ne daigna point répondre à ma question; il me congédia, — non toutefois sans m'avoir prédit toute sorte d'horribles calamités: que je m'unirais à ma mère, que j'exhiberais aux yeux des hommes une postérité monstrueuse, que je deviendrais le meurtrier de mon propre père! Je me le tins pour dit et m'éloignai de Corinthe, me dirigeant à vue de nez, en quête d'un pays où jamais je ne verrais s'accomplir à ma honte les funestes prédictions. Et voilà qu'en cheminant j'arrive dans la région où tu dis que le feu roi a trouvé la mort. A toi, ma femme, je dirai toute la vérité. Près de la jonction des deux routes, sur une voiture attelée de jeunes chevaux et précédée d'un piqueur, un homme répondant au signalement que tu m'indiques s'avance dans mon chemin. Le conducteur, puis le vieillard lui-même veulent m'écarter violemment du passage. Furieux, je frappe le premier, qui me poussait contre le talus. Alors le vieillard, guettant le moment où je passais le long du véhicule, m'atteignit de deux coups d'aiguillon, en plein sur le crâne. Il n'en a pas été quitte au même prix. A l'instant même, assommé d'un coup de mon bâton, il tombe à la renverse et roule à bas de la voiture. J'ai tué tout le monde... Si Laïos a quelque chose de commun avec ce voyageur, quel homme plus que moi peut se dire malheureux, plus que moi maudit du ciel ? Désormais, ni étrangers ni citoyens ne pourront m'accueillir ni seulement m'adresser la parole, on me chassera de toutes les maisons ! Et ces malédictions, qui m'en a chargé ? Moi-même ! De mes mains, qui l'ont tué, je souille la couche du mort ! Suis-je assez misérable ! assez impur ! Il me faut fuir ; fugitif, il m'est interdit de revoir les miens et de fouler le sol de ma patrie, sous peine de m'unir à ma mère et de tuer Polybe, mon père qui m'a élevé ! Si on attribuait ce qui m'arrive à une divinité cruelle, n'aurait-on pas raison ? Jamais, jamais, ô sainte majesté des dieux, puissé-je ne voir ce jour-là ! Plutôt disparaître d'entre les hommes, avant de voir attachée sur moi une telle souillure.

LE CORYPHÉE. — Ton récit, ô mon roi, nous paraît troublant ; toutefois, en attendant les explications du témoin, espère encore.

ŒDIPE. — Oui, je n'ai plus d'espoir qu'en ce berger.

JOCASTE. — Quel réconfort attends-tu de son témoignage ?

ŒDIPE. — C'est bien simple : si sa version des faits concorde avec la tienne, j'en aurai été quitte pour la peur.

JOCASTE. — Quelle particularité t'a donc frappé, dans ce que j'ai dit ?

ŒDIPE. — L'homme a déclaré, n'est-ce pas, que les agresseurs étaient des brigands ? S'il maintient qu'ils étaient plusieurs, je n'ai pas commis ce meurtre-là, car qui dit plusieurs ne dit pas un seul. Mais s'il ne parle que d'un passant isolé, il devient clair que toutes les présomptions tombent sur moi.

JOCASTE. — Voyons, son récit est bien ce que j'ai dit et il ne peut plus le désavouer ; toute la ville l'a entendu comme moi. Quand même, sur tel ou tel point, il s'écar-

terait de son premier rapport, jamais, mon cher prince,
il n'établira que Laïos fut tué selon les prophéties,
puisque Loxias avait prédit qu'il périrait par un fils né
de moi. Et comment aurait-il tué son père, le pauvre
petit, puisqu'il est mort le premier ? Aussi ne me verra-
t-on plus à l'avenir observer le ciel, ici ou là, pour y lire
des présages !

ŒDIPE. — Tu as raison. N'oublie pas toutefois d'envoyer quérir le berger.

JOCASTE. — Je vais y envoyer tout de suite. Cependant
rentrons à la maison. Je ne voudrais rien faire qui ne te
fût pas agréable.

(Ils sortent.)

CHANT DU CHŒUR

Puissé-je avoir pour mon partage
une âme sainte et pure, et ne dire ou ne faire
rien qu'en vertu des Lois qui siègent
là-haut, dans les profonds espaces enfantées,
filles du seul Olympe et n'ayant point de part
à la nature mortelle.
Elles ne risquent pas de vieillir dans l'oubli,
car un puissant dieu les inspire, à l'inaltérable jeunesse.

L'orgueil démesuré fait le tyran ;
l'orgueil, que follement enivre
l'esprit d'erreur et d'imprudence,
ne se hisse jusqu'au pinacle
que pour mieux s'abîmer aux gouffres sans issue
où il n'est plus bon pied qui vaille.
Mais l'émulation [100] *entre les citoyens,*
plaise au dieu, pour notre salut, la stimuler,
et toujours je tiendrai le dieu pour mon patron.

Quiconque, par son bras ou par sa langue vise
trop haut, ne craint point la Justice
et ne révère point les sanctuaires,
puisse sa folle outrecuidance
le désigner aux coups du sort le plus cruel,
soit que par fraude il s'enrichisse,
ou profane les choses saintes
ou pille les trésors sacrés.
Devant de tels excès qui pourra se flatter
de dérober son cœur aux traits de la colère ?

> *Lorsque le crime est en honneur,*
> *que me sert de former des chœurs religieux ?*

> *Non, je n'irai plus vénérer*
> *l'Ombilic sacré de la terre* [101] *;*
> *je n'irai plus visiter les lieux saints*
> *d'Abae ni d'Olympie* [102] *,*
> *si de la prophétie et de l'événement*
> *n'éclate plus l'accord aux yeux de tous les hommes !*
> *O Tout-Puissant, Maître du monde,*
> *— si ton renom n'est point menteur — ô Zeus, prends garde*
> *qu'au sein de ton règne immortel, ceci n'échappe à ta vue :*
> *les oracles touchant Laïos sont frappés de stérilité ;*
> *Apollon ne voit plus honorer ses autels ;*
> *le respect des dieux s'en va !*

TROISIÈME ÉPISODE

JOCASTE. — Notables de ce pays, j'ai cru bon d'aller offrir aux dieux dans leurs temples ces couronnes et ces parfums. Œdipe est le jouet de mille pensées qui l'affolent. Un homme raisonnable, comparant les prophéties, jugerait des nouvelles par les anciennes. Lui, il croit tout ce qu'on lui dit, pourvu qu'on réveille ses craintes. Voyant mes conseils impuissants, ô Apollon Lycien, gardien de notre voisinage, suppliante je viens t'offrir ces prémices [103]. Fais apparaître mon mari pur de toute souillure. L'effroi nous saisit tous quand nous le voyons pareil à un pilote qui perd la tête.

(Paraît, du côté de la campagne, un messager.)

LE MESSAGER. — Puis-je apprendre de vous, étrangers, où se trouve le palais du roi Œdipe ? Ou plutôt dites-moi où je le trouverai lui-même, si vous le savez.

LE CORYPHÉE. — Voici son palais : tu l'y trouveras. Et cette femme que tu vois est la mère de ses enfants.

LE MESSAGER. — Je souhaite à l'épouse du roi mille prospérités pour elle et pour ceux qui l'entourent.

JOCASTE. — Sois heureux aussi, étranger, comme tu le mérites par ta bonne grâce. Mais dis-nous le but de ta visite : qu'as-tu à nous annoncer ?

LE MESSAGER. — De bonnes nouvelles pour ta maison et pour ton mari, reine.

JOCASTE. — Quelles nouvelles ? Et de la part de qui ?

LE MESSAGER. — Des nouvelles de Corinthe. Elles vont te réjouir, bien sûr, peut-être aussi t'attrister.

JOCASTE. — Comment posséderaient-elles ces deux propriétés à la fois ?

LE MESSAGER. — Œdipe va être élu roi par les habitants de l'Isthme, à ce qu'on dit là-bas.

JOCASTE. — Eh, quoi ! Le vieux Polybe n'est-il plus sur le trône ?

LE MESSAGER. — Non, certes, car la mort l'a couché dans le tombeau.

JOCASTE. — Tu dis bien que Polybe est mort ?

LE MESSAGER. — Je l'affirme, sur ma propre vie.

JOCASTE (à une suivante). — Femme, cours annoncer la nouvelle à ton maître. Oracles divins, qu'en est-il de vous ? Autrefois, Œdipe s'est enfui parce qu'il redoutait de tuer son père et voici que le vieillard vient de mourir de sa belle mort.

ŒDIPE (sortant du palais). — Jocaste, ma chérie, pourquoi m'as-tu fait appeler ?

JOCASTE. — Ecoute cet homme, et tu verras ce qu'il advient des augustes prédictions du dieu !

ŒDIPE. — Cet homme ? qui est-il ? Que veut-il me dire ?

JOCASTE. — Il arrive de Corinthe pour t'annoncer que Polybe, ton père, vient de s'éteindre.

ŒDIPE. — Que dis-tu, étranger ? Redis-nous toi-même ton message.

LE MESSAGER. — S'il me faut tout d'abord confirmer la nouvelle, n'en doute plus, ton père vient de succomber.

ŒDIPE. — Terrassé par une main criminelle ou par la maladie ?

LE MESSAGER. — Le moindre choc abat les vieilles gens.

ŒDIPE. — C'est donc la maladie qui l'a consumé, mon pauvre père !

LE MESSAGER. — Et plus encore la longue suite de ses années.

ŒDIPE. — Hélas ! ma chère femme, qui voudra maintement lever les yeux vers l'autel pythique [104] et les piaillements des oiseaux ? A les en croire, je devais tuer mon père : or il est mort, et moi je suis ici, qui n'ai pas seulement touché à une épée ! Peut-être se languissait-il de mon absence ? Je serais ainsi cause de sa fin... Mais non. Chez Hadès où il repose, Polybe a emporté nos oracles réduits à néant.

JOCASTE. — Ne te l'ai-je pas toujours dit ?

ŒDIPE. — C'est vrai, mais la peur m'égarait.

JOCASTE. — Réagis, maintenant; ne t'inquiète plus de tout cela.

ŒDIPE. — Mais le lit de ma mère? N'ai-je pas lieu de le redouter?

JOCASTE. — Faut-il se tourmenter sans trêve? L'homme est l'esclave du hasard; il ne peut rien prévoir à coup sûr. Le mieux est de s'en remettre à la fortune le plus qu'on peut. La menace de l'inceste ne doit pas t'effrayer : plus d'un mortel a partagé en songe le lit de sa mère. Pour qui sait surmonter ces frayeurs, comme la vie est plus simple!

ŒDIPE. — Ce raisonnement me convaincrait, sans doute, si ma mère n'était plus. Mais elle vit! Tu auras beau dire, comment ne tremblerais-je pas?

JOCASTE. — La mort de ton père devrait te rassurer, cependant.

ŒDIPE. — C'est vrai, mais ma mère vit toujours. Cela m'effraie.

LE MESSAGER. — Quelle est donc cette femme qui vous cause tant de craintes?

ŒDIPE. — C'est Mérope, vieillard, la femme de Polybe.

LE MESSAGER. — Et que craignez-vous à son sujet?

ŒDIPE. — Un terrible oracle envoyé par les dieux, étranger.

LE MESSAGER. — Puis-je en avoir connaissance, ou si c'est un secret de famille?

ŒDIPE. — Nullement. Loxias m'a prédit autrefois que j'entrerais dans le lit de ma mère et que je verserais le sang de mon père. C'est pourquoi j'ai vécu loin de Corinthe; et cela m'a réussi; mais il est dur de ne pas voir ses parents.

LE MESSAGER. — Telle fut donc la crainte qui t'a chassé de ta patrie?

ŒDIPE. — Je ne voulais pas devenir le meurtrier de mon père, vieillard.

LE MESSAGER. — Que ne t'ai-je rassuré plus tôt, roi, car je ne demande qu'à te servir!

ŒDIPE. — Et tu en seras dignement récompensé.

LE MESSAGER. — C'est aussi pour cela que j'ai fait le voyage. Je pensais que tu ne m'oublierais pas, quand tu serais rentré au pays.

ŒDIPE. — Mais je ne retournerai jamais auprès de mes parents!

LE MESSAGER. — Mon fils, je vois bien que tu parles sans savoir.

ŒDIPE. — Que veux-tu dire, vieillard? Par les dieux, explique-toi.

LE MESSAGER. — Eh oui, si c'est là ce qui t'empêche de retourner dans ton pays.

ŒDIPE. — Je tremble que Phœbos ne finisse par se révéler véridique.

LE MESSAGER. — Tu redoutes, n'est-ce pas, une souillure qui te viendrait de tes parents?

ŒDIPE. — Oui, vieillard, cette crainte m'obsède.

LE MESSAGER. — Tu ne sais donc pas que tu t'effraies sans raison.

ŒDIPE. — Comment? Ne suis-je pas leur fils?

LE MESSAGER. — Puisque Polybe ne t'était de rien par le sang!

ŒDIPE. — Qu'as-tu dit? Polybe n'était pas mon père?

LE MESSAGER. — Il ne l'était ni plus ni moins que moi.

ŒDIPE. — Comment peut-il ne m'être de rien, celui qui m'a engendré?

LE MESSAGER. — Je le répète, il n'était pas plus ton père que moi.

ŒDIPE. — Alors, pourquoi m'appelait-il son fils?

LE MESSAGER. — Apprends que, jadis, il t'avait reçu de mes mains.

ŒDIPE. — Et cet enfant adoptif, il l'a si tendrement chéri?

LE MESSAGER. — C'est qu'il n'avait pas eu d'enfants.

ŒDIPE. — Mais toi, pour me donner à lui, m'avais-tu acheté, ou trouvé?

LE MESSAGER. — Découvert au milieu des taillis, dans une gorge du Cithéron.

ŒDIPE. — Qu'allais-tu faire en cette contrée?

LE MESSAGER. — Je gardais les troupeaux dans la montagne.

ŒDIPE. — Tu étais donc berger nomade, à la solde d'un maître?

LE MESSAGER. — Et je fus ton sauveur; mon fils, ce jour-là [105].

ŒDIPE. — Dans quel douloureux état m'as-tu recueilli?

LE MESSAGER. — Tes pieds pourraient en rendre témoignage.

ŒDIPE. — Hélas! à quelle lointaine souffrance tu fais allusion!

LE MESSAGER. — J'ai défait tes liens : tu avais le bout de chaque pied transpercé.

ŒDIPE. — Cruel opprobre, qui a marqué mon premier âge!

LE MESSAGER. — Cette malheureuse circonstance t'a même donné ton nom [106].

ŒDIPE. — Par les dieux, qui me l'a donné? Mon père ou ma mère? Réponds.

LE MESSAGER. — Je l'ignore. Celui qui t'a remis entre mes mains le sait mieux que moi.

ŒDIPE. — Eh quoi? ne m'as-tu pas trouvé toi-même?

LE MESSAGER. — Non. Un autre pâtre t'a remis entre mes mains.

ŒDIPE. — Quel autre pâtre? Es-tu capable de nous fournir son signalement?

LE MESSAGER. — C'était, disait-on, un des esclaves de Laïos.

ŒDIPE. — De Laïos, l'ancien roi de ce pays-ci?

LE MESSAGER. — Tout juste. L'homme gardait les troupeaux du roi.

ŒDIPE. — Vit-il encore, que je puisse le voir?

LE MESSAGER. — Vous saurez cela facilement, vous autres gens d'ici près?

ŒDIPE. — Citoyens, l'un d'entre vous connaît-il le berger en question, pour l'avoir rencontré soit aux champs, soit en ville? Faites-le savoir, car il est grand temps de tout éclaircir.

LE CORYPHÉE. — A mon avis, c'est le paysan que tu voulais voir tout à l'heure. D'ailleurs, Jocaste pourrait préciser ce point mieux que personne.

ŒDIPE. — Ma chère femme, penses-tu que le berger que nous désirions voir soit justement le même dont parle cet homme?

JOCASTE. — De qui veut-il parler? Ne pense plus à cela. Oublie ces propos qui n'avancent à rien.

ŒDIPE. — Il est impossible qu'avec de tels indices je ne parvienne pas à éclaircir ma naissance!

JOCASTE. — Au nom des dieux, mon ami, si tu tiens à ta vie, abandonne ces recherches. C'est assez de ce que je souffre.

ŒDIPE. — N'aie pas peur. Quand je me découvrirais esclave depuis la troisième génération, le déshonneur n'en sera pas pour toi.

JOCASTE. — Je t'en supplie, écoute-moi. Laisse tout cela.

ŒDIPE. — Non, non! Je tiens à en avoir le cœur net.

JOCASTE. — C'est pour ton bien; je te donne le plus sage conseil.

ŒDIPE. — Je commence à en être las, de tes sages conseils!

JOCASTE. — Infortuné! puisses-tu ne jamais savoir qui tu es!

ŒDIPE. — M'amènera-t-on enfin ce berger? Quant à elle, laissez-la tirer vanité de sa riche famille!

JOCASTE. — Oh! malheureux, malheureux! C'est le seul nom qu'il me reste pour t'appeler! Le seul nom désormais!

(Elle rentre dans le palais.)

LE CORYPHÉE. — Œdipe, pourquoi ta femme est-elle partie si brusquement, en proie au désespoir? Son silence est gros de malheurs qui, je le crains, vont éclater.

ŒDIPE. — Ah! qu'ils éclatent! Pour moi, même basse, je veux connaître ma naissance. Les femmes sont vaniteuses. Celle-ci peut bien rougir de mon humble origine. Moi, je me proclame l'enfant de la Fortune. La Fortune m'a bien doté; je ne la renierai pas; c'est elle ma véritable mère. Au long de mes jours, j'ai connu des hauts et des bas; mais tel je suis né, tel je demeure, et je ne veux plus ignorer le secret de ma naissance.

CHANT DU CHŒUR

Je ne sais si je suis bon devin, mais j'atteste
            l'Olympe, ô Cithéron,
que la pleine lune qui vient ne s'effacera pas des cieux
que l'on ne t'ait loué comme berceau d'Œdipe
        — ou mieux : sa nourrice, sa mère! —
et que nos chœurs n'aient redit tes bienfaits envers nos rois!
Apollon guérisseur, reçois mes chants en grâce.
Parmi les filles immortelles, laquelle, enfant, t'a mis au
                                        [monde ?

        Laquelle s'approcha de Pan,
comme il courait les monts, et fit de lui ton père ?
        ou quelle amante, encore,
de Loxias, ami des champs et des plateaux ?
        Ou — pourquoi pas ? — le maître du Cyllène [107],
ou le dieu dont les monts abritent le délire [108]
t'aura, sur l'Hélicon, reçu de quelque nymphe,
            compagne de ses jeux...

QUATRIÈME ÉPISODE

(On amène le serviteur de Laïos.)

ŒDIPE. — A première vue, je gagerais, vieillards, que voici notre berger. Son grand âge s'accorde avec celui du Corinthien. D'ailleurs, je reconnais mes gens qui l'amènent. *(Au Coryphée.)* Mais toi, tu peux te prononcer mieux que moi, je pense, puisque tu l'as vu autrefois.

LE CORYPHÉE. — C'est lui, en effet. Dévoué entre tous, il était berger au service de Laïos.

ŒDIPE. — Un mot, d'abord, Corinthien. Est-ce là l'homme en question ?

LE MESSAGER. — Oui, c'est bien lui.

ŒDIPE *(au serviteur de Laïos).* — A ton tour, vieillard. Regarde-moi et réponds bien à toutes mes questions. Tu étais au service de Laïos, autrefois ?

LE SERVITEUR. — Oui, comme esclave ; non pas acheté, mais né dans la maison.

ŒDIPE. — A quel office t'y employait-on ?

LE SERVITEUR. — J'ai passé presque toute ma vie auprès des troupeaux.

ŒDIPE. — Dans quelle région les conduisais-tu, d'ordinaire ?

LE SERVITEUR. — Tantôt sur le Cithéron, tantôt dans les pâturages environnants.

ŒDIPE. — Tu vois cet homme. Te rappelles-tu l'avoir rencontré dans ces régions ?

LE SERVITEUR. — Que faisait-il ? Quel homme veux-tu dire ?

ŒDIPE. — Cet homme-ci. N'as-tu jamais eu affaire à lui ?

LE SERVITEUR. — Ah ! tu prends mes souvenirs au dépourvu.

LE MESSAGER. — Ce n'est pas étonnant, maître, mais je vais lui rafraîchir la mémoire. Je suis certain qu'il m'a connu, lorsque, sur le Cithéron, nous conduisions, lui deux troupeaux, moi un seul. Par trois fois nous avons voisiné ainsi pendant un plein semestre, du printemps au coucher de l'Ourse. La mauvaise saison venant, nous rentrions nos bêtes, moi dans mes bergeries et lui dans les parcs de Laïos. Est-ce que je me trompe ? N'est-ce pas ainsi que les choses se passaient ?

LE SERVITEUR. — Tu dis la vérité, mais il y a si longtemps !

LE MESSAGER. — A présent, dis-moi, te souviens-tu qu'un jour tu m'as confié un enfant, à charge de l'élever comme mon propre fils ?

LE SERVITEUR. — De quoi t'avises-tu de me demander cela ?

LE MESSAGER. — Le voici, mon brave, ton nourrisson d'autrefois !

LE SERVITEUR. — Que la peste t'étouffe ! Ne veux-tu point tenir ta langue ?

ŒDIPE. — Allons, ne le gronde pas, vieillard. C'est toi, plutôt, que je devrais gronder.

LE SERVITEUR. — O mon excellent maître, en quoi ai-je méfait ?

ŒDIPE. — Tu ne lui as pas répondu au sujet de l'enfant.

LE SERVITEUR. — Il parle en étourdi. Mais il perd sa peine.

ŒDIPE. — Toi, si tu ne veux pas parler, prends garde : je saurai bien t'y forcer.

LE SERVITEUR. — Au nom des dieux, ne malmène pas un vieillard !

ŒDIPE. — Qu'on lui attache immédiatement les mains derrière le dos.

LE SERVITEUR. — Ah ! pauvre de moi ! Pourquoi faire ? Qu'as-tu besoin de savoir ?

ŒDIPE. — L'enfant dont parle cet homme, le lui as-tu remis ?

LE SERVITEUR. — Eh oui ! J'aurais mieux fait de mourir, ce jour-là.

ŒDIPE. — Cela t'arrivera aujourd'hui, si tu caches ce que tu dois révéler.

LE SERVITEUR. — Dis plutôt que, si je parle, je suis mort.

ŒDIPE. — Cet homme-là nous amuse, c'est clair.

LE SERVITEUR. — Moi ? J'ai déjà dit que j'avais remis l'enfant.

ŒDIPE. — Où l'avais-tu pris ? Était-il à toi ? Le tenais-tu d'un autre ?

LE SERVITEUR. — Il n'était pas à moi ; je l'avais reçu.

ŒDIPE. — De quel citoyen ? de quelle famille ?

LE SERVITEUR — Non, par les dieux, non, maître ! ne m'interroge pas plus avant.

ŒDIPE. — Tu es mort si je répète ma question.

LE SERVITEUR. — L'enfant était né dans la maison de Laïos.

ŒDIPE. — Esclave, ou du sang du roi?

LE SERVITEUR. — Malheur à moi! me voici devant ce qui est effroyable à dire.

ŒDIPE. — Et, pour moi, à entendre... Allons! il faut l'entendre.

LE SERVITEUR. — On disait que c'était un fils de Laïos. Mais ta femme qui est dans le palais t'expliquerait mieux que moi les choses comme elles sont.

ŒDIPE. — C'est elle qui te l'a confié?

LE SERVITEUR. — Oui, roi.

ŒDIPE. — Pourquoi?

LE SERVITEUR. — Pour le faire périr.

ŒDIPE. — Sa mère? La misérable!

LE SERVITEUR. — Elle craignait les menaces d'un oracle.

ŒDIPE. — Quelles menaces?

LE SERVITEUR. — Que l'enfant tuerait ses parents.

ŒDIPE. — Mais toi, pourquoi l'as-tu remis à ce vieillard?

LE SERVITEUR. — Par pitié, maître. Je me disais qu'il l'emporterait à l'étranger, bien loin, dans son pays... Hélas! il l'a sauvé, et ce fut pour le pire; car, si tu es l'enfant qu'il dit, sache que tu es vraiment un prédestiné du malheur.

ŒDIPE. — Oh!... Oh!... comme tout est clair, à présent!... O lumière du jour, puissé-je, à cette heure, tourner vers toi mes derniers regards! Tel, moi-même, je me suis dévoilé : enfant indésirable, époux contre nature, meurtrier contre nature!

(Il rentre. Les bergers se retirent.)

CHANT DU CHŒUR

Générations des mortels,
c'est néant, à mes yeux, que votre vie.
Et je dis : quel homme en partage
obtient jamais plus de bonheur
que ce qu'il en faut pour se croire
heureux, et tomber de plus haut?
Je n'en veux ici pour exemple
que le malheur qu'un dieu t'envoie,
ô douloureux Œdipe! et de personne au monde
je ne louerai plus la félicité.

Très haut vers le zénith, cet homme avait lancé
sa flèche, et d'un bonheur sans ombre il était maître.

O Zeus, il avait écrasé
la Vierge aux serres de rapace qui psalmodiait ses énigmes !
Comme un rempart contre la mort il se dressait sur notre terre !
   Et c'est pourquoi je t'appelais mon roi,
Œdipe, et tu régnais sur la puissante Thèbes,
     Souverain puissant, vénéré !

Mais aujourd'hui quelle détresse est à la tienne comparable ?
Jamais calamités ni épreuves plus rudes
   n'auront changé la face d'une vie !
   Hélas ! illustre Œdipe, se peut-il
     que, pour l'amour, le même havre
     ait abrité le fils après l'époux ?
Ah ! comment le sillon que féconda ton père,
   misérable, a-t-il jamais pu,
a-t-il pu sans crier te subir si longtemps ?

Le temps voit tout ; le temps malgré toi te découvre,
dénonçant le passé, le couple impur, l'enfant
   s'accouplant à qui l'enfanta !
Hélas ! enfant conçu des œuvres de Laïos,
   si je pouvais, hélas ! si je pouvais
     ne t'avoir jamais vu !
     Car sur tes maux je gémis, car
     ma bouche, de toutes ses forces,
     crie... Et pourtant, il faut le dire :
grâce à toi j'ai pu respirer, j'avais retrouvé le sommeil...

DERNIER ÉPISODE

UN MESSAGER DU PALAIS. — Très honorés notables de ce pays, quel récit vous allez entendre, quel spectacle vous allez contempler, quel deuil vous allez porter, vous qui avez gardé votre loyal amour à la maison des Labdacides. Je ne crois pas que l'Ister ni le Phase eussent assez d'eau pour purifier cette demeure de tout ce qu'elle recèle. Et bientôt vont paraître au grand jour de nouvelles horreurs, et volontairement perpétrées, cette fois. Or il n'est peines plus amères que celles que l'on a voulues.

LE CHŒUR. — Celles que nous connaissons ne sont pas, il s'en faut, indignes des plus profonds gémissements. Qu'y vas-tu ajouter de surcroît ?

LE MESSAGER DU PALAIS. — Pour vous l'apprendre d'un mot, elle est morte, Jocaste, notre reine vénérée !

LE CHŒUR. — L'infortunée! Comment cela est-il arrivé?

LE MESSAGER DU PALAIS. — Elle s'est donné la mort. De ce qui s'est passé, le plus horrible vous est épargné; vos yeux n'ont point vu. Cependant, autant que ma mémoire saura le retracer, apprenez le supplice de la malheureuse. Folle d'horreur, elle avait traversé le vestibule et couru jusqu'à sa chambre en s'arrachant les cheveux par poignées. Elle entre, repousse violemment les vantaux derrière elle; elle appelle Laïos, son défunt époux; elle se remémore le passé, cette semence dont il devait périr et qui la ferait mère d'une progéniture souillée. L'infortunée gémissait sur ce lit où elle avait conçu tour à tour un mari de son mari et des enfants de son enfant. Comment elle est morte, je ne le sais pas au juste, car Œdipe se précipitait en hurlant et ce n'est plus elle, dès lors, c'est lui dont le désespoir a captivé nos regards. Il court çà et là, nous demande une épée; il veut savoir où il trouvera sa femme, ou plutôt, hélas! sa mère, sa mère qui le porta, et qu'il a fécondée! Au milieu de ses fureurs, quelque dieu sans doute la lui découvre, car aucun de nous n'intervint. Poussant des cris effrayants, et comme si quelqu'un le guidait, il s'élance vers la porte, il en pousse les battaïts, fait irruption dans la chambre, et nous aperçûmes sa femme pendue à une écharpe dont le nœud lui serrait la gorge. A cette vue, avec des rugissements horribles, le malheureux prince défait le nœud, et le cadavre s'affaisse. C'était affreux à voir, mais ce qui suivit nous terrifia. Œdipe arrache les épingles dorées qui ornaient le vêtement de la morte, il les porte à ses paupières, il en frappe les globes de ses yeux. Et il crie que ses yeux ne verront plus sa misère et ne verront plus son crime et que la nuit leur dérobera ceux qu'ils n'auraient jamais dû voir, et qu'ils ne reconnaîtront plus ceux qu'il ne veut plus reconnaître. Tout en exhalant ces plaintes, il soulevait ses paupières et frappait, frappait sans relâche... Le sang jailli des prunelles coulait sur son menton; cela ne sortait pas goutte à goutte, non, mais ruisselait en pluie noire, en grêle de caillots sanguinolents. Et c'est leur œuvre à tous les deux qui éclate, non le malheur d'un seul, mais les maux emmêlés des époux! Leur ancienne prospérité, à bon droit l'appelait-on prospérité. Aujourd'hui, affliction, égarement, mort, honte, de tous les maux qui ont un nom, pas un ne manque à l'appel.

LE CORYPHÉE. — En ce moment, le malheureux jouit-il d'un instant de trêve ?

LE MESSAGER DU PALAIS. — Il crie qu'on ouvre les portes, qu'on montre à tous les enfants de Cadmos le parricide, le fils qui... bref, des horreurs que je n'ose répéter. Il dit qu'il va se bannir lui-même, qu'il ne veut plus demeurer entre ces murs, maudit par sa propre malédiction. Mais il a grand besoin d'un soutien et d'un guide, car son malheur passe les forces humaines. Il va t'en rendre témoin à ton tour. La grande porte s'ouvre. Ce que tu vas voir attendrirait le cœur le mieux endurci par la haine.

LE CORYPHÉE. — *O passion terrible à voir, la plus terrible que j'aie rencontrée sur ma route ! Malheureux, quelle folie s'est saisie de toi ? Quel est ce dieu qui te piétine et qui t'écrase sous des maux accumulés ?*

Hélas ! infortuné, à peine si je peux fixer mes yeux sur toi, malgré tout mon désir de longuement t'interroger, longuement t'écouter, longuement te regarder... Tant je frissonne à ta vue !

ŒDIPE. — *Ah !... Ah !... misère !... Mes pas, où me portent-ils ? Où s'envole ma voix ? O ma vie, où as-tu sombré ?*

LE CORYPHÉE. — Dans une misère affreuse à décrire, affreuse à voir !

ŒDIPE.   *O mes ténèbres,*
nuage qui d'horreur indicible m'entoures,
            indomptable, insurmontable,
                  malheur à moi !
      malheur, malheur à moi ! comme ils s'enfoncent
l'aiguillon de la douleur, l'aiguillon de la mémoire !

LE CORYPHÉE. — Je ne m'étonne pas qu'en pareille disgrâce tu t'affliges deux fois, portant double fardeau de maux.

ŒDIPE.   *C'est donc toi, mon ami,*
      le seul fidèle entre mes compagnons ! Eh quoi ?
      ton amitié reste fidèle à cet aveugle ?
                  Hélas, hélas !
      Je sais bien qui tu es, et du fond de ma nuit,
            va, j'ai bien reconnu ta voix.

LE CORYPHÉE. — Qu'as-tu fait ? Comment as-tu eu le cœur de détruire ainsi tes yeux ? Quel dieu t'y a poussé ?

ŒDIPE.
      Apollon, mes amis. C'est lui le véritable
      auteur de ce supplice atroce que j'endure.
            Mais nulle autre main que la mienne,

malheureux que je suis ! n'a déchiré mes yeux !
Et qu'avais-je à faire de voir,
pour ne rien voir qui me fût agréable ?

LE CHŒUR. — *C'est bien vrai, ce que tu dis là !*

ŒDIPE.

Et qui pouvais-je encore regarder,
chérir, qui aborder,
qui écouter avec plaisir, ô mes amis ?
Chassez loin d'ici, chassez vite,
chassez, mes amis, ce fléau,
ce maudit entre les maudits,
et de tous les mortels le plus haï des dieux !

LE CORYPHÉE. — O cœur déchiré par ta conscience autant que par tes maux, j'aimerais mieux, vois-tu, ne t'avoir jamais connu.

ŒDIPE.

Périsse le berger montagnard qui, jadis,
a dégagé mes pieds de leurs liens barbares,
et, m'ôtant à la mort, me vouait au malheur !
Si j'étais mort en ce temps-là, que de chagrins
je m'épargnais et j'épargnais à mes amis !

LE CHŒUR. — *Oui, moi-même j'aurais préféré cela pour toi.*

ŒDIPE.   *Ni à tuer mon père,*
je n'en serais venu,
ni « l'époux de sa mère »
on ne m'appellerait !
J'ai les dieux contre moi, enfant de race impure,
et j'ai souillé le lit qui m'a vu naître, hélas !
S'il est malheur pire que le malheur,
c'est bien le partage d'Œdipe.

LE CORYPHÉE. — Dois-je dire que j'approuve ta cruelle détermination ? Plutôt que de vivre aveugle, mieux valait ne plus vivre.

ŒDIPE. — Que je n'aie pas fait ce que j'avais de mieux à faire, ne me le remontre pas, veux-tu ? ne me fais plus la leçon ! Voyons, aurais-je osé regarder mon père en face, à mon arrivée chez Hadès ? Et ma mère, l'infortunée ! Mes crimes contre mes parents, ce n'était pas assez d'une corde pour les expier. Quant à mes enfants, issus d'un pareil germe, leur vue pouvait-elle me sembler désirable ? Non, mes yeux ne l'auraient point supportée, ni de voir la ville et ses remparts et les saintes statues des dieux. Hélas ! moi le premier entre les Thébains et le plus heureux, je me suis moi-même exclu de tout lorsque j'ai

enjoint de chasser le sacrilège, l'homme dénoncé par les
dieux comme impur, le rejeton de Laïos. Après m'être
flétri moi-même publiquement, aurais-je pu, ces Thébains, les regarder en face? Non, non! Et s'il m'était
donné de fermer aux sons mes oreilles, je n'hésiterais
pas à vivre muré dans ce misérable corps, sans rien
voir ni entendre; car il est doux de perdre la conscience
de ses malheurs. Ah! Cithéron, pourquoi m'as-tu reçu?
Pourquoi ne m'as-tu pas fait périr tout de suite? Je
n'eusse jamais dévoilé aux hommes la honte de ma naissance. O Polybe, ô Corinthe, ô vieux palais que j'appelais
paternel, quelle plaie secrète recelait cette belle jeunesse
que vous avez nourrie! Voici que je me découvre
criminel, né d'un sang criminel. Triple chemin, vallée
obscure, chênaie, défilé à la fourche des deux routes, vous
qui avez bu le sang de mon père, — mon sang, de mes
propres mains versé! — dites-moi, témoins de mon crime,
vous en souvenez-vous? Et avez-vous appris la suite de
mes forfaits? Etreintes, étreintes nuptiales, vous avez fait
germer notre semence dans le sein qui nous avait conçu,
produisant le père frère de ses enfants, les enfants frères
de leur père, l'épouse mère de son époux — les œuvres
de chair les plus monstrueuses que les humains puissent
former! Mais ce qu'il est honteux de commettre, il n'est
pas glorieux d'en parler. Qu'attendez-vous, au nom des
dieux? Cachez-moi loin d'ici, tuez-moi, jetez-moi à la
mer, il n'importe, là où vous ne me verrez plus jamais!
Venez, n'ayez pas peur de toucher un homme déchu.
Croyez-moi, soyez sans crainte : mes maux ne sont à la
mesure d'aucun autre mortel.

LE CORYPHÉE. — Voici justement Créon. Nul n'est
mieux qualifié pour exaucer ta prière et pour te conseiller,
car il demeure ton unique successeur à la garde du pays.

ŒDIPE. — Hélas! que lui dirons-nous? A quel titre
puis-je invoquer son appui? J'ai bien des torts à son
égard.

CRÉON. — Œdipe, je ne suis pas venu pour rire de ta
misère et pour te reprocher le passé. Mais vous autres,
si vous ne craignez pas les hommes, redoutez du moins
de souiller le soleil, divine source de toute vie, en exposant ainsi, sans voile, un tel réceptacle d'impuretés, un
être dont ni la terre, ni la sainte pluie du ciel, ni la clarté
du jour ne sauraient tolérer le contact. Vite, conduisez-
le dans la maison. Il n'est pas décent d'étaler les malheurs
de famille devant d'autres personnes que les parents.

ŒDIPE. — Au nom des dieux, puisque tu as trompé mes craintes en témoignant tant de bonté au grand coupable que je suis, écoute-moi : c'est ton intérêt, plus que le mien, qui m'inspire.

CRÉON. — Et par quelle grâce répondrai-je à cette instante prière ?

ŒDIPE. — Jette-moi au plus tôt hors des frontières, en quelque lieu où je mourrai sans parler à âme qui vive.

CRÉON. — Je l'aurais déjà fait, crois-moi, mais j'estime devoir avant tout recueillir les instructions du dieu.

ŒDIPE. — Hélas ! sa réponse est déjà toute connue : parricide, impie, il faut me mettre à mort.

CRÉON. — C'est ce qu'il a dit ; mieux vaut toutefois, dans la difficulté présente, obtenir de nouvelles précisions.

ŒDIPE. — Vous allez donc le consulter pour un homme déchu ?

CRÉON. — Oui, et tu ne pourras plus douter du dieu, cette fois.

ŒDIPE. — C'est sur toi que je compte — et je m'en remets à toi entièrement — pour donner la sépulture à celle qui gît dans le palais. Ce devoir envers un parent te revient. Pour moi, que la ville de mes pères ne pense plus me voir vieillir parmi ses habitants. Laisse-moi me retirer dans la montagne, sur ce Cithéron que ma mère et mon père avaient choisi pour tombeau à leur nouveau-né. Là, je mourrai leur victime, comme ils l'ont voulu. Toutefois, je sais une chose, c'est que je ne serai emporté ni par la maladie ni par aucun accident naturel. Aurais-je été sauvé sur le seuil même de la mort, sinon en vue d'une infortune extraordinaire ? Que ma destinée aille donc son chemin. Au sujet de mes fils, Créon, ne prends point de souci : ce sont des hommes ; où qu'ils se trouvent, ils ne manqueront jamais du nécessaire. Mais les deux filles, mes pauvres petites chéries !... Jamais elles n'ont pris place à table sans leur père, je ne touchais à aucun mets qu'elles n'en eussent leur part ! Tu auras soin d'elles, n'est-ce pas ? Ah ! avant toute chose, laisse-moi les toucher de mes mains, laisse-moi pleurer sur leur malheur. Va, prince ; va, ne démens pas ta naissance. En les effleurant de la main, je croirai les avoir encore à moi, comme lorsque j'avais mes yeux.

Mais qu'ai-je dit ?

Dieux ! n'est-ce pas mes enfants chéris que j'entends sangloter ? Créon a eu pitié : il m'a envoyé mes filles bien-aimées ! Ne me suis-je pas trompé ?

CRÉON. — Tu ne t'es pas trompé. Je t'ai procuré cette douceur, car j'avais deviné ton désir.

ŒDIPE. — Béni sois-tu! Et puisse le ciel, pour ce procédé généreux, veiller sur ton bonheur mieux qu'il n'a pourvu au mien! Mes enfants, où êtes-vous? Venez, approchez-vous de ces mains fraternelles, qui ont mis dans l'état que vous voyez les yeux de votre père, naguère si pleins de feu! — ô mes petites que, tranquille en mon inconscience, j'ai engendrées dans le sein qui m'avait conçu! Je n'ai plus d'yeux pour vous regarder, mais seulement pour pleurer sur vous en songeant aux amertumes que la société des hommes vous réserve. Pourrez-vous paraître devant les Thébains, aux assemblées, aux fêtes, que vous ne rentriez tout en pleurs à la maison au lieu de jouir du spectacle? Et quand viendra le temps de vous marier, mes filles, quel fiancé osera se charger de tant de flétrissures qui ont marqué vos parents et les miens? Rien ne manque à ce lourd héritage : votre père a tué son père, il s'est uni à celle qui l'a porté, et vous êtes les fruits de cette union! Tout cela, vous en subirez l'opprobre. Qui voudra vous épouser? Personne, mes pauvres enfants. Vous vieillirez stériles, seules dans la vie. Fils de Ménécée — elles n'ont plus que toi pour père, car les auteurs de leurs jours ne sont plus de ce monde! — ne les abandonne pas sans ressources, sans mari, sans foyer : ce sont tes nièces; n'égale pas leurs misères aux miennes; prends-les en pitié, si jeunes, dénuées de tout, excepté ce qu'elles tiendront de toi. Touche ma main, généreux ami, promets. Et vous, mes enfants, si votre âge pouvait me comprendre, que de conseils je vous donnerais! Souhaitez seulement, où qu'il vous soit permis de vivre, d'être moins malheureuses que celui dont vous tenez la vie.

CRÉON. — C'est assez de larmes. Va, retire-toi dans la maison.

ŒDIPE. — Il faut bien t'obéir, quoi qu'il m'en coûte.

CRÉON. — Tout est bien qui vient en son temps.

ŒDIPE. — Je rentrerai, mais à une condition.

CRÉON. — A quelle condition? Parle.

ŒDIPE. — C'est que tu m'exileras [109].

CRÉON. — Cette grâce est dans la main du dieu.

ŒDIPE. — Les dieux! Je leur suis un objet de répulsion.

CRÉON. — Ils ne t'en exauceront que plus vite.

ŒDIPE. — Vraiment? Tu le crois?

CRÉON. — Je n'ai pas pour habitude de dire ce que je ne pense pas.

ŒDIPE. — En ce cas, tu peux m'emmener, maintenant.

CRÉON. — Marche donc, mais ne t'accroche pas à tes enfants.

ŒDIPE. — Ah! ne me les prends pas!

CRÉON. — Tu voudras donc toujours être le maître? Ce que tu as obtenu ne t'a pourtant pas réussi.

LE CORYPHÉE. — Thébains, mes compatriotes, regardez cet Œdipe, qui sut résoudre les fameuses énigmes et fut un homme très puissant. Est-il un de ses concitoyens qui n'ait jugé son sort enviable? Vous voyez quel remous d'infortune l'entraîne! Il n'est point de mortel, à le suivre des yeux jusqu'à son dernier jour, qu'il faille féliciter avant qu'il ait franchi le terme sans avoir connu la souffrance.

ÉLECTRE

ÉLECTRE [110]

PERSONNAGES

LE PRÉCEPTEUR D'ORESTE. ORESTE.
ÉLECTRE, CHŒUR DE FEMMES MYCÉNIENNES,
CHRYSOTHÉMIS, CLYTEMNESTRE, ÉGISTHE,
PYLADE (personnage muet).

Une place, devant le palais des Pélopides, à Mycènes.

PROLOGUE

LE PRÉCEPTEUR. — O fils d'Agamemnon, qui commanda jadis nos armées devant Troie, enfin tu peux le contempler, l'objet de tes vœux incessants! L'antique pays d'Argos, que tu désirais tant revoir, le voici, terre consacrée à la fille d'Inachos harcelée par un taon [111]. La place que nous foulons, Oreste, porte le nom d'Apollon Chasseur de Loups [112] et tu vois à notre gauche le fameux temple d'Héra. Tu peux en croire tes yeux : nous sommes arrivés à Mycènes riche en or [113] et devant toi se dresse, riche en crimes, le palais des Pélopides [114]. Ici même, voilà bien des années, la sœur de ton sang t'a soustrait aux assassins de votre père pour te confier à ma garde. Je t'ai emporté en lieu sûr, je t'ai élevé, j'ai fait de toi un homme pour le jour de la vengeance. Or donc, Oreste, et toi, Pylade [115], le plus cher des hôtes, il nous faut, sans plus surseoir, établir un plan d'action. Déjà le soleil éveille le ramage matinal des oiseaux et l'ombre étoilée ne nous protège plus. A tout instant, quelque serviteur peut sortir du palais : concertez-vous; nous touchons au point où hésiter serait une faute; le moment d'agir est venu [116].

ORESTE. — Mon serviteur entre tous aimé, quelles

nobles preuves tu sais me donner de ton attachement!
Comme un cheval de race, en dépit de la vieillesse,
retrouve dans le péril toute son ardeur et dresse encore
l'oreille, ainsi tu nous stimules, marchant toi-même au
premier rang. Aussi vais-je te dévoiler le projet que j'ai
conçu. Écoute-moi soigneusement et corrige mes erreurs,
si j'en commets. Lorsque je suis allé à Pythô [117] pour
apprendre de l'oracle comment je pourrais châtier les
assassins de mon père, voici la réponse que Phœbos m'a
rendue : « Sans armes ni arroi de guerre, seul, par ruse,
tu égorgeras les victimes justiciables de ta main. » Tel
étant l'ordre de l'oracle, tu vas guetter l'occasion de
t'introduire dans le palais : tu observeras tout ce qui s'y
passe afin de m'en faire un rapport précis. Après tant
d'années, ton grand âge t'a rendu méconnaissable : ils
ne se douteront de rien en voyant cet homme couronné
de fleurs qui leur dira : « Je suis étranger, natif de la
Phocide, et je viens de la part de Phanotée. » C'est leur
grand ami, un de leurs hôtes de guerre [118]. Annonce-leur,
et atteste d'un serment, qu'Oreste a trouvé la mort aux
jeux pythiques [119] dans un accident de char. Telle sera,
en effet, notre fable. *(A Pylade.)* Nous autres, comme le
dieu l'a prescrit, allons couronner le tombeau paternel
de libations et d'une boucle de mes cheveux. Ensuite, en
élevant à deux mains l'urne de bronze que tu m'as vu
cacher dans les buissons, nous confirmerons à nos hôtes
la fausse nouvelle qui les comblera d'aise : que c'en est
fait d'Oreste, que le feu l'a consumé, réduit en cendres!
Après tout, qu'est-ce que je risque ? En faisant courir le
bruit de ma mort, j'assure ma vie et me couvre de
gloire. Parole qui profite ne saurait porter malheur. J'ai
vu bien des gens, et des plus sages, se faire passer pour
morts [120] : quand ils ont reparu dans leur maison, on les
en a honorés davantage. Grâce à ce mensonge, je me fais
fort d'apparaître bientôt vivant à mes ennemis, comme un
astre dans tout son feu. O terre de mes ancêtres, ô dieux
de mon pays, faites bon accueil à mon retour; fais-moi
bon accueil, palais de mon père : car je viens laver ta
souillure, justicier par les dieux suscité. Ne me chassez
pas comme un gueux; faites que je reconquière mes biens
et relève ma maison! J'ai dit. Va, maintenant, vieillard,
remplis ton rôle. Nous autres, nous allons nous retirer
à l'écart. L'occasion nous favorise, qui est l'arbitre par
excellence de toute entreprise humaine.

VOIX D'ÉLECTRE. — Malheur, malheur à moi!

LE PRÉCEPTEUR. — Il me semble avoir entendu quelque servante soupirer derrière la porte, mon fils.

ORESTE. — Ne serait-ce pas mon Electre infortunée ? Attendons, veux-tu, et prêtons l'oreille à ses plaintes.

LE PRÉCEPTEUR. — Garde-t'en bien. Tout doit passer après les commandements de Loxias [121]. Notre premier soin doit être de nous acquitter des purifications dues à ton père. C'est notre meilleure chance de vaincre et de parvenir à nos fins.

(Ils s'éloignent. Électre paraît, sortant du palais.)

ELECTRE. — *Lumière sainte, céleste voûte, que de chants de deuil vous avez entendus, déjà, combien de coups frappés sur ma poitrine en sang, chaque jour, quand la sombre nuit se retire ! Oui, toute la nuit, ma couche amère, ma confidente au fond de la maison maudite, m'entend pleurer mon père infortuné ! Le rouge Arès [122] ne l'a point retenu en terre barbare : c'est ma mère et c'est Egisthe, la maîtresse et l'amant, qui lui ont, à coups de hache, fendu la tête, bûcherons homicides. Et cela n'émeut personne. Seule j'ai pitié de toi, ô mon père qui es mort de cette mort atroce !*

Non, jamais je ne ferai taire lamentations ni âpres plaintes, tant que je verrai les nuits jeter les feux de tous leurs astres ; non, tant que je verrai l'éclat du jour, pareille au rossignol privé de ses petits, sur le seuil paternel, j'obséderai les passants de mes cris.

Palais d'Hadès et de Perséphone, Hermès de sous terre, Imprécation auguste [123], et vous, Vengeances, graves filles des dieux, vous qui voyez ceux qui périssent par le crime, ceux que l'on a spoliés de leurs amours, à l'aide ! venez, vengez notre père abattu,
                    envoyez-moi mon frère !
A moi seule, je n'ai plus la force de lutter ; le poids de mon chagrin l'emporte !

ENTRÉE DU CHŒUR

LE CHŒUR.
  O fille de la plus misérable des mères,
  ne seras-tu jamais rassasiée, Electre,
  de gémir sur celui qu'autrefois la perfide
      attira dans son piège impie,
  mettant Agamemnon à la merci d'un lâche !
  Ainsi — je ne crains pas de le dire à voix haute —
      périsse l'auteur du forfait !

ÉLECTRE.

       Nobles filles d'un noble sang,
vous venez consoler la peine qui m'épuise ;
je le sais, je le vois, car je lis dans vos cœurs.
Et cependant je ne veux pas quitter mon deuil
et cesser de pleurer les malheurs de mon père.
Vous qui me comprenez, mes chères confidentes,
je suis folle, c'est vrai ; mais, je vous en supplie,
              laissez-moi être folle !

LE CHŒUR.

       Eh quoi ! des marais infernaux
où nous descendrons tous, ni prières ni larmes
       ne feront revenir ton père...
Ta douleur sans mesure, incessante, incurable,
te tuera, et gémir ne te soulage point.
       Dis, à quoi bon vouloir toujours souffrir ?

ÉLECTRE.

Ils n'ont rien dans le cœur, ceux qu'une mort affreuse
       prive de leurs parents, et qui oublient !
       Combien me plaît mieux l'éploré
       dont la plainte sans fin appelle : Itys ! Itys !
l'oiseau fou de chagrin, le messager de Zeus [124] *!*
Et toi l'inconsolable, ô Niobé, divine
       tu m'apparais, dans ton linceul de pierre,
           éternelle pleureuse !

LE CHŒUR.

       Tu n'es pas la seule, ma fille,
       qui ait vu de près la douleur.
       Cependant, au palais, tu es la seule,
à t'y livrer sans frein : vois les sœurs de ton sang,
vois Chrysothémis, vois Iphianassa [125], *— pense*
à cet heureux enfant qui, loin de tes épreuves,
       en secret a grandi,
afin qu'un jour la terre illustre de Mycènes,
lorsque Zeus bienveillant guidera son retour,
salue en lui le fils du sang royal : Oreste...

ÉLECTRE.

Ah ! de l'attendre, aussi, je ne suis jamais lasse,
Tandis que, sans époux et sans enfants, je vais
toujours pleurant, traînant mes soucis éternels...
Ce que j'ai fait pour lui, s'en souvient-il encore ?
Mes messages, les reçoit-il ? Il ne m'arrive
à son sujet que des nouvelles décevantes.
Qu'il soupire après son retour, je le veux bien,
mais il ne daigne pas se montrer, cependant !

LE CHŒUR.

   Courage, ma fille, courage !
    N'est-il plus, dans le ciel,
un grand Zeus qui voit tout et de tout est le maître ?
Il faut lui confier l'excès de ton chagrin
et laisser reposer, sans l'oublier, ta haine.
   Le temps est un dieu complaisant :
    A Crisa, où les bœufs
   paissent l'herbe des promontoires,
Le fils d'Agamemnon ne t'a pas oubliée,
et ni le dieu qui règne aux bords de l'Achéron.

ÉLECTRE.

Oui, mais j'ai consumé les plus beaux de mes jours
   à n'espérer qu'en vain ; je n'en puis plus ;
Je me ronge, orpheline, et, pour me protéger,
   je n'ai pas un homme qui m'aime.
Comme une inférieure et comme une étrangère,
sous le toit paternel je fais la domestique,
   portant cette robe sordide,
circulant autour des tables, sans voir personne...

LE CHŒUR.

   Hélas ! l'horrible cri, lors du retour,
    et, sur le lit, l'horrible vision,
la face de ton père, où, de son poids d'airain,
    la hache s'était abattue !
Traîtrise fut la conseillère, Adultère le meurtrier.
Dès longtemps ils avaient semé l'horrible germe
   d'un crime où parfois je crois voir
   la main d'un dieu plus que d'un homme !

ÉLECTRE.

    Hélas ! entre tous mes jours
    jour maudit que celui-là !
    Nuit ! ô d'un festin atroce [126]
    inimaginable horreur !
Mon père a vu l'ignoble mort brandie
   à coups redoublés par des mains complices,
ces mains qui m'ont, des mêmes coups, brisé ma vie !
   Puisse le grand Olympien
   au crime égaler la souffrance ;
puissent-ils jamais plus ne connaître en leur cœur
   la joie — après ce qu'ils ont fait !

LE CHŒUR.

   Prends garde d'en trop dire.
   Eh ! ne comprends-tu pas comment
tu ne dois qu'à toi-même les misères

où, sans respect de toi, tu t'es jetée ?
Oui, tu n'as fait qu'ajouter à tes maux,
        en excitant par ton aigreur
guerre perpétuelle. Aves les grands,
il faut savoir éviter ces disputes.

ÉLECTRE.

C'est plus fort que moi, dans l'excès de mon chagrin.
Je sais trop ce que vous me dites, je reconnais ma violence :
        mais, dans l'excès de mon chagrin,
je ne retiendrai pas ces transports qui me perdent,
        tant que me retiendra la vie.
Qui pourrait, mes pauvres enfants, quelle personne de bon
me croire capable d'entendre une parole salutaire ?   [sens,
        Laissez donc, laissez-moi, vaines consolatrices.
ces deuils-là, voyez-vous, ils sont indissolubles.
        Le mien n'aura repos ni cesse;
innombrables seront mes plaintes à jamais.

LE CHŒUR.

        Je parle pour ton bien, comme une mère
        dont le conseil est sûr :
ne laisse pas tes maux enfanter d'autres maux.

ÉLECTRE.

Mes maux, dis-tu ? Mes maux, hélas ! sont sans mesure...
De négliger ses morts, qui se ferait honneur ?
        Qui seulement en admettrait l'idée ?
Des cœurs indifférents je dédaigne l'estime,
        et, pour si peu que je vaille, puissé-je
ne jamais me sentir en paix avec moi-même
si, par égard pour eux ingrate envers mon père,
je comprimais l'essor de mes plaintes aiguës !
Tant que le mort, qui n'est plus que terre et néant,
        inconsolé reposera,
        et que les autres, en retour,
        n'auront point payé mort pour mort,
        qu'on ne me parle plus d'honneur
        ni de piété dans le monde.

PREMIER ÉPISODE

LE CORYPHÉE. — Je suis venue, mon enfant, parce
que j'ai souci de ton intérêt comme du mien. Si je n'ai
pas parlé comme il faut, c'est donc toi qui as raison; et
nous nous rangerons à ton sentiment.

ÉLECTRE. — J'ai honte, mes amies, si, à force de

me plaindre, je vous parais trop irritable. Pardonnez-
moi, mais je ne suis pas maîtresse de me conduire
autrement. Eh! quelle femme de sang noble en serait
capable à la vue du supplice paternel? Or, moi, ce supplice, le jour, la nuit, sans trêve, je le vois qui recommence inlassablement. Il y a ma mère, d'abord : oui, la
femme qui m'a enfantée, je la hais plus que tout au monde!
En outre, sous mon propre toit, je cohabite avec les
assassins de mon père; ils me commandent, ils m'accordent ou me refusent ce qu'ils veulent. Imagines-tu
ce que sont pour moi les journées, lorsque mes yeux
rencontrent Égisthe assis sur le trône de mon père, portant les mêmes vêtements, versant devant le foyer des
libations à la place même où il a tué sa victime; quand je
vois — comble d'outrage — l'assassin couché dans le lit
de mon père, et à ses côtés ma mère, puisque mère il me
faut appeler sa misérable concubine, assez effrontée pour
vivre avec cet être impur sans redouter aucune divinité
vengeresse! Bien plus, comme si elle s'applaudissait de
ses forfaits, chaque mois, elle a choisi le jour où elle a
tendu à mon père le piège de mort pour instituer des
chœurs et sacrifier aux dieux sauveurs une brebis! Moi
qui vois cela, infortunée! je vais pleurer dans un coin,
je me ronge, je maudis cette atroce fête qu'ils ont nom-
mée « festin d'Agamemnon » — en cachette, bien sûr,
car on ne me permet pas de rassasier mon cœur de larmes.
M'aperçoit-elle, aussitôt cette femme si noble en paroles
m'injurie : « Créature impie et détestée, n'y a-t-il que toi
qui aies perdu ton père? Es-tu la seule au monde qui soit
en deuil? Ah! je te souhaite une mort sans honneur; je
souhaite que les dieux, là-bas comme ici, te condamnent
à tes éternels gémissements! » Ce sont là ses insultes
ordinaires; mais, au premier bruit d'un retour d'Oreste,
alors, comme une folle, elle me hurle à la face : « C'est ta
faute! Oui, c'est là ton ouvrage! N'est-ce pas toi qui m'as
dérobé Oreste pour le mettre en lieu sûr? Mais tu en
seras punie comme tu le mérites. » Et tandis qu'elle
aboie, son glorieux époux est là qui l'encourage, lui toute
lâcheté, toute malfaisance, le beau guerrier de gynécée!
Ainsi j'attends toujours, j'attends qu'Oreste survienne et
me délivre, je me consume dans l'attente, et mes réserves
d'espérance s'épuisent. Vous le voyez, mes amies, si je
ne suis pas une fille sage et respectueuse, j'ai des excuses.
Quand on vit avec les méchants, on subit soi-même
l'entraînement du mal.

Le Coryphée. — Dis-moi, en ce moment, Egisthe se trouve-t-il au palais ? N'est-il pas sorti ?

Electre. — Il est sorti. Crois-tu, s'il était ici, qu'on me verrait devant la porte ? — Non, il est allé visiter ses terres.

Le Coryphée. — En ce cas, j'aurai plus de hardiesse pour causer avec toi.

Electre. — Eh bien, puisqu'il est absent, tu peux satisfaire ta curiosité.

Le Coryphée. — C'est au sujet de ton frère : que voulais-tu dire ? qu'il va venir ou qu'il diffère son retour ? C'est cela que je voudrais savoir.

Electre. — Il affirme qu'il viendra, mais il s'en tient aux promesses.

Le Coryphée. — Une affaire si grave, on y regarde à deux fois avant de s'y engager.

Electre. — Ai-je hésité, moi, quand je l'ai dérobé à la mort ?

Le Coryphée. — Aie confiance : il a le cœur trop bien placé pour abandonner les siens.

Electre. — J'ai foi en lui; sinon, depuis le temps, je ne serais plus de ce monde.

Le Coryphée. — Ne dis plus rien... Je vois sortir du palais ta sœur Chrysothémis. Elle porte des offrandes comme on en dépose sur les tombes.

(Entre Chrysothémis.)

Chrysothémis. — Encore à pérorer devant la porte du vestibule, ma sœur ? Les années ne t'enseigneront-elles pas la vanité des rancunes où tu te complais ? Je souffre autant que toi de la vie qu'on nous fait ici. Je ne dis pas qu'un jour, si j'en avais le pouvoir, je ne leur jetterais pas ma pensée au visage. Mais dans la mauvaise passe où nous sommes, je trouve plus sage de filer doux, car cela n'avance à rien de piquer les gens sans leur causer la moindre peine. Je voudrais te voir aussi raisonnable. Oh! je sais bien qu'au regard de l'honneur c'est toi qui es sans reproche, mais quoi! si je veux sauvegarder ma liberté, force m'est de ne pas contrarier nos seigneurs et maîtres !

Electre. — Il est étrange, née d'un père comme le tien, que tu renies sa mémoire, pour ne penser qu'à ta mère. La leçon que tu me fais, elle te l'a soufflée, il n'y a rien de toi là-dedans. Car il faut choisir : ou d'être folle ou d'avoir ta raison, et d'être alors une ingrate. Ne viens-tu pas d'avouer que, si un jour tu en avais le pouvoir, tu ne

leur cacherais plus ta haine ? Et moi qui ne vis que pour
venger notre père, tu refuses de m'aider, tu me détournes
d'agir ! N'est-ce pas aggraver nos misères par la lâcheté ?
Apprends-moi donc, ou plutôt non : apprends de moi ce
que je gagnerais à rompre mon deuil. Je vis, — mal, sans
doute, mais c'est assez pour moi, — et je les fais souffrir,
et cela fait plaisir au mort, si quelque chose peut encore
le toucher là-bas. Tu les hais, dis-tu ? La belle haine,
toute en paroles ! En réalité, tu fais vie commune avec les
assassins de ton père. Moi, jamais, pas même au prix
de ce qui te rend si fière aujourd'hui, jamais je ne me
courberai devant eux. A toi une table opulente, une
existence facile ! Ne pas faire violence à mon cœur, je
n'ai faim et soif de rien d'autre. Les égards dont tu jouis
ne me tentent pas. Tu les mépriserais, si tu avais quelque
pudeur. Hélas ! tu pouvais porter le nom du plus noble
des pères et tu ne l'as pas voulu. Porte donc le nom de
ta mère [127]. Ainsi tout le monde verra que tu as lâchement renié ton père mort et tes vrais amis.

LE CORYPHÉE. — Au nom des dieux, calme-toi. Dans
vos paroles il y aurait profit mutuel, si vous saviez vous
écouter l'une l'autre.

CHRYSOTHÉMIS. — Oh ! moi, mes amies, je suis habi-
tuée à son humeur et je n'aurais même pas reparlé de
ces choses si je n'avais eu vent d'un danger très grave
qui la menace et qui pourrait bien arrêter net ses incessantes lamentations.

ÉLECTRE. — Et quel est-il, ce grave danger ? Si tu me
révèles quoi que ce soit qui dépasse mon malheur présent, je ne te contredirai plus.

CHRYSOTHÉMIS. — Je t'apprendrai du moins tout ce
que je sais. Ils veulent, si tu ne fais point taire tes gémissements, te reléguer hors des frontières, sous la voûte
d'un cachot fermé à la lumière du soleil : là, disent-ils,
tu chanteras tes complaintes à ton aise... Sachant cela,
réfléchis. Et ne me reproche rien plus tard, s'il t'arrive
malheur. C'est maintenant qu'il convient de te montrer
raisonnable.

ÉLECTRE. — Est-ce là ce qu'ils ont comploté contre moi ?
CHRYSOTHÉMIS. — Oui, pour l'exécuter dès le retour
d'Egisthe.
ÉLECTRE. — Alors, puisse-t-il être de retour bien vite !
CHRYSOTHÉMIS. — Malheureuse, qu'oses-tu souhaiter ?
ÉLECTRE. — Qu'il revienne vite, s'il songe à rien de
semblable.

CHRYSOTHÉMIS. — Dans quelle attente? Quelle idée t'es-tu mise en tête?

ELECTRE. — De m'en aller loin de vous, oh! oui, très loin!

CHRYSOTHÉMIS. — Mais tu ne tiens donc plus à la vie?

ELECTRE. — La belle vie, en vérité, et digne qu'on s'en émerveille!

CHRYSOTHÉMIS. — Elle serait belle, si tu voulais être sage.

ELECTRE. — Ne me prône pas l'ingratitude.

CHRYSOTHÉMIS. — L'ingratitude? Non certes; mais la soumission.

ELECTRE. — Ménager les puissants, cela n'est pas dans ma manière.

CHRYSOTHÉMIS. — La prudence est honorable, qui nous garde de tomber.

ELECTRE. — Nous tomberons, s'il le faut, pour honorer un père.

CHRYSOTHÉMIS. — Mon père, j'en suis sûre, me pardonne ma conduite.

ELECTRE. — Je laisse aux lâches le soin de t'approuver.

CHRYSOTHÉMIS. — Décidément, tu ne veux pas te rendre à mes raisons?

ELECTRE. — Bien sûr que non! Je ne suis pas encore si folle.

CHRYSOTHÉMIS. — En ce cas, il ne me reste plus qu'à poursuivre mon chemin.

ELECTRE. — Où vas-tu? A qui portes-tu ces offrandes?

CHRYSOTHÉMIS. — Ma mère m'envoie les déposer sur la tombe de notre père.

ELECTRE. — Qu'as-tu dit? Sur la tombe du mortel qu'elle a le plus haï?

CHRYSOTHÉMIS. — Et qu'elle a tué elle-même! Je devine ta pensée...

ELECTRE. — Mais quel ami lui a conseillé cela? Qui s'en est avisé?

CHRYSOTHÉMIS. — L'idée lui en vient, je crois, d'une frayeur qu'elle a éprouvée cette nuit.

ELECTRE. — O dieux paternels, aujourd'hui du moins, soyez avec moi!

CHRYSOTHÉMIS. — Son trouble te rend-il confiance?

ELECTRE. — Peut-être. Conte-moi toujours ce qu'elle a vu en songe.

CHRYSOTHÉMIS. — A vrai dire, ce que je sais est assez peu de chose.

ÉLECTRE. — Dis-le toujours. Il suffit souvent d'un mot pour abattre ou relever un mortel.

CHRYSOTHÉMIS. — On raconte que notre père lui est apparu en rêve. Il semblait revenu à la vie. Près du foyer, il a planté son sceptre, le même que tient Egisthe aujourd'hui. De ce sceptre a jailli un rameau, qui s'est mis à bourgeonner, au point qu'il couvrait de son ombre tout le pays de Mycènes. Je tiens ces détails de quelqu'un qui se tenait près d'elle quand elle a fait confidence de ce songe à Hélios [128]. Je ne sais rien de plus, sinon qu'elle m'envoie sur la tombe à cause de cette frayeur. Je t'en supplie au nom de nos dieux familiaux, écoute-moi; ne va pas te perdre par imprudence. Car tu peux bien me repousser : un jour, le malheur te ramènera vers moi.

ÉLECTRE. — Sœur chérie, ces offrandes, ne va pas les déposer sur la tombe. Tu n'en as pas le droit, c'est impiété que de porter à notre père les dons expiatoires et les libations de son ennemie. Disperse-les aux vents ou enfouis-les profondément dans le sol afin que rien d'elle ne parvienne jamais jusqu'à lui dans sa tombe : quand elle sera morte, elle les trouvera conservées sous terre à son intention! Et d'abord, si elle n'était pas la plus impudente des femmes, irait-elle faire de ces libations haineuses une couronne à celui qu'elle a tué? Ouvre les yeux : crois-tu que le mort, dans son tombeau, fera bon accueil à ses présents? Ne l'a-t-elle pas traité en ennemi quand elle lui a tranché l'extrémité des membres, les lui a liés sous les aisselles et lui a essuyé sur la tête l'arme sanglante en guise de purification? Te figures-tu que les offrandes qu'elle t'envoie porter effaceront son crime? Laisse-les donc là. Mieux vaut couper dans ta chevelure quelques boucles et offrir de ma part (hélas! c'est bien peu, mais je donne ce que j'ai) ces cheveux sans parfum et cette ceinture sans ornement. Prosternée près de lui, tu le prieras ainsi : « Père, du fond de la terre, viens à notre secours contre nos ennemis; que ton fils Oreste reparaisse vivant; qu'il les écrase sous son pied! Alors, toute notre vie, nous couronnerons ta tombe de présents plus riches que ceux-ci. » — Je crois bien, oui, je crois qu'il est l'inspirateur de ce songe inquiétant! Cependant, ma sœur, travaillons ensemble à la vengeance; fais-le pour toi, pour moi et pour le plus cher à nos cœurs des mortels qui reposent chez Hadès, pour notre père.

LE CORYPHÉE. — La pieuse jeune fille! Si tu es sage, ma chère, tu feras ce qu'elle dit.

CHRYSOTHÉMIS. — Je le ferai. Une cause juste ne souffre pas la dispute et réclame des actes prompts. Seulement, sur ce que je vais tenter, silence, au nom des dieux, mes amies! Si ma mère venait à l'apprendre, je crois qu'elle me ferait cruellement expier mon audace.

(Elle sort.)

CHANT DU CHŒUR

Si je ne suis folle interprète des présages,
Si je puis me fier à ma faible sagesse,
Dicé nous avertit que sa venue est proche :
oui, la force à la main, la Justice est en marche
               pour le triomphe du bon droit !
Encore un peu de temps, ma fille, et sa poursuite
commence ! En moi l'audace se réveille,
car tout à l'heure j'ai eu vent d'un songe heureux.
Il n'a rien oublié, le Roi des Rois, ton père,
et ni la vieille hache aux deux ailes de bronze
               qui sauvagement l'abattit !

          Bientôt, rapide et captieuse,
          la Vengeance aux pieds d'airain
à son tour va dresser un piège sans merci !
Impure fut l'étreinte et d'un crime souillée,
dont le désir éprit les amants sacrilèges...
          Aussi bien j'ai bon espoir,
          et ne doute nullement
          que ce présage n'atteigne
          la coupable et son complice.
Car je dis qu'il n'y a plus d'art divinatoire,
par des songes troublants ou par des voix divines,
si cette vision n'était qu'une ombre vaine
               qui se dissipe avec la nuit !

O Pélops, autrefois, dans la course des chars,
          ta victoire tant disputée,
          qu'elle aura donc été fatale
               à mon pays [129] !
Le jour où dans les flots Myrtile s'abîma
          pour dormir son dernier sommeil,
          à bas de son char tout en or,
          par l'effet d'une affreuse ruse,
               arraché, projeté,
jamais, depuis ce jour, l'esprit de violence
               n'a déserté cette maison !

DEUXIÈME ÉPISODE

(Paraît Clytemnestre.)

CLYTEMNESTRE. — La bride sur le cou, à ce qu'il paraît, te voilà rôdant à droite et à gauche! On voit qu'Égisthe n'est pas là, qui t'a défendu de te montrer sur la porte pour faire honte à ta famille. Quand il est absent, tu te soucies peu de moi. Que de fois n'as-tu pas dit et redit devant tout le monde que je suis une effrontée, que je gouverne sans foi ni loi et que je t'abreuve d'outrages, toi et tout ce qui t'est cher! Et pourtant je me contiens : je ne fais que riposter à tes insultes continuelles. — Ton père, j'ai tué ton père! Voilà ton éternel refrain. Oui, je l'ai tué, je le sais, et je n'ai pas à le nier. C'est Dicé qui l'a condamné; je n'ai pas pris la chose sur moi. Et si tu avais tant soit peu de raison, tu serais pour la justice. Ton père, l'objet de tes perpétuelles complaintes, n'a-t-il pas osé, fait sans exemple chez les Hellènes, offrir aux dieux ta sœur en sacrifice? Il avait pourtant moins souffert pour l'engendrer que moi pour la mettre au monde! Mais apprends-moi à quel puissant motif il l'a sacrifiée. A l'honneur des Argiens, peut-être? Allons donc! les Argiens n'avaient aucun droit sur la vie de mon enfant. Et puisque, se substituant à son frère Ménélas, il a tué la chair de ma chair, n'est-ce pas à moi qu'il en devait compte? Ménélas n'avait-il pas deux enfants? Il était naturel qu'on les immolât de préférence à ma fille, puisque c'est pour leurs parents que la flotte appareillait. Hadès serait-il plus affamé de mes enfants que des enfants d'Hélène? Ou bien ton misérable père, sans entrailles pour les siens, chérissait-il ceux de Ménélas? Cela n'est-il pas le fait d'un dément, d'un père dénaturé? Je le dis comme je le pense, tant pis si cela blesse tes sentiments; et la morte ne dirait pas autre chose, si elle pouvait parler. Non, je ne regrette rien de ce que j'ai fait. Si tu n'admets pas mes raisons, acquiers toi-même un peu de bon sens avant de blâmer tes proches.

ÉLECTRE. — Cette fois, tu ne prétendras pas que c'est moi qui ai commencé. Si tu me permettais de parler, j'aurais peut-être des choses raisonnables à dire, moi aussi, touchant mon père et ma sœur.

CLYTEMNESTRE. — Je te le permets. Si tu le prenais toujours sur ce ton-là, tu ne blesserais pas ceux qui t'écoutent.

ÉLECTRE. — C'est bon, je parle. Tu reconnais que tu as tué mon père. Que tu l'aies tué à bon droit ou non, quelle honte, rien que dans l'aveu du fait! Or je prétends que tu n'as pas tué à bon droit, mais séduite par les beaux discours d'un traître, lequel partage ta vie depuis ce temps. Demande à Artémis Chasseresse en punition de quelle offense elle retenait les vents à Aulis. Ou plutôt je te l'expliquerai moi-même, car il n'est pas convenable que tu l'interroges. Un jour, dit-on, dans une forêt consacrée à la déesse, mon père leva un cerf au pelage tacheté, à la belle ramure, et le tua. Tout fier de son exploit, il dut lui échapper un mot imprudent. C'est alors, courroucée, que la fille de Léto retint les Achéens, exigeant que mon père immolât sa propre fille en réparation pour la bête abattue. Telle fut la raison de cette offrande expiatoire : l'armée ne pouvait autrement ni regagner ses foyers ni appareiller pour Ilion. Ainsi, contraint et forcé, après quelles douloureuses hésitations! mon père sacrifia son enfant. Il se souciait bien de plaire à Ménélas! Cependant — je reprendrai ton argument — admettons que l'intérêt de son frère ait pesé sur sa décision, était-ce une excuse à le faire périr de ta main? Prends garde, quand tu ériges le talion en loi universelle, de n'avoir pas à le regretter la première. Car enfin, si un mort rachète un mort, ton tour est venu d'expier. N'allègue point des raisons qui n'en sont pas. Et apprends-moi, s'il te plaît, de quoi tu te venges, lorsque (comble d'infamie!) tu couches avec ton complice aux mains rouges du sang de mon père, quand tu lui donnes une progéniture après avoir chassé tes enfants du premier lit, honorables fruits d'une honnête union? Dois-je aussi approuver cela? Diras-tu que tu ne fais que venger ta fille? Fi donc, si tu oses le prétendre! Epouser un ennemi pour venger sa fille, cela n'est pas beau! Mais tu n'es pas capable d'entendre raison : tu ne sais que crier que je calomnie ma mère. Or tu n'es pas une mère pour moi, tu es un tyran, et je traîne une vie douloureuse, au milieu des maux dont vous m'excédez l'un et l'autre. Quant à l'exilé qui t'a échappé à grand'peine, autrefois, l'infortuné Oreste! ses jours sont un tissu d'épreuves. Tu m'as souvent reproché de le nourrir pour ton châtiment. N'en doute pas : si j'en avais eu les moyens, je n'y aurais pas manqué. Après cela, proclame partout que je suis une ingrate, une langue de vipère, une impudente : si ce sont là mes qualités, j'ai apparemment de qui tenir.

LE CORYPHÉE. — Je vois sa bouche exhaler la colère. Quant à fonder ses griefs en raison, il est trop clair qu'elle n'en a point souci.

CLYTEMNESTRE. — Quant à moi, pourquoi me soucie-rais-je d'une fille qui outrage sa mère de la sorte? Ce n'est pourtant plus une enfant. Ne vois-tu pas qu'elle est capable de tout, excepté d'avoir honte?

ÉLECTRE. — J'ai grand'honte, au contraire, de tout ceci. Tu peux m'en croire, même si je n'en ai pas l'air. Je sais que mon attitude ne sied ni à mon âge ni à ma naissance; mais ton acharnement contre moi et ta conduite forcent mon naturel. Le mauvais exemple est contagieux.

CLYTEMNESTRE. — O créature impudente! ma per-sonne, mes paroles, mes actions, tu ne taris pas sur ce propos.

ÉLECTRE. — Je ne te le fais pas dire: tes actes me souf-flent mes paroles.

CLYTEMNESTRE. — Par Artémis souveraine, tu me paie-ras tes insolences. Attends seulement le retour d'Egisthe.

ÉLECTRE. — Vois-tu comme la colère t'entraîne? Tu me permets de parler, mais tu ne sais pas m'écouter!

CLYTEMNESTRE. — Vas-tu troubler de tes cris mon sacrifice, maintenant que tu as eu licence de dire tout ce que tu as sur le cœur?

ÉLECTRE. — Je t'en prie, sacrifie. Et n'accuse plus ma bouche; je ne dirai plus rien.

CLYTEMNESTRE *(à une femme qui l'accompagne)*. — Femme, élève dans tes mains pour l'offrande cette cor-beille pleine de fruits variés. Je veux prier le maître de ce sanctuaire de dissiper les craintes qui m'assiègent. Daigne entendre, ô Phœbos tutélaire, ce que voilent mes paroles. Des oreilles hostiles m'épient, et tout n'est pas bon à produire au grand jour, surtout quand cette fille se tient près de moi; elle me hait, et ses cris incessants pourraient semer des bruits fâcheux dans toute la ville. Entends-moi donc comme je vais parler. La vision ambi-guë que j'ai eue cette nuit, ô Seigneur Lycien [130], si elle est d'heureux augure pour moi, fais qu'elle s'accomplisse. Si elle m'est ennemie, que l'effet en retombe sur mes enne-mis. Si certains trament de me déposséder par trahison de mes richesses, ne le permets pas; fais que toujours je vive hors d'atteinte comme aujourd'hui, maîtresse du palais et du sceptre des Atrides; fais que chaque jour me voie heureuse avec ceux que je chéris et avec ceux de mes enfants qui sont sans malice à mon égard. Cette prière, ô

Apollon Lycien, avec faveur écoute-la et pour nous tous
exauce-la, telle que nous te l'adressons. Le reste, je puis
le taire : étant dieu, tu l'as compris, je pense ; aux fils de
Zeus je ne sache pas que rien demeure impénétrable.

(Entre le précepteur.)

LE PRÉCEPTEUR. — Femmes, pouvez-vous me dire si
c'est bien ici le palais du roi Egisthe ?

LE CORYPHÉE. — C'est ici, étranger : tu ne t'es pas
trompé.

LE PRÉCEPTEUR. — Et n'est-ce pas son épouse que
j'aperçois ? Je le croirais volontiers, car son port de reine
la désigne aux regards.

LE CORYPHÉE. — Oui, c'est elle que tu as devant
toi.

LE PRÉCEPTEUR. — Salut, ô reine. Je t'apporte d'agréa-
bles nouvelles de la part d'un homme qui t'est cher ainsi
qu'à Egisthe.

CLYTEMNESTRE. — J'en accueille volontiers l'annonce,
mais avant tout j'aimerais à savoir qui t'envoie.

LE PRÉCEPTEUR. — C'est Phanotée le Phocidien ; il m'a
chargé d'un message important.

CLYTEMNESTRE. — Quel message, étranger ? Parle. De la
part d'un ami, j'en suis sûre, rien ne peut venir qui n'ajoute
à l'amitié.

LE PRÉCEPTEUR. — Pour le dire en bref, Oreste est
mort.

ELECTRE. — Malheur à moi ! Cette nouvelle me tue...

CLYTEMNESTRE. — Que dis-tu ? Que dis-tu, étranger ?
N'écoute pas celle-ci.

LE PRÉCEPTEUR. — Je l'ai dit et je le répète : Oreste est
mort.

ELECTRE. — C'en est fait, malheureuse ! tout est fini
pour moi.

CLYTEMNESTRE *(à Electre)*. — Ah ! toi, occupe-toi de
tes affaires. *(Au précepteur.)* A moi, étranger, parle sans
feinte : comment est survenue cette mort ?

LE PRÉCEPTEUR. — J'ai mission de te le dire et je
n'omettrai aucune circonstance. Ton fils s'était rendu
à Delphes, pour prendre part à ces jeux célèbres qui sont
l'honneur de la Grèce [131]. A l'appel du héraut annonçant
la course à pied, par quoi s'ouvraient les compétitions,
il parut tout brillant de force devant l'assistance éblouie.
Egal à l'attente qu'il faisait naître, il toucha le but et
sortit de l'arène couronné par la victoire. Parmi tant

d'exploits, tant de succès éclatants, comment choisir ?
Sache seulement ceci : de toutes les épreuves que pro-
clamèrent les juges — course simple, double course et les
cinq joutes — il remporta les premiers prix. On célébrait
son bonheur, on l'acclamait, on publiait qu'il était Argien,
qu'il se nommait Oreste, qu'il avait pour père Agamemnon, le roi qui rassembla jadis l'armée fameuse. Ainsi
allaient les choses, mais lorsqu'un dieu vous cherche
noise, vous avez beau être fort, vous n'esquiverez point
ses coups. Le lendemain, au soleil levant, devait avoir lieu
la course des attelages aux pieds rapides. Le jeune homme
entre dans l'arène et se met sur les rangs. Il y a là, debout
sur leurs chars attelés, un Achéen [132], un Spartiate, deux
Libyens [133], puis Oreste, conduisant des cavales de Thessalie, cinquième ; le sixième, un Etolien, mène des pouliches blondes ; le septième est venu de Magnésie ; le
huitième d'Enia, avec ses chevaux blancs ; le neuvième
d'Athènes, la cité par les dieux bâtie ; un Béotien complète la dizaine.

Lorsque les juges élus eurent agité les noms au fond de
l'urne, les coureurs rangent leurs chars dans l'ordre fixé
par le sort et la trompette d'airain donne le signal. Ils
s'ébranlent. Tous, à l'envi, ils excitent leurs bêtes de la
voix, ils secouent les rênes ; la piste s'emplit du lourd
grondement des chars, tandis qu'un nuage de poussière
s'élève. Encore confondus dans la mêlée du départ, ils
n'épargnaient point l'aiguillon pour forcer cette barrière
d'essieux et de têtes hennissantes. Et sur les dos des
hommes et sur les roues les haleines chevalines faisaient
pleuvoir l'écume. Au bout de la carrière, chaque fois
qu'il devait doubler la borne, Oreste, maître de son attelage, la frôlait du moyeu, donnant du champ sur la
droite au cheval de main et contenant celui de gauche qui
la contournait. Tous les chars roulaient encore en bon
ordre, lorsque les pouliches de l'homme d'Enia, la bouche
rétive au mors, s'emportent — c'était juste après le tournant, leur sixième parcours accompli — et voilà qu'elles
heurtent de front l'attelage de Barcé ! Sous le choc, les
caissons se fracassèrent l'un contre l'autre [134] et tout
l'hippodrome de Crisa [135] en fut jonché d'épaves.
Conducteur merveilleusement habile, l'Athénien a vu le
désastre : il se porte de côté, suspend sa course, laissant
passer et bouillonner la houle équestre au milieu. Le
dernier, maintenant son attelage derrière les autres, s'avan-
çait Oreste, car il mettait tout son espoir dans la fin. Quand

il ne voit plus en lice qu'un seul concurrent, il fait siffler son fouet aux oreilles de ses bêtes nerveuses et les deux chars poussent de l'avant, tantôt l'un, tantôt l'autre dépassant d'une tête son rival. Et déjà il avait accompli sans faiblir tous les autres tours, le malheureux! ferme sur son char et tenant bien la piste, lorsque, dans le virage, il rend les rênes au cheval de gauche, sans prendre garde qu'il heurte la borne et brise le bout de son essieu. Il perd pied, s'embarrasse dans les guides, tombe, et ses chevaux l'emportent en tous sens à travers l'arène. La foule aussitôt salue d'un immense cri la chute mortelle de ce jeune homme dont le malheur égale les prouesses. Le corps était traîné sur le sol; parfois on voyait les jambes se dresser en l'air. Enfin, arrêtant avec peine les chevaux emballés, des conducteurs le délivrèrent tout sanglant de ses liens, pauvre cadavre supplicié, méconnaissable à ses plus proches amis. Lorsque la flamme du bûcher l'eût consumé, ce grand corps, triste poussière désormais qui tient dans une petite urne, fut confié à des hommes de Phocide. Ils l'apportent ici pour qu'il reçoive un tombeau dans la terre paternelle. Telle est son aventure; elle est douloureuse à entendre; mais, pour nous qui en fûmes les témoins oculaires, elle passe en horreur tout ce que j'ai jamais vu.

LE CORYPHÉE. — Hélas! Je crois, cette fois, que jusqu'en ses racines la race de nos anciens maîtres est détruite.

CLYTEMNESTRE. — O Zeus, comment estimerai-je cet événement? Heureux, ou bien terrible encore que profitable? Il m'en coûte, malgré tout, de sauver ma vie par la perte des miens.

LE PRÉCEPTEUR. — Pourquoi te vois-je ainsi troublée, femme, à mon récit?

CLYTEMNESTRE. — Etrange chose que d'être mère! Ils ont beau nous faire du mal, nous n'avons pas de haine pour nos enfants.

LE PRÉCEPTEUR. — J'ai bien peur d'être venu pour rien.

CLYTEMNESTRE. — Pour rien? Comment peux-tu dire cela, si tu m'assures qu'il est mort, ce fils de ma chair qui a repoussé mon lait et ma tendresse pour s'en aller vivre en exil? Depuis qu'il a quitté le pays, il ne m'a jamais revue. Il m'accusait du meurtre de son père et me menaçait de sa vengeance, si bien que ni la nuit ni le jour je ne goûtais paisiblement le sommeil; sans trêve, tyrannique,

me poursuivait la terreur de la mort. Enfin je respire,
enfin je ne craindrai plus ni cette fille ni son frère. Car
celle-ci me faisait peut-être plus de mal encore, toujours
attachée à moi, buvant mon sang, ma vie! Je respire, mes
jours vont s'écouler en paix, libres de ses menaces.

Électre. — Malheur, malheur à moi! Que j'ai sujet de
gémir sur ton infortune, Oreste, lorsque cette femme, ta
propre mère, y insulte! Allons, n'est-ce pas bien ainsi?

Clytemnestre. — Non pas pour toi, évidemment.
Mais pour lui, oui, tout est très bien ainsi.

Électre. — Ecoute-la, Némésis [136] du jeune mort!

Clytemnestre. — Elle a écouté ce qu'il fallait et l'a
sanctionné comme il faut.

Électre. — Déchaîne-toi maintenant que la chance te
sourit.

Clytemnestre. — Ni Oreste ni toi vous n'y ferez plus
jamais échec.

Électre. — Hélas! c'est pour nous que l'échec est
total : nous ne sommes plus un obstacle sur ta route.

Clytemnestre. — Que tu mériterais de remercie-
ments, étranger, si seulement tu avais fait taire ses cris
intarissables!

Le précepteur. — Je puis me retirer, si tout va bien
ici...

Clytemnestre. — Non pas. Ce serait essuyer un accueil
aussi indigne de moi que de l'ami qui t'a envoyé. Entre,
au contraire, laisse-la pleurer bruyamment ses malheurs et
ceux de ses bien-aimés. *(Elle sort, suivie du précepteur.)*

Électre. — Que vous en semble, mes amies? Est-ce
que, torturée de chagrin, elle gémit et sanglote à fendre
l'âme, la pauvre femme, sur son fils emporté par une mort
si cruelle? Non, elle est partie en riant! Infortunée que je
suis... O mon Oreste chéri, ta mort m'achève. Tu t'en vas
en m'arrachant du cœur mon dernier espoir, l'espoir qu'un
jour tu reviendrais, vengeur de notre père, mon vengeur!
Hélas! où me tournerai-je à présent, seule, privée de toi,
à jamais orpheline. Je n'ai plus qu'à continuer mon servage auprès de mes ennemis jurés, les propres assassins
de mon père : qu'aurais-je à souhaiter de mieux, vraiment? — Eh bien non, non! je ne finirai pas ma vie
sous leur toit... Ici, devant la porte, indifférente à moi-
même et aux autres, je laisserai pourrir mes jours. Et si
ma présence importune quelqu'un dans cette maison,
qu'il me tue; je lui en saurai gré : vivre me fait trop mal;
je n'en ai plus aucune envie.

LE CHŒUR.
Que fait donc Zeus, avec sa foudre, et que fait l'éclat du
[Soleil,
si, voyant tout cela de haut,
ils ferment les yeux, et le couvrent?
LE CHŒUR. ÉLECTRE. *Hélas! hélas!*
LE CHŒUR.   *Que sert de pleurer, mon enfant?*
ÉLECTRE.   *Hélas!*
LE CHŒUR.
                    Ces cris sont excessifs.
ÉLECTRE. *Tu me tueras!*
LE CHŒUR.   *Pourquoi dis-tu cela?*
ÉLECTRE.
Vouloir que j'espère encore, alors qu'il est avéré
que mon ultime recours s'en est allé chez Hadès,
n'est-ce piétiner à plaisir celle que le chagrin dévore?
LE CHŒUR.
Je sais un roi, Amphiaraos [137], *qui, à cause d'un collier d'or,*
tomba dans un piège de femme et par la mort fut enlevé,
                    et je sais qu'aujourd'hui, sous terre...
ÉLECTRE.   *Hélas!*
LE CHŒUR.   *... il vit, il règne!*
ÉLECTRE.   *Hélas!*
LE CHŒUR.
        Tu dis bien: hélas! car cette femme funeste...
ÉLECTRE.
                    ... fut par la mort domptée.
LE CHŒUR.
                                        Ah! tu vois bien!
ÉLECTRE.
        Oui, je connais l'histoire: un vengeur se leva
                sur le tombeau de l'âme en peine...
                Mais moi, je n'ai plus de vengeur:
                celui que j'avais m'est ravi.
LE CHŒUR.
        Oui, tu es malheureuse entre les malheureuses!
ÉLECTRE.
Je sais, je ne le sais que trop,
Sous cet amas, au long des mois, de tant d'épreuves
                terribles, harassantes!
LE CHŒUR.
Témoins de tes malheurs, nous comprenons tes plaintes.
ÉLECTRE.
                Ne cherche plus à tromper ma douleur,
                dès lors que je n'ai plus...

LE CHŒUR.   *Que veux-tu dire ?*
ELECTRE.   ... *l'espoir de voir jamais mon frère*
                  héritier de nos rois, accourir à mon aide.

LE CHŒUR.
Pour les humains, mourir est la loi de nature.
ELECTRE.
     Est-ce la loi de ces joutes agiles,
     que les coureurs, comme l'infortuné,
          se prennent les pieds dans les rênes ?
LE CHŒUR.
     Imprévisible était cet accident.
ELECTRE.
     C'est vrai... Comment prévoir ? A l'étranger,
          loin de mes mains,
LE CHŒUR.   *Hélas !... hélas !...*
ELECTRE.
l'ombre l'emporte... Il n'aura donc reçu de moi
               ni pleurs ni sépulture.

CHRYSOTHÉMIS *(accourant)*. — Sœur chérie, la joie me
laisse à peine respirer ! Tant pis pour les convenances,
j'arrive en courant, car je t'apporte un grand bonheur.
Ils vont cesser, ces maux sous lesquels tu gémissais !

ELECTRE. — Où trouverais-tu un recours contre mes
peines ? Elles sont sans remède.

CHRYSOTHÉMIS. — Notre Oreste, m'entends-tu ? il est
ici ! Aussi vrai que je suis devant toi !

ELECTRE. — Tu déraisonnes, ma pauvre amie, et te ris
de notre malheur.

CHRYSOTHÉMIS. — Non, par le foyer paternel, je ne le
dis pas pour me moquer, mais parce que c'est vrai : il
nous est rendu.

ELECTRE. — Hélas ! qui a bien pu te raconter pareille
histoire, fille trop crédule ?

CHRYSOTHÉMIS. — Personne que mes propres yeux :
j'ai vu des preuves manifestes et c'est à elles que je me fie.

ELECTRE. — Des preuves, pauvre fille ? Qu'as-tu donc
vu qui nourrisse en toi cette flamme obstinée ?

CHRYSOTHÉMIS. — Au nom des dieux, écoute-moi.
Quand tu sauras tout, alors tu pourras dire si je suis sage
ou folle.

ELECTRE. — Parle, puisque tu trouves plaisir à parler.

CHRYSOTHÉMIS. — Je te dis tout comme je l'ai vu. En
arrivant près du tombeau ancestral où repose notre père,

je remarque, sur le tertre, deux ruisseaux de lait qu'on venait d'y répandre ; et toutes sortes de fleurs disposées sur le pourtour de la tombe lui formaient une couronne. Etonnée, je regarde autour de moi, pensant bien apercevoir quelqu'un. Un calme parfait régnait alentour. En m'approchant encore, j'aperçois tout à coup, au chevet du monument, une boucle fraîchement coupée. Aussitôt, ah ! ciel ! ce fut comme un trait de lumière : oui, notre Oreste chéri avait déposé là une trace de son passage ! J'ai évité de pousser un cri, mais j'ai pris la boucle dans mes mains, tout en laissant mes yeux s'emplir de larmes joyeuses. Plus j'y pense, plus il me paraît évident que cette offrande ne peut venir que de lui. Qui pourrait l'avoir faite, en dehors de toi ou de moi ? Or je n'ai fait aucune offrande ; cela j'en suis certaine ; ni toi non plus, puisqu'on t'a défendu de t'éloigner d'ici, fût-ce pour aller prier. Notre mère n'est point coutumière de ces dévotions-là ; d'ailleurs, nous l'aurions surprise au passage. Je te dis qu'elles viennent d'Oreste, ces offrandes. Courage, chère sœur. La fortune a ses caprices : après l'avoir eue contre nous, qui sait si nous n'entrons pas dans une ère de bonheur ?

ÉLECTRE. — Hélas ! tu me fais pitié ; tout cela n'a pas le sens commun.

CHRYSOTHÉMIS. — Quoi ! ces nouvelles ne te font pas plaisir ?

ÉLECTRE. — Ne vois-tu pas que tu bats la campagne ?

CHRYSOTHÉMIS. — Pourquoi douterais-je de ce que mes yeux ont vu ?

ÉLECTRE. — Il est mort, infortunée que tu es ! Son retour vengeur, il n'en est plus question. Ne tourne plus tes regards vers lui.

CHRYSOTHÉMIS. — Malheur à moi, infortunée ! Qui te l'a dit ?

ÉLECTRE. — Un témoin de sa mort.

CHRYSOTHÉMIS. — La stupeur me saisit. Où est cet homme ?

ÉLECTRE. — A la maison, car la nouvelle n'a rien d'affligeant pour notre mère.

CHRYSOTHÉMIS. — Malheur à moi ! Mais alors de qui viennent les offrandes que j'ai vues sur la tombe ?

ÉLECTRE. — On les aura déposées là en souvenir d'Oreste mort.

CHRYSOTHÉMIS. — Hélas ! dans la joie de la bonne nouvelle, je me hâtais, j'étais loin de mesurer notre infortune...

Et voici qu'en arrivant je trouve ce surcroît de maux.

ÉLECTRE. — C'est ainsi. Mais, si tu veux m'en croire, tu secoueras ce chagrin qui t'abat.

CHRYSOTHÉMIS. — Aurai-je jamais le pouvoir de ressusciter les morts ?

ÉLECTRE. — Ce n'est pas ce que j'ai dit. Je ne suis pas folle.

CHRYSOTHÉMIS. — A quoi donc veux-tu m'employer qui soit dans mes moyens ?

ÉLECTRE. — Ose faire ce que je te dirai.

CHRYSOTHÉMIS. — Si cela peut te rendre service, je ne m'y refuserai pas.

ÉLECTRE. — A toi d'examiner : il faut se donner du mal pour réussir.

CHRYSOTHÉMIS. — C'est tout examiné. Je t'aiderai de toutes mes forces.

ÉLECTRE. — Ecoute le dessein que j'ai formé. Tu sais que nous ne pouvons compter sur aucun ami : Hadès nous les a tous pris; nous restons seules. Tant que je croyais notre frère plein de vie, je gardais l'espoir qu'il reviendrait et qu'il vengerait le père. Maintenant qu'il n'est plus, c'est vers toi que je me tourne : puisqu'Egisthe est le meurtrier, veux-tu, sans plus attendre (il n'est plus nécessaire que je te cache rien), aider ta sœur à tuer Egisthe? Penses-tu te prélasser toujours? Quelle espérance as-tu devant toi qui soit encore debout? Ton avenir, c'est de gémir, spoliée des biens paternels; c'est de souffrir comme tu as souffert et de vieillir sans mari, sans amours. Il n'y a plus de chance qu'il s'en présente jamais pour toi, car Egisthe n'est pas assez fou pour laisser notre race pousser des rejetons : autant vaudrait pour lui semer sa propre ruine. Mais si tu secondes mes desseins, d'abord tu seras bénie de nos deux morts; ensuite, libre par ta naissance, libre tu seras appelée pendant ta vie entière et tu trouveras un mari digne de toi, car l'honneur attire toujours les regards. Ne vois-tu pas quelles louanges tu feras rejaillir sur nous deux, si tu m'écoutes? Quel citoyen, quel étranger ne saluerait d'éloges notre passage : « Regardez, mes amis, les deux sœurs qui ont sauvé la maison de leur père. Leurs ennemis prospéraient, mais à elles deux, au péril de leur vie, elles ont vengé le mort. Il sied que chacun les aime et les respecte; il sied que, dans les fêtes et dans les réunions civiques, tout le monde honore leur courage. » Voilà ce qu'on dira partout de nous. Vivantes, mortes, jamais la gloire ne nous quittera.

Allons, ma chère, laisse-toi persuader; pour un père, pour un frère, lutte et peine avec moi; délivre-moi, délivre-toi de nos maux. Songe que, pour des cœurs bien nés, c'est une honte d'accepter l'humiliation.

LE CORYPHÉE. — En de telles conjonctures, la prudence est une alliée pour celui qui parle comme pour celui qui écoute.

CHRYSOTHÉMIS. — Si ma sœur était raisonnable, mes amies, elle ne parlerait pas sans réfléchir, comme elle le fait en ce moment. Quelle folle présomption te fait prendre les armes et prétend m'enrôler sous tes ordres? Ne vois-tu pas, faible femme, le peu que vaut ton bras devant la force de tes adversaires? La fortune, qui les favorise, nous glisse entre les doigts et nos chances s'amenuisent de jour en jour. Un homme comme Égisthe, celui qui voudra le réduire à merci n'en viendra pas à bout impunément. Notre situation est déjà assez mauvaise; crains qu'elle n'empire encore si l'on vient à surprendre de pareils propos. Est-ce nous libérer, est-ce faire œuvre utile, que de chercher un beau renom dans une mort infamante? Encore le plus horrible n'est-il pas de mourir; c'est, quand on appelle la mort, de se la voir refuser [138]. Je t'en supplie, avant de nous perdre à tout jamais, avant d'anéantir avec nous notre race, domine ta passion. Tout ce que nous avons dit restera entre nous : je ne te trahirai pas; mais sache te résigner, instruite enfin par le temps, et cède à nos maîtres, puisque tu ne peux rien.

LE CORYPHÉE. — Écoute-la : rien ne vaut pour les humains la prudence et la sagesse.

ÉLECTRE. — Je m'attendais à toutes ces belles raisons. J'étais sûre d'avance de ton refus. Soit, je reste seule pour accomplir ma tâche. Car je ne la laisserai pas à l'état de projet.

CHRYSOTHÉMIS. — Hélas! que n'étais-tu dans ces dispositions à la mort de notre père! Tu aurais tout achevé d'un coup.

ÉLECTRE. — J'en avais déjà le désir; mais, pour l'esprit, je n'étais qu'une enfant.

CHRYSOTHÉMIS. — Efforce-toi donc de demeurer toujours la faible enfant que tu étais!

ÉLECTRE. — Ce bel avis me fait assez entendre que je n'ai pas à compter sur toi.

CHRYSOTHÉMIS. — Entreprise mal engagée se condamne à mauvais succès.

ÉLECTRE. — Je t'envie ta prudence, mais ta couardise me fait horreur.

CHRYSOTHÉMIS. — Patience! Un jour tu me donneras raison.

ÉLECTRE. — Il y a peu de chances pour que je t'approuve jamais.

CHRYSOTHÉMIS. — L'avenir est long : il nous départagera.

ÉLECTRE. — Va-t'en, puisque tu ne peux m'être utile à rien.

CHRYSOTHÉMIS. — Je le pouvais peut-être; mais tu ne veux pas entendre raison, c'est plus fort que toi.

ÉLECTRE. — Va, va trouver ta mère et raconte-lui tout!

CHRYSOTHÉMIS. — Te haïr à ce point-là, moi, je ne le pourrais jamais.

ÉLECTRE. — Comprends du moins à quel mépris de moi-même tu me pousses.

CHRYSOTHÉMIS. — Il n'est pas question de te mépriser, mais seulement d'être prudente.

ÉLECTRE. — Tu prétends donc absolument me tracer mon devoir?

CHRYSOTHÉMIS. — Lorsque tu seras plus sensée, tu nous guideras toutes les deux.

ÉLECTRE. — Dommage, ayant la langue si bien pendue, de raisonner tout de travers.

CHRYSOTHÉMIS. — Voilà un bon diagnostic de ta propre faiblesse.

ÉLECTRE. — Eh quoi? ne juges-tu pas légitimes les droits que je défends?

CHRYSOTHÉMIS. — Il peut en coûter cher de défendre des droits légitimes.

ÉLECTRE. — Je ne veux pas régler ma vie sur de pareils principes.

CHRYSOTHÉMIS. — Suis donc ta propre règle, mais un jour tu me rendras justice.

ÉLECTRE. — Oui, je la suivrai : tu ne m'ébranles point.

CHRYSOTHÉMIS. — Est-ce vraiment là ton dernier mot?

ÉLECTRE. — Il n'est pire ennemi qu'une lâche réflexion.

CHRYSOTHÉMIS. — C'est bien simple, tu te refuses à me comprendre.

ÉLECTRE. — Ma décision est déjà prise, et ce n'est pas d'hier.

CHRYSOTHÉMIS. — Je n'ai plus qu'à m'en aller, cette fois, puisque nous ne pouvons pas nous accorder.

ÉLECTRE. — C'est cela, rentre à la maison. Jamais je

ne suivrai ta conduite, quelque désir que tu en aies. C'est folie de s'attacher à des vanités.

CHRYSOTHÉMIS. — Tu te crois sage : à ton aise. Quand le malheur sera venu, alors tu me donneras raison.

(Elle sort.)

CHANT DU CHŒUR

Parmi les oiseaux du ciel,
        quand nous voyons les plus intelligents
prendre soin de nourrir ceux dont ils ont reçu
la vie et les bienfaits qui soutiennent la vie,
pourquoi nous, les humains, pourquoi d'ingratitude
payons-nous nos parents ? Par la foudre de Zeus
        par Thémis [139] qui siège au ciel,
le châtiment vient à son heure. — O Renommée
        qui portes aux morts les nouvelles,
fais entendre une voix lamentable aux Atrides
        sous la terre endormis,
messagère pour eux de l'opprobre et du deuil !
    Voici, dans leur maison, que tout s'effrite,
voici qu'entre leurs enfants éclate un dissentiment,
que n'a su apaiser la tendresse ancienne.
        Trahie et seule, Électre
        roule dans la tempête...
    Jour et nuit, malheureuse ! elle pleure son père,
        pareille au rossignol plaintif,
sans souci de la mort et sans regret du jour,
pourvu qu'elle ait pris sa double vengeance.
Fut-il jamais un cœur plus digne de sa race ?
Car nul homme d'honneur, eût-il le sort contraire,
ne souffre de tache à son nom.
        Ainsi de toi, ma fille :
tu as pris le deuil pour ta vie entière :
        tu fais la guerre au crime ;
        fille sage, fille au grand cœur,
        voilà tes titres de noblesse.
Ah ! puisses-tu, par la puissance et les richesses,
        l'emporter un jour sur tes ennemis,
toi, leur esclave en ta propre maison !
Je vois que tu n'as pas le bonheur en partage,
Mais de l'obéissance aux lois les plus sacrées
        tu remportes la palme,
        par ta dévotion à Zeus.

TROISIÈME ÉPISODE

(Entre Oreste, accompagné de Pylade.)

ORESTE. — Dites-moi, femmes, nous a-t-on renseignés exactement? Allons-nous bien où nous voulons aller?

LE CORYPHÉE. — Que cherches-tu? Que viens-tu faire ici?

ORESTE. — C'est le palais d'Égisthe que je cherche.

LE CORYPHÉE. — T'y voici justement. On t'a bien renseigné.

ORESTE. — L'une de vous, femmes, voudrait-elle annoncer aux maîtres de ce lieu notre arrivée? Nous sommes attendus, mes compagnons et moi.

LE CORYPHÉE. — Celle-ci vous introduira, si le soin en revient à un proche.

ORESTE. — Va donc, femme, et fais-leur savoir qu'il y a ici des Phocidiens qui demandent à voir Égisthe.

ÉLECTRE. — Malheur à moi! n'apportez-vous pas des preuves de la nouvelle?

ORESTE. — Quelle nouvelle veux-tu dire? Nous venons de la part du vieux Strophios, au sujet d'Oreste.

ÉLECTRE. — Explique-toi, étranger. Comme je sens la crainte m'envahir!...

ORESTE. — Vois : nous apportons dans cette petite urne ses restes chétifs.

ÉLECTRE. — Malheur à moi! c'était bien cela. Le voilà donc dans tes mains, ce douloureux fardeau...

ORESTE. — Toi qui pleures ainsi sur les malheurs d'Oreste, il est vrai : ce vase renferme son corps.

ÉLECTRE. — Étranger, au nom des dieux, donne-la-moi, cette urne qui contient Oreste, afin qu'en serrant sa cendre contre mon cœur je pleure et gémisse à la fois sur moi-même et sur toute ma race.

ORESTE. — Donnez-lui l'urne, mes amis. Je ne connais pas cette femme, mais ce n'est point la haine qui inspire sa demande; ce ne peut être que l'amitié ou les liens du sang.

ÉLECTRE. — O cendres, ô tout ce qui subsiste de mon Oreste chéri, que vous me décevez! Non, ce n'est pas cela que j'espérais quand j'ai assuré sa fuite! Je soulève dans mes mains ce néant que tu es, toi si brillant de vie, mon petit, quand je t'éloignai de la maison! Que ne suis-je morte avant de t'avoir dérobé par l'exil aux coups des meurtriers! Si tu étais mort ce jour-là, tu aurais pris ta

place dans le tombeau paternel. Et voilà que tu es mort
par un accident cruel, loin de ton pays, loin de ton foyer,
loin de ta sœur! De mes mains aimantes, hélas! je ne
t'ai pas baigné; sur le bûcher, je n'ai pas recueilli comme
il convenait ce pauvre poids de cendres. Des mains
étrangères ont pris soin de toi, infortuné! Tu m'arrives,
petit monceau de poussière au creux d'une petite urne.
Misère! ma tendre sollicitude, à quoi aura-t-elle servi?
Et pourtant je ne cessais de m'occuper de toi, si heureuse
de prendre cette peine! Tu étais un trésor pour moi bien
plus que pour ta mère. Les domestiques te négligeaient;
ta vraie nourrice, c'était moi. Oui, c'est ta sœur que tu
appelais toujours. Hélas! un jour a suffi : rien de tout
cela ne subsiste pour nous; tu es mort. Comme un orage,
tu as tout emporté en t'en allant. Père est parti, je me
suis consumée pour toi, et tu n'es plus là. Ah! nos ennemis
peuvent triompher! Ma mère, en son cœur marâtre, est
folle de joie! Sans qu'elle le sût, tu m'as souvent envoyé
de tes nouvelles, tu me promettais de revenir et que tu
serais notre vengeur. Le mauvais génie qui nous est
commun nous a ravi cette joie; il t'a rendu à moi non
dans ta chère forme vivante, mais poussière et ombre
inutiles.

Malheur, malheur à moi!

Ton pauvre corps, hélas! hélas!

Ah! l'affreuse route — malheur, malheur à moi! —
qui t'a conduit ici, mon bien-aimé! C'est ma mort, cela,
vois-tu, c'est ma mort, frère chéri! Accueille-moi donc,
laisse-moi, anéantie, m'abriter près de toi qui n'es plus,
et nous habiterons toujours ensemble sous la terre.
Quand tu étais vivant, nos destins étaient liés, ils se
valaient : je veux aussi dans la mort ma part de ta sépulture. Les morts, que je sache, on ne peut plus les faire
souffrir...

LE CORYPHÉE. — Tu es née d'un père mortel, Électre,
songes-y. Oreste aussi était mortel. Ne gémis pas sans
mesure. Nous devons tous en passer par là.

ORESTE. — Ah! que dire? Je ne sais par où commencer,
et je ne peux plus contenir ma langue.

ÉLECTRE. — De quoi es-tu en peine? Que veulent dire
tes paroles?

ORESTE. — Ai-je bien devant moi l'illustre Électre?

ÉLECTRE. — C'est elle, et tu vois dans quel état misérable!

ORESTE. — Hélas! ô douloureuse image de l'infortune!

ÉLECTRE. — Ce n'est pas sur moi, étranger, que tu gémis ainsi?

ORESTE. — O corps indignement flétri, ô sacrilège!

ÉLECTRE. — Eh oui, c'est Électre, c'est moi que tu plains, étranger.

ORESTE. — O jeunesse à la solitude et au chagrin vouée!

ÉLECTRE. — Étranger, comme tu gémis en me regardant! Pourquoi cela?

ORESTE. — Je ne connaissais donc rien de mes maux.

ÉLECTRE. — Qu'ai-je pu dire qui t'inspire cette pensée?

ORESTE. — Tant de marques de souffrance que je découvre sur ton corps...

ÉLECTRE. — Encore ne vois-tu qu'une faible partie de mes misères.

ORESTE. — Pourrais-je rien contempler de plus cruel?

ÉLECTRE. — Je partage la vie des meurtriers.

ORESTE. — Les meurtriers de qui? De quel crime parles-tu?

ÉLECTRE. — Les meurtriers de mon père. Ils m'ont réduite en servitude.

ORESTE. — Quel mortel peut te contraindre à cette nécessité?

ÉLECTRE. — Ma mère — si une telle femme mérite le nom de mère.

ORESTE. — Qu'as-tu à lui reprocher? Des coups? Des mauvais traitements?

ÉLECTRE. — Oui, des coups, des mauvais traitements de toute sorte.

ORESTE. — N'y a-t-il personne ici pour te défendre, ou pour l'arrêter?

ÉLECTRE. — Personne. Mon protecteur, le voici: tu me l'as rendu en cendres.

ORESTE. — Infortunée, dès que je t'ai vue, j'ai eu pitié de toi.

ÉLECTRE. — Sache que tu es le seul mortel qui aie eu pitié de moi.

ORESTE. — Je suis aussi le seul qui souffre de tes maux.

ÉLECTRE. — Existerait-il entre nous quelque lien de parenté?

ORESTE. — Je m'en expliquerai, si toutefois ces femmes sont tes amies.

ÉLECTRE. — Ce sont mes amies: tu peux parler devant elles.

ORESTE. — Rends-moi donc cette urne, et tu vas tout savoir.

ÉLECTRE. — Non, par les dieux, n'exige pas cela, étranger!

ORESTE. — Laisse-toi persuader; tu n'y perdras rien.

ÉLECTRE. — Par ton menton que je touche, ne m'enlève pas tout ce que j'aime!

ORESTE. — Non, je ne te la laisserai point.

ÉLECTRE. — Je souffrirai donc encore à cause de toi, Oreste, si on me prive de tes cendres!

ORESTE. — Ne dis plus rien : tu gémis sans raison.

ÉLECTRE. — Quoi! sur mon frère mort, je gémis sans raison?

ORESTE. — Non, tu n'as plus lieu de tenir ce langage.

ÉLECTRE. — Suis-je à ce point indigne du mort?

ORESTE. — Tu n'es indigne de personne, mais cette urne n'est rien pour toi.

ÉLECTRE. — N'est-ce pas le corps d'Oreste que je tiens?

ORESTE. — Ce n'est pas le corps d'Oreste, sinon dans notre fiction.

ÉLECTRE. — Mais où est la sépulture de cet infortuné?

ORESTE. — Nulle part. On n'ensevelit pas un vivant.

ÉLECTRE. — Qu'as-tu dit, mon enfant?

ORESTE. — Rien que de vrai.

ÉLECTRE. — Il vit?

ORESTE. — Puisque je respire!

ÉLECTRE. — Tu es Oreste?

ORESTE. — Regarde cette bague de notre père, et tu sauras si je dis vrai.

ÉLECTRE. — O lumière bien-aimée!

ORESTE. — Oui, bien-aimée, je l'atteste avec toi.

ÉLECTRE. — Nouvelle tant attendue, tu es arrivée!

ORESTE. — Oui, et je te l'apporte moi-même.

ÉLECTRE. — Je te tiens donc dans mes bras!

ORESTE. — Et puisses-tu me tenir ainsi toujours!

ÉLECTRE. — Mes amies très chères, femmes de notre ville, regardez Oreste : le voici. La ruse l'a fait passer pour mort, la ruse l'a ressuscité!

LE CHŒUR. — Nous le voyons, ma fille, et, devant ce grand bonheur, des larmes de joie coulent de nos yeux.

ÉLECTRE.   O chère vie,
            ô présence bien-aimée!
      tu es venu, tu retrouves, tu vois
            ceux que tu désirais revoir!

ORESTE. — Oui, je suis près de toi; mais garde le silence.

ÉLECTRE. — Qu'y a-t-il?

ORESTE. — Mieux vaut nous taire : j'ai peur que, du palais, on ne nous entende.

ÉLECTRE.
> *Par Artémis toujours vierge !*
> *je rougirais de trembler*
> *devant quelques pauvres femmes*
> *dans le palais confinées !*

ORESTE. — Prends garde : on trouve Arès partout, même chez les femmes. Tu le sais par expérience, je crois.

ÉLECTRE. — *Las !... Las !... Las !... Las !...*
> *tu viens de rappeler sans voiles,*
> *quels maux irrémédiables sont les nôtres,*
> *quels maux inoubliables !*

ORESTE. — Je le sais, bien sûr, mon enfant, mais le temps viendra plus tard d'évoquer ces souvenirs.

ÉLECTRE. *Toujours, pour moi, toujours*
> *il est temps de les retracer.*
> *Assez cher j'ai payé*
> *le droit de parler librement !*

ORESTE. — J'en conviens. Mais ménage-le, ce droit.

ÉLECTRE. Et que dois-je faire ?

ORESTE. — Renonce aux longues effusions. Ce n'en est pas le moment.

ÉLECTRE.
> *Quel silence vaudrait l'ivresse des paroles,*
> *lorsque tu reparais,*
> *lorsque, contre toute apparence*
> *et contre tout espoir, je te revois ?*

ORESTE. — Tu m'as revu quand les dieux ont ordonné mon retour...

. . . .

ÉLECTRE. *Tu redoubles ma joie,*
> *s'il est vrai qu'à notre maison*
> *un dieu t'a conduit. Oui, de quelque bon génie*
> *je reconnais la main !*

ORESTE. — J'hésite à refréner cette joie, et pourtant je redoute qu'elle ne t'entraîne trop loin.

ÉLECTRE.
> *Quoi ! lorsqu'après si longue absence, mon chéri,*
> *tu as jugé le temps venu de reparaître,*
> *ne va pas, au sortir de mes longues épreuves...*

ORESTE. — *De quoi donc as-tu peur ?*

ÉLECTRE. — *... me priver du bonheur de contempler tes traits encore !*

ORESTE. — *Mais je ne permettrais à personne de t'en empêcher!*

ÉLECTRE. — *Ainsi, tu me comprends?*

ORESTE. — *Pouvais-tu en douter?*

ÉLECTRE.

Lorsque la funeste nouvelle, ô mes amies,
*   vint me frapper à l'improviste,*
*   une fureur muette me saisit,*
*   et sans un mot, sans un cri, j'écoutais,*
malheureuse! Mais maintenant je te possède,
*   tu m'es apparu, cher visage,*
*   que rien jamais ne peut plus me faire oublier!*

ORESTE. — Laissons là, veux-tu, ce qui n'est pas indispensable à dire; ne m'apprends pas que notre mère est une mauvaise mère, ni qu'Égisthe écume, dilapide et dissipe notre patrimoine. A discourir de la sorte, l'instant propice pourrait nous échapper. Éclaire-moi plutôt sur les premières dispositions à prendre : où faut-il nous montrer — ou nous cacher — pour mettre fin sans délai à l'insolence de nos ennemis ? Et d'abord, si nous entrons ensemble, prends garde que ton visage rayonnant ne donne l'éveil à notre mère. Fais plutôt semblant de gémir, comme accablée d'un malheur réel. Quand nous tiendrons le succès, alors nous pourrons nous réjouir et rire librement.

ÉLECTRE. — Mon frère, ton bon plaisir sera le mien : ma joie est ton œuvre; elle ne m'appartient pas. Je renoncerais aux plus grands avantages plutôt que de te causer la moindre peine; je ne veux pas payer d'ingratitude le bon génie qui nous assiste. Ce qui se passe ici, tu le sais, sans doute. On t'a dit qu'Égisthe est absent, mais que notre mère est à la maison. Ne crains pas qu'elle voie la joie briller sur mon visage : la haine s'y est depuis trop longtemps empreinte. Pour t'avoir revu, je n'en pleurerai pas moins; seulement ce sera de bonheur! Puis-je m'empêcher de pleurer, moi qui t'ai vu au cours de cette seule journée mort et vivant? Tu as mis ma raison à si rude épreuve que, si mon père revenait au monde, j'en croirais mes yeux, loin de crier au prodige! Mais voici la suprême étape : sois notre chef et n'écoute que toi. Si j'étais demeurée seule, il m'eût bien fallu me sauver moi-même ou périr : ma gloire ne me laissait pas d'autre choix.

ORESTE. — Fais silence. J'entends marcher dans le palais. Quelqu'un va sortir.

ÉLECTRE. — Entrez, étrangers. Avec ce que vous apportez, les maîtres du logis vous feront bon accueil, bien qu'il n'y ait pas là de quoi les réjouir.

LE PRÉCEPTEUR *(sur le seuil du palais)*. — Imprudents, insensés que vous êtes ! ne tenez-vous plus à la vie, ou êtes-vous à ce point dénués de réflexion que, lorsque les pires dangers s'approchent, que dis-je ? vous cernent de toutes parts, vous n'en prenez point conscience ? Si je n'avais fait le guet depuis longtemps à la porte, votre secret vous aurait devancés dans la maison. Il est heureux que j'y aie veillé à votre place. Je vous en prie, renoncez à ces longs entretiens et à ces cris de joie insatiables ; présentez-vous céans. Tout retard coûte cher, dans ces cas-là. C'est le moment d'en finir.

ORESTE. — Dans quel état vais-je trouver les choses, au palais ?

LE PRÉCEPTEUR. — Le mieux du monde : tu n'y es connu de personne.

ORESTE. — Tu as annoncé, n'est-ce pas, que j'étais mort ?

LE PRÉCEPTEUR. — Tout le monde, ici, te croit un habitant des Enfers.

ORESTE. — Je pense qu'ils s'en réjouissent. Qu'ont-ils dit ?

LE PRÉCEPTEUR. — Quand nous aurons achevé, je te conterai cela. Jusqu'à présent tout va bien en ce qui les concerne, c'est-à-dire mal pour eux.

ÉLECTRE. — Au nom des dieux, mon frère, apprends-moi quel est cet homme.

ORESTE. — Ne le reconnais-tu point ?

ÉLECTRE. — Je n'ai pas souvenance de l'avoir vu.

ORESTE. — Rappelle-toi, pourtant, à quelles mains tu m'as confié, autrefois.

ÉLECTRE. — Comment ? Que veux-tu dire ?

ORESTE. — L'homme que, dans ta prévoyance, tu avais chargé de m'emmener en Phocide...

ÉLECTRE. — C'est donc lui, le seul ami que j'ai trouvé fidèle après le meurtre de notre père ?

ORESTE. — C'est lui. Ne me demande plus d'autres témoignages.

ÉLECTRE. — O journée bénie entre toutes ! O toi l'unique sauveur de la maison d'Agamemnon, tu es donc revenu ? C'est toi qui as sauvé mon frère et m'as sauvée de nombreux maux ! O mains bien-aimées, pieds secourables, vous voici ! Eh quoi, tout à l'heure, c'était

toi qui étais là, et je ne m'en doutais pas, et même tes
paroles me faisaient mourir, tandis que tu travaillais
à mon bonheur! Salut, père, — car il me semble contempler un père, — salut! Et sache qu'il n'y a pas d'homme
que j'aie plus haï que toi et plus aimé dans le même jour!

LE PRÉCEPTEUR. — Laissons cela. Tout ce qui s'est
passé depuis notre fuite, il nous faudrait bien des journées
et autant de nuits, Electre, pour t'en relater le détail.
(Il se tourne vers Oreste et Pylade). Or çà, vous deux, je
le répète, nous tenons l'occasion : en ce moment, Clytemnestre est seule; en ce moment, il n'y a pas un seul
homme au palais. Si vous attendez, prenez garde : vous
aurez contre vous non seulement les gens de la maison,
mais d'autres plus habiles et en plus grand nombre.

ORESTE. — Plus n'est besoin de concerter longuement
ce qui nous reste à faire, Pylade. Sans tarder davantage,
prosternons-nous sous le portique, devant nos dieux
familiaux, et entrons.

ELECTRE. — Seigneur Apollon, écoute-les tous deux
favorablement; écoute la prière que j'ajoute aux leurs,
moi qui si souvent suis venue t'offrir sans me lasser le
peu que je pouvais. Cette fois encore, ô Apollon Lycien,
je viens, comme je suis, me prosterner à tes pieds : je
t'en conjure, protège notre dessein, aide-nous, et montre
aux hommes comment les dieux récompensent l'impiété.

CHANT DU CŒUR

Voyez jusqu'où de proche en proche gagne
le feu d'Arès, qui embrase le sang !
Elles ont pénétré dans la maison,
     traquant la fourbe et le crime,
     les inévitables Chiennes [140] *!*
     Bientôt ils vont prendre mon corps,
les rêves en suspens dans mon esprit.

Le vengeur des morts, à pas de ruse,
s'introduit sous le toit paternel,
où dorment les antiques richesses.
Son poing brandit la mort fraîchement aiguisée,
     et le fils de Maia, Hermès,
     dans l'ombre perfide embusqué,
     le guide vers le but... C'est l'heure !

DERNIER ÉPISODE

ÉLECTRE. — Mes chères amies, nos hommes sont à pied d'œuvre. Je vous en prie, attendez en silence.

LE CORYPHÉE. — Comment ? Que font-ils en ce moment ?

ÉLECTRE. — La reine, pour la cérémonie funèbre, pare la petite urne, et tous deux se tiennent debout derrière elle.

LE CORYPHÉE. — Mais toi, pourquoi as-tu bondi au-dehors ?

ÉLECTRE. — Pour guetter Egisthe, s'il venait à rentrer.

VOIX DE CLYTEMNESTRE. — Ah!... Ah!... demeure vide d'amis, pleine de meurtriers !

ÉLECTRE. — Quelqu'un crie à l'intérieur. Entendez-vous, mes amies ?

LE CHŒUR.
  J'ai entendu, hélas ! ce que j'aurais voulu
          ne pas entendre, et je frissonne...

VOIX DE CLYTEMNESTRE. — A moi! Ah!... Malheur à moi! Egisthe, où es-tu ?

ÉLECTRE. — On a encore crié.

VOIX DE CLYTEMNESTRE. — O mon enfant, mon enfant, pitié! Je t'ai mis au monde!

ÉLECTRE. — Et toi, est-ce que tu as eu pitié de lui ? Pas plus que de son père!

LE CHŒUR.
  O ville ! ô race malheureuse, c'en est fait :
  le voilà donc venu, le jour où tout se consomme !

VOIX DE CLYTEMNESTRE. — Malheur à moi! Je suis blessée.

ÉLECTRE. — Frappe deux fois, si tu peux.

VOIX DE CLYTEMNESTRE. — Malheur! Un second coup...

ÉLECTRE. — J'en souhaite autant à Egisthe.

LE CHŒUR.
  Les malédictions s'accomplissent : ils vivent,
      ceux qui sont couchés sous la terre !
      En paiement de leur sang versé,
  les victimes prennent le sang des assassins.

LE CORYPHÉE. — Mais voici les exécuteurs : leur main est rouge et ruisselle de la première offrande qu'ils consacrent pour Arès, et je ne saurais les en blâmer.

ÉLECTRE. — Eh bien, Oreste ?

ORESTE. — Tout est à souhait dans la maison, si Apollon ne nous a point trompés.

ELECTRE. — La malheureuse est donc morte?

ORESTE. — Ne crains plus de ta mère ni arrogance ni affronts.

ELECTRE . . . .

ORESTE . . . .

LE CHŒUR.
Taisez-vous ; j'aperçois Egisthe... Oui, c'est bien lui.

ORESTE . . . .

ELECTRE. — Mes petits, de grâce, dissimulez-vous à l'écart!

ORESTE. — Apercevez-vous notre homme?

ELECTRE. — Oui, tout près, du côté du faubourg; il s'avance d'un air réjoui.

LE CHŒUR.
Reculez jusqu'au vestibule en toute hâte ;
le succès à vous : faites coup double.

ORESTE. — N'aie crainte. Nous en viendrons à bout.

ELECTRE. — Si ton plan est prêt, à l'ouvrage!

ORESTE. — Nous entrons.

ELECTRE. — Je me charge du dehors.

LE CHŒUR.
Peut-être convient-il d'adresser à notre homme
un compliment de bienvenue,
pour que, sans méfiance, il tombe et se débatte
dans les filets de la justice.

EGISTHE (*arrivant*). — L'une de vous sait-elle où sont ces Phocidiens qui sont venus, m'a-t-on dit, annoncer qu'Oreste a péri dans un accident de char? Réponds, toi qui faisais l'arrogante, hier encore. Réponds donc! Il me semble que ce malheur t'intéresse d'assez près pour que tu en sois informée.

ELECTRE. — Quelle apparence du contraire, touchant ce que j'ai de plus cher au monde?

EGISTHE. — Eh bien, où sont-ils, ces étrangers? Apprends-le-moi.

ELECTRE. — Au palais. On les a reçus en amis.

EGISTHE. — Est-il certain qu'ils ont annoncé cette mort?

ELECTRE. — Ils en ont même apporté la preuve.

EGISTHE. — Puis-je m'en assurer par mes yeux?

ELECTRE. — Tu le peux. Mais le spectacle fait pitié.

EGISTHE. — Allons donc! tu n'as guère accoutumé de me dire des choses qui me fassent autant de plaisir.

ÉLECTRE. — Réjouis-toi, si tu trouves là un sujet de joie.

EGISTHE. — Faites silence, et que la grande porte soit ouverte, afin que Mycéniens et Argiens constatent le décès. S'il en est, se berçant de vains espoirs, qui s'inquiétaient encore du prince, que la vue de son cadavre les soumette à mon frein, sans attendre que le châtiment les assagisse malgré eux.

ÉLECTRE. — Pour ma part, c'est déjà fait. Avec le temps, je suis devenue raisonnable; j'ai appris à ne pas contrarier les puissants.

(La porte s'ouvre. On voit Oreste et Pylade debout près d'un gisant recouvert d'un voile.)

EGISTHE. — O Zeus, ce que je vois ici — n'en sois pas jaloux — c'est du bonheur pour moi. Si je dois encourir ta colère, je n'ai rien dit! Ôtez le voile qui me cache le mort, afin que je m'acquitte à mon tour des gémissements dus à la parenté.

ORESTE. — Soulève-le toi-même. Il t'appartient plus qu'à moi de contempler ces restes et de les saluer tendrement.

EGISTHE. — Le conseil est bon : je le suivrai. Cependant, appelle Clytemnestre. Elle doit être quelque part dans le palais.

ORESTE *(dévoilant le cadavre)*. — Elle est près de toi : ne la cherche plus ailleurs.

EGISTHE. — Malheur à moi! Que vois-je?

ORESTE. — De qui as-tu peur? Ces traits te sont-ils inconnus?

EGISTHE. — Dans quel piège suis-je tombé? Malheur!

ORESTE. — N'as-tu pas encore compris que tu t'adresses à un mort vivant?

EGISTHE. — Malheur à moi... Oreste! Sans nul doute, c'est lui qui me parle.

ORESTE. — Bien deviné. Mais tu y as mis le temps.

EGISTHE. — Je suis perdu. De grâce, un mot, un simple mot.

ÉLECTRE. — Au nom des dieux, ne le laisse plus parler, frère, ne le laisse pas gagner du temps. Au criminel qui doit mourir, à quoi sert un délai? Tue-le vite, et abandonne son cadavre aux fossoyeurs qu'il mérite [141], loin de nos regards. Alors je respirerai, délivrée enfin de mes maux.

ORESTE *(à Egisthe)*. — Hâte-toi d'entrer. Il ne s'agit pas d'une joute oratoire : ta vie est en jeu.

EGISTHE. — Pourquoi me pousses-tu dans le palais ?
Quoi ! pour faire justice, tu cherches les ténèbres ? Ton
bras n'est-il pas prêt ?

ORESTE. — Ne parle plus en maître. Marche jusqu'à la
place où tu as tué mon père : c'est là que tu vas mourir.

EGISTHE. — Fallait-il donc que cette demeure fût
témoin des malheurs présents et futurs des Pélopides ?

ORESTE. — Elle verra du moins le tien, je te le prédis
à coup sûr.

EGISTHE. — Tu te prévaux d'un art où ton père n'a
guère brillé.

ORESTE. — Tu répliques, et le chemin ne se fait pas.
Marche.

EGISTHE. — Conduis-moi.

ORESTE. — Passe le premier.

EGISTHE. — As-tu peur que je ne t'échappe ?

ORESTE. — Non, mais je ne veux pas que tu meures à
ton gré. Je dois te réserver cette amertume. De quiconque
se croit au-dessus des lois, il faudrait faire justice par la
mort immédiate. On ne verrait pas tant de scélérats.

LE CORYPHÉE. — *O race d'Atrée, que tu as souffert,
que tu as peiné pour ta délivrance. A présent, par un sursaut
suprême, c'est fait.*

LES TRACHINIENNES

LES TRACHINIENNES [142]

PERSONNAGES

DÉJANIRE, LA NOURRICE, HYLLOS,
CHŒUR DE FEMMES TRACHINIENNES,
UN MESSAGER, LICHAS, HÉRACLÈS,
UN VIEILLARD.

Une place, à Trachis, devant le palais du roi Céyx.

PROLOGUE

DÉJANIRE. — C'est une sagesse vieille comme le monde qui dit que de toute vie mortelle il faut attendre le terme avant d'affirmer qu'elle fut heureuse ou malheureuse. Hélas! je n'ai pas besoin d'être allée chez Hadès pour savoir combien l'infortune aura pesé sur la mienne. J'habitais encore à Pleuron, dans le palais d'Œnée [143], mon père, lorsqu'un mariage se présenta pour moi tel qu'aucune femme d'Étolie n'en connut de plus affreux. Mon prétendant n'était autre que le fleuve Achélôos [144], et, pour demander ma main à mon père, il se rendait visible tour à tour sous la forme d'un taureau, d'un dragon aux replis chatoyants et d'un homme à tête de bœuf, dont le menton touffu laissait jaillir des fontaines d'eau vive! Pourvue d'un tel prétendant, pauvre fille que j'étais! je n'avais qu'un désir : être morte avant le jour de mes noces! Quelque temps après, par bonheur, survint l'illustre fils de Zeus et d'Alcmène [145]. Il provoque l'autre en combat singulier et me délivre. Les phases de ce combat, que ceux-là les retracent qui les ont suivies de sang-froid : je n'ai rien vu. J'étais assise, éperdue, tremblant que ma beauté ne fît mon malheur. Enfin, Zeus arbitre nous accorda une heureuse issue. Mais dois-je dire heureuse?

Depuis le jour que sa victoire m'unit à Héraclès, je nourris crainte sur crainte, je vis à cause de lui dans une anxiété continuelle, et d'une nuit à l'autre les chagrins succèdent aux chagrins. Je lui ai donné des enfants; mais, comme un cultivateur qui possède un champ éloigné ne le visite qu'une fois pour les semailles, une fois pour la moisson, ainsi l'existence que mène mon mari le rend à son foyer et l'en éloigne sans cesse pour courir au service d'autrui. Aujourd'hui encore, bien qu'il ait glorieusement achevé ses fameux travaux, je tremble plus que jamais. Depuis qu'il a tué Iphitos [146], nous vivons en exil à Trachis [147], où l'on nous offre l'hospitalité; car Héraclès est parti, nul ne sait où. Je sais seulement que son absence me plonge en d'amères inquiétudes. Je suis presque certaine qu'il traverse quelque dure épreuve : voilà quinze mois qu'il n'a pas donné de ses nouvelles. Oui, il traverse quelque épreuve périlleuse. Je pense aux tablettes qu'il m'a laissées en partant, et dont je demande souvent aux dieux qu'elles ne me portent pas malheur.

LA NOURRICE. — Déjanire, ma maîtresse, que de fois je t'aurai vue tout en larmes te lamenter sur l'absence d'Héraclès! Mais, voyons, s'il est permis à l'esclave de donner des conseils aux personnes libres, laisse-moi dire mon mot sur tes affaires. Tu as plusieurs enfants; pourquoi n'enverrais-tu pas l'un d'eux à la recherche de ton mari? Hyllos me paraît tout désigné, pour peu que le bonheur de son père lui tienne à cœur. Le voici justement qui accourt... Si mon idée te semble bonne, il t'apporte l'occasion de la mettre à profit.

(Paraît Hyllos.)

DÉJANIRE. — Mon enfant, mon fils, les humbles sont quelquefois bien inspirés. Vois cette esclave : elle vient de montrer un jugement digne d'une femme libre.

HYLLOS. — Comment cela? Puis-je apprendre de quoi il s'agit, mère?

DÉJANIRE. — Elle dit que l'absence de ton père s'éternise et qu'un bon fils devrait s'inquiéter de savoir où il est.

HYLLOS. — Mais je sais où il est, du moins s'il en faut croire les bruits qui courent.

DÉJANIRE. — Et où dit-on qu'il séjourne, mon enfant?

HYLLOS. — Toute l'année passée, il aurait travaillé aux gages d'une Lydienne [148].

DÉJANIRE. — S'il s'est plié à pareille épreuve, à quoi ne faut-il pas s'attendre!

HYLLOS. — Il aurait repris sa liberté, à ce que l'on rapporte.

DÉJANIRE. — Mais enfin, vivant ou mort, où dit-on qu'il est?

HYLLOS. — En Eubée. Il assiège Eurytos dans sa capitale, ou se dispose à l'assiéger.

DÉJANIRE. — Tu ignores peut-être, mon enfant, qu'il m'a laissé des oracles certains au sujet de ce pays?

HYLLOS. — Lesquels, mère? Je ne sais de quoi tu veux parler.

DÉJANIRE. — Ou bien il périra au cours de cette campagne, ou bien sa victoire doit lui assurer une vieillesse paisible. Lorsque sa destinée est dans la balance, mon enfant, ne lui viendras-tu pas en aide? Notre salut est lié à sa vie; sa perte entraînerait la nôtre.

HYLLOS. — J'irai donc, mère. Que ne m'a-t-on instruit de ces oracles? Je l'aurais rejoint depuis longtemps. A vrai dire, sa fortune fidèle ne nous donnait guère lieu de trembler pour lui ni de craindre pour nous; mais aujourd'hui, mes yeux s'ouvrent, et je ne négligerai rien pour savoir exactement ce qu'il en est.

DÉJANIRE. — Va, mon fils. Arriverais-tu après coup, apprendre une bonne nouvelle n'est jamais perdre son temps.

(Sort Hyllos Entrée du Chœur.)

CHANT DU CHŒUR

O toi que dans son agonie enfante la nuit diaprée
et qu'elle endort sur un lit flamboyant,
Hélios, Hélios, c'est toi que j'interroge :
Où est, dis-moi, le fils d'Alcmène ?
Où peut-il séjourner, dis-moi,
ô foyer de rayons splendides !
Est-ce en quelque île [149] *des détroits ? Sur l'un ou l'autre*
Dis-le-moi, tout-puissant regard !   *[continent* [150] *?*

Car, dans son cœur inassouvi, cette Déjanire, naguère
si chèrement disputée, on m'apprend
que, pareille à quelque oiseau en détresse,
elle nourrit de pleurs ses yeux insatiables,
de l'absent toujours occupée et toute à son anxiété,
et qu'elle se morfond sur sa couche déserte,
sans attendre du sort, hélas ! que des disgrâces.

Souventes fois, lorsque, sans trêve,
vont s'acharnant ou Notos ou Borée,
ainsi qu'on voit les vagues, sur la mer,
les unes recouvrant les autres, accourir,
de même le héros Thébain[151] d'épreuves chaque jour plus rudes
autant que par les flots de Crète est secoué !
Mais toujours un des dieux empêche
que sans retour il ne se perde chez Hadès[152].

Soit dit sans te blesser, ce trop d'inquiétude,
je ne l'approuve pas.
Je dis qu'il ne faut pas toujours décourager ton espérance.
De sort affranchi des douleurs,
jamais le roi tout-puissant, le fils de Cronos lui-même
n'en assigne aux mortels ;
mais la joie et la peine alternent pour chacun,
comme en leur parcours circulaire passent les étoiles de l'Ourse.
Rien n'est constant pour les mortels, ni la nuit d'astres dia-
*   ni les revers, ni la richesse ;   [prée,*
brusquement, quittant l'un, de l'autre s'approchant,
ainsi va le bonheur, ainsi l'adversité.
O reine, fais de ces pensées
l'aliment de ton espérance...
Et qui donc a jamais vu Zeus ne point veiller sur ses enfants ?

PREMIER ÉPISODE

DÉJANIRE. — On t'a sans doute appris ce qui me tourmente, puisque tu viens me voir. Ah ! puisses-tu ne
jamais l'éprouver, la souffrance qui me ronge, toi qui ne
sais pas encore ce que c'est ! La jeunesse a ses parcs où elle
pâture[153] à l'abri du grand soleil, de la pluie et des vents ;
elle croît, paisible, au sein des plaisirs, jusqu'à l'âge où la
jeune fille prend le nom de femme et perd en une seule
nuit son insouciance. Dès lors elle ne cessera plus de
trembler pour un mari ou pour des enfants. Il faut avoir
soi-même passé par là pour comprendre les maux qui
m'oppressent. J'ai beaucoup souffert, déjà, beaucoup
pleuré, mais ce n'était rien auprès d'aujourd'hui. Tu vas
en juger. La dernière fois qu'Héraclès, mon seigneur,
a quitté la maison, il m'a laissé une tablette où il avait écrit
autrefois ses dernières volontés. Souvent il était parti
pour le péril, mais il n'avait pas cru devoir encore me la
remettre, car jamais il ne doutait ni de son succès ni de

son retour. Cette fois-ci, comme s'il n'était déjà plus, il m'expliqua quels biens me revenaient à titre d'épouse et comment il entendait partager ses possessions entre ses enfants. Il ajouta que son absence durerait un an et trois mois, ce délai devant marquer le terme soit de ses jours, soit de ses maux. Telle est, m'expliquait-il, la fin assignée par les dieux aux travaux d'Héraclès : par la voix des deux tourterelles, le vieux chêne dodonéen l'avait jadis prophétisée [154]. Or le temps marqué est venu. Dans quel sens les destins vont-ils s'accomplir ? A peine goûtais-je un peu de sommeil que l'anxiété m'a chassée du lit : s'il me fallait demeurer veuve du plus noble des êtres !

LE CORYPHÉE. — Fais trêve à tes paroles : je vois un homme s'avancer, — un porteur de bonne nouvelle, si j'en crois, sur son front, cette couronne.

UN MESSAGER *(accourant)*. — Déjanire, ma maîtresse, j'arrive le premier pour dissiper tes inquiétudes. Sache que le fils d'Alcmène est vivant et qu'il est vainqueur. Il consacre aux dieux indigènes des prémices [155] qu'il rapporte du combat.

DÉJANIRE. — Quel discours me tiens-tu là, vieillard ?

LE MESSAGER. — Bientôt, l'époux tant désiré franchira ce seuil, dans tout l'éclat de sa force victorieuse.

DÉJANIRE. — De qui tiens-tu cela ? D'un homme du pays, ou d'un étranger ?

LE MESSAGER. — Au milieu d'un pré à bœufs, toute une foule se presse autour du courrier Lichas qui annonce la nouvelle. Dès que je l'ai sue, je n'ai fait qu'un bond jusqu'ici. Je voulais être bon premier à te l'apprendre, pensant que je trouverais mon profit à t'avoir fait plaisir.

DÉJANIRE. — Mais Lichas, pourquoi n'est-il pas venu lui-même, s'il apporte une bonne nouvelle ?

LE MESSAGER. — C'est qu'il n'avance pas comme il veut, femme. Tout le peuple Malien est là autour de lui à le questionner, tant qu'il ne peut plus mettre un pied devant l'autre. Chacun brûle de savoir, et les curieux ne le laissent point partir qu'il ne les ait satisfaits. C'est ainsi, malgré lui, qu'il s'attarde au gré des gens. Mais patience : tu vas le voir bientôt paraître en personne.

DÉJANIRE. — O Zeus, seigneur des prairies vierges de l'Œta [156], enfin tu nous as donné, après si longtemps, une joie ! Chantez, femmes ; sous le toit, sous le ciel, chantez l'apparition de la bonne nouvelle que je n'espérais plus.

CHANT DU CHŒUR

Eclatez, cris joyeux de nos filles nubiles,
*   dans la maison, près du foyer !*
*   Eclatez à l'unisson,*
*   clameur des mâles, en l'honneur*
du dieu au beau carquois, Apollon tutélaire !
*   Et vous, et vous, les jeunes filles,*
*   entonnez aussi le péan* [157]
pour saluer à pleine voix la sœur du dieu,
*   Artémis d'Ortygie* [158],
qui court le cerf et brandit dans chaque main une torche,
*   et célébrez les nymphes nos voisines !*
*   Le son des flûtes me soulève :*
je m'abandonne à vous, rythmes impériaux !
*   Voici, voici que m'excite et me trouble*
*   évohé ! évohé !*
le lierre qui m'invite à la grisante lutte !
*   Iô ! iô ! péan !...*

*   Mais vois, ma reine bien-aimée,*
vois ce cortège qui vers nous tourne sa proue...
*   Le voici devant toi. Regarde.*

(Entre Lichas, conduisant les captives.)

DEUXIÈME ÉPISODE

DÉJANIRE. — Je le vois, mes amies, ce cortège ; il n'a pas échappé à mes yeux qui le guettaient. Salut au courrier si longtemps attendu, s'il m'apporte un message de joie.

LICHAS. — Oui, nous arrivons sous d'heureux auspices, et tes paroles de bon accueil, femme, conviennent à l'objet de notre mission : comment ne ferais-tu pas fête aux succès de ton mari ?

DÉJANIRE. — O le plus cher des hommes, apprends-moi d'abord ce que je désire savoir avant tout : recevrai-je ici Héraclès vivant ?

LICHAS. — Je l'ai quitté plein de force et de vie, tout florissant, ne souffrant d'aucun mal.

DÉJANIRE. — Mais en quel endroit de la terre ? En pays grec ? à l'étranger ? Parle.

LICHAS. — Il y a en Eubée un promontoire [159] où il

consacre à Zeus Cénéen des autels et des offrandes de fruits.

DÉJANIRE. — Pour s'acquitter d'un vœu ou sur l'ordre d'un oracle ?

LICHAS. — C'est un vœu qu'il avait fait, le jour qu'il conquit et ravagea le pays de ces femmes que tu vois.

DÉJANIRE. — Ces femmes, au nom des dieux, à qui sont-elles ? Et qui sont-elles ? Elles sont dignes de pitié, si leur détresse ne m'abuse.

LICHAS. — Quand il eut pillé la capitale du roi Eurytos, Héraclès les réserva pour sa part et pour les dieux.

DÉJANIRE. — A-t-il donc passé au siège de cette ville tout le temps de son interminable absence ?

LICHAS. — Nullement. Durant presque toute cette période, il fut retenu en Lydie. Il ne fait point mystère qu'il y avait été vendu comme esclave. Ce récit ne doit point éveiller la jalousie dans ton cœur, femme, car Zeus a tout conduit manifestement. Héraclès passa donc toute une année auprès d'Omphale, l'étrangère qui l'avait acheté. Il ne s'en cache point. Cependant il ressentait vivement cet affront, et il se jura de réduire un jour en esclavage l'auteur de ses disgrâces, ainsi que le fils et la femme de ce prince. Il a tenu parole. Dès qu'il se fut purifié [160], il rassembla une armée d'étrangers et marcha sur la ville où régnait Eurytos [161] — car c'est à ce roi très précisément qu'il imputait son humiliation. Recevant Héraclès à son foyer, le perfide, au mépris de l'hospitalité qui les unissait de longue date, ne l'avait-il pas harcelé de ses insultes ? « Avec ses flèches inévitables, disait-il, il est moins bon tireur que mes enfants ! On sait de reste qu'il n'est qu'un esclave qui courbe le dos sous les brimades. » Et il l'avait chassé, un jour qu'après un bon dîner il l'avait trouvé dans les vapeurs du vin. Mon maître lui en garda rancune. A quelque temps de là, sur la hauteur de Tirynthe, Iphitos était allé à la recherche de ses chevaux nomades [162]. Comme le jeune homme marchait, l'œil et la pensée occupés ailleurs, Héraclès le précipita du haut de la muraille rocheuse. Et voilà pourquoi, dans son courroux, Zeus Olympien, père de tous les êtres, exila son fils et le fit vendre comme esclave : ce qu'il ne lui pardonnait pas, c'était d'avoir, fût-ce une fois, tué un homme en traître. S'il avait pris sa vengeance ouvertement, Zeus ne lui en eût pas tenu rigueur, puisqu'il était dans son droit : pas plus que nous les divinités ne tolèrent les outrages. Aussi bien ces vantards à la langue pernicieuse, les voici à leur tour domiciliés chez Hadès, et leur pays est réduit en servitude. Quant à ces femmes sur qui s'attache ton regard, la route qui va du bonheur à l'infortune les a conduites vers toi : ainsi l'a voulu ton mari, dont j'exécute les ordres en serviteur fidèle. Dès qu'il aura consacré à Zeus paternel des victimes sans tache pour la prise de la ville, tu peux t'attendre à le voir paraître. De cette longue et belle histoire, n'est-ce pas là le plus agréable à entendre ?

Le Coryphée. — Reine, à ce beau spectacle, à ce beau récit, ne crains plus de te réjouir !

Déjanire. — Oui, comment ne me réjouirais-je pas en apprenant cette heureuse fortune de mon époux ? Rien n'est plus légitime, et ma joie répond naturellement au bonheur de ses armes. Cependant, à bien voir les choses, on ne peut s'empêcher de craindre que l'homme heureux ne fasse un jour quelque faux pas. Pour tout dire, une étrange pitié me pénètre, mes amies, à la vue de ces captives qu'un destin cruel jette errantes sur la terre d'exil, orphelines sans foyer, et qui, étant nées libres apparemment, n'ont plus devant elles qu'une vie d'esclavage. O Zeus tutélaire, épargne tes rigueurs à ceux de mon sang — ou attends, pour les frapper, que je ne sois plus là pour le voir ! Tant le spectacle de ces jeunes femmes m'inspire d'appréhensions. Dis-moi, infortunée, mêlée à ces jeunesses, qui es-tu ? Es-tu fille ou as-tu déjà des enfants ? Tu ne parais pas familiarisée avec toutes ces misères. Tu dois être de noble maison, en tout cas. Lichas, de quelle famille est-elle issue ? Quels sont ses parents ? Ne me cache rien. Entre toutes les autres, elle éveille mon intérêt, quand je la considère, car elle est la seule qui porte fièrement sa disgrâce.

Lichas. — Qu'en sais-je, moi ? A quoi bon m'interroger là-dessus ? Je pense qu'elle appartient à l'une des meilleures familles du pays.

Déjanire. — A la famille royale, peut-être ? N'y avait-il pas une fille d'Eurytos ?

Lichas. — Je l'ignore. Je n'ai pas cherché à en savoir si long.

Déjanire. — N'as-tu pas même appris son nom par une de ses compagnes ?

Lichas. — Non, j'ai accompli ma mission en silence.

Déjanire. — Tu peux te confier à moi, pauvre jeune femme. Tu ne peux qu'aggraver ton malheur en nous cachant qui tu es.

LICHAS. — Elle aura bien changé si sa langue se délie; un mot, elle n'a pas proféré un seul mot! Gardant renfermée dans son sein la douleur qui l'oppresse, elle n'a cessé de pleurer, la malheureuse, depuis qu'elle a quitté sa patrie dévastée. Certes, elle subit un triste sort, et cela dispose en sa faveur.

DÉJANIRE. — Eh bien, laissons-la tranquille. Qu'on la conduise dans le palais, et qu'elle y soit bien traitée, car je ne veux pas ajouter à ses maux en irritant son chagrin : c'est assez de ce qu'elle souffre. D'ailleurs, il est temps que nous rentrions, les uns et les autres. Toi, je te donne congé pendant que je prépare tout ce qu'il faut dans la maison.

(Les captives entrent dans le palais.)

LE MESSAGER *(à Déjanire.)* — S'il te plaît, demeure quelques instants : je voudrais, loin de ces gens-là, t'apprendre qui tu introduis chez toi et te découvrir tout ce qu'on t'a dissimulé. Cela t'importe à connaître, et je sais le fin mot de la chose.

DÉJANIRE. — Qu'y a-t-il qui vaille que tu m'arrêtes?

LE MESSAGER. — Suspens tes pas; prête l'oreille. Si, tout à l'heure, tu n'as pas perdu ton temps à m'écouter, cette fois-ci non plus, je pense.

DÉJANIRE. — Rappellerons-nous nos gens, ou préfères-tu me parler en présence de ces femmes seulement?

LE MESSAGER. — Celles-ci ne nous gênent point, mais laisse les autres où ils sont.

DÉJANIRE. — Eh bien, ils sont partis, explique-toi donc.

LE MESSAGER. — Cet homme n'a point dit la vérité. Ou il vient de mentir devant toi, ou son premier récit n'était que mensonge.

DÉJANIRE. — Comment cela? Ne me cache rien de ta pensée. Je ne comprends pas ce que tu insinues.

LE MESSAGER. — J'ai parfaitement entendu Lichas raconter devant la foule attroupée que ton mari n'a écrasé Eurytos en sa ville forte d'Œchalie que pour s'emparer de la jeune femme. Nul autre dieu qu'Erôs [163] ne l'a entraîné dans cette guerre, et ni les Lydiens, ni le servage auprès d'Omphale, ni le meurtre d'Iphitos n'y sont pour rien. En oubliant de parler d'Erôs, Lichas fait signifier tout autre chose à son récit! La vérité, c'est qu'Héraclès ne put décider le père à lui donner sa fille pour partager sa couche en secret. C'est pourquoi, ayant forgé un vague prétexte, il attaque la patrie de la jeune femme — je veux dire le royaume d'Eurytos, dont a parlé Lichas —, tue le roi et met à sac sa capitale. Et tu vois qu'aujourd'hui il s'est fait précéder par sa captive, bien résolu qu'il est, femme, à la traiter autrement qu'en esclave [164]. Ne te fais aucune illusion : il brûle pour elle. J'ai cru devoir, maîtresse, te rapporter les choses telles que je les ai entendues de la bouche de Lichas, tandis qu'autour de moi, sur la place, toute la ville écoutait son récit; c'est de quoi le confondre, je pense! Si ces nouvelles te chagrinent, j'en suis fâché, mais j'ai rétabli la vérité.

DÉJANIRE. — Hélas! Je ne sais plus où j'en suis. Quel sujet d'affliction j'ai introduit sans le savoir sous mon toit! Malheureuse! Mais dis-moi, son nom est-il inconnu, comme le jurait le courrier?

LE MESSAGER. — Son origine la distingue autant que sa beauté. C'est la fille du roi Eurytos; elle se nomme Iole. De sa naissance, Lichas ne t'a rien dit; trop discret pour la questionner, bien sûr!

LE CORYPHÉE. — Périssent, je ne dis pas tous les méchants, mais ceux qui se déshonorent par une dissimulation criminelle!

DÉJANIRE. — Que faire, mes amies? Ce que je viens d'entendre me laisse désemparée.

LE CORYPHÉE. — Rentre donc et interroge le courrier. Il ne dissimulerait plus longtemps, si tu voulais le contraindre à répondre.

DÉJANIRE. — Oui, je vais y aller; tu as raison.

LE CORYPHÉE. — Et nous, resterons-nous ici? Que devons-nous faire?

DÉJANIRE. — Reste. Sans qu'il soit besoin de l'appeler, voici notre homme qui sort du palais.

LICHAS. — Femme, n'as-tu point un message à me confier pour Héraclès? Tu me vois sur mon départ.

DÉJANIRE. — Eh quoi! si longtemps attendu, tu t'enfuis déjà? J'ai encore des questions à te poser.

LICHAS. — S'il y a des détails dont tu es curieuse, je suis à tes ordres.

DÉJANIRE. — Peux-tu me garantir que tu dis la vérité?

LICHAS. — Le grand Zeus m'en soit témoin, j'ai dit ce que je sais.

DÉJANIRE. — Qui est cette femme que tu as amenée [165]?

LICHAS. — Une Eubéenne. Quant à ses parents, je ne saurais rien dire.

LE MESSAGER. — Holà, l'homme! Regarde un peu de ce côté. A qui crois-tu que tu t'adresses?

LICHAS. — Et toi, donc, où veux-tu en venir ?

LE MESSAGER. — N'esquive pas ma question, si tu sais ce que parler veut dire.

LICHAS. — Selon toute apparence, je m'adresse à la reine Déjanire, fille d'Œnée, épouse d'Héraclès, et je suis à son service.

LE MESSAGER. — C'est cela justement que je voulais entendre : tu es son serviteur, dis-tu ?

LICHAS. — N'est-ce pas la vérité ?

LE MESSAGER. — Quelle punition penses-tu mériter, alors, si tu es pris à mentir ?

LICHAS. — Mentir, moi ? Que signifie cette fable ?

LE MESSAGER. — Pour une fable, c'est toi qui viens d'en inventer une.

LICHAS. — Je te quitte la place. Je suis sot de perdre mon temps à t'écouter.

LE MESSAGER. — Réponds d'abord à une simple question.

LICHAS. — Questionne, puisque tu en as envie ; mais tu es un fieffé bavard.

LE MESSAGER. — La captive que tu as amenée... Là, tu sais qui je veux dire ?

LICHAS. — Oui. Eh bien ?

LE MESSAGER. — N'as-tu pas déclaré que cette prisonnière, que tu feins de ne pas reconnaître, n'était autre qu'Iole, la fille d'Eurytos ?

LICHAS. — Devant qui ai-je dit cela ? Cite un seul témoin qui m'ait entendu.

LE MESSAGER. — Je puis en citer beaucoup : sur la grand'place de Trachis, toute une foule t'écoutait.

LICHAS. — Je disais qu'on me l'avait dit. Se faire l'écho d'un bruit et donner pour certain, cela fait deux.

LE MESSAGER. — Un bruit ? N'as-tu pas assuré sous la foi du serment que c'est une épouse que tu amenais là pour Héraclès ?

LICHAS. — Moi, j'ai dit une épouse ? Par les dieux, chère maîtresse, qui est cet inconnu ?

LE MESSAGER. — Quelqu'un qui t'a bel et bien ouï conter comment, pour l'amour de cette jeune fille, tout un pays fut mis sous le joug, sans que sa ruine fût imputable à la Lydienne, mais bien — de toute évidence — à cette passion.

LICHAS. — Maîtresse, renvoie-le. Quelle absurdité de prêter attention à des radotages !

DÉJANIRE. — Par Zeus qui lance des éclairs sur les

hautes futaies de l'Œta! — ne me cache rien. Celle à qui
tu t'adresses est une femme raisonnable, qui connaît la
vie et l'inconstance de notre nature. Porter un défi à
Erôs, comme un pugiliste, cela a-t-il le sens commun ?
Erôs règne sur les dieux à sa fantaisie ; il règne sur moi ;
pourquoi ne régnerait-il pas sur d'autres femmes ? Que
mon mari soit vulnérable à ses traits, lui aussi, je serais
bien folle de lui en faire grief ; et ce n'est pas non plus la
faute de cette femme, car elle n'a voulu ni m'outrager
ni me nuire. Que tu me connais mal ! [166] Si c'est mon
mari qui te souffle ces mensonges, il t'enseigne là une
vilaine science ; si tu as suivi ta propre inspiration, tu
croyais peut-être bien faire, mais il n'est pas douteux que
tu as mal agi. Allons, dis toute la vérité. Le nom de men-
teur déshonore un homme libre. D'ailleurs, tu ne peux
plus nous donner le change : trop de gens ont entendu
ton récit, qui pourront me le répéter. Est-ce la peur qui
te retient ? Alors tu trembles mal à propos, car rien ne
peut m'être plus pénible que l'incertitude. Et qu'y a-t-il
d'effrayant pour moi à savoir ? Comme si Héraclès n'en
avait pas déjà épousé beaucoup d'autres ! En est-il une
seule qui ait eu à souffrir de ma part une parole aigre,
un affront ? Vois-tu, quand elle se consumerait d'amour
pour lui, cette fille a ému ma pitié dès que je l'ai vue,
triste victime de sa beauté et cause involontaire de ruine
et d'esclavage pour sa patrie [167]. Allons, il faut laisser les
choses suivre leur cours. Seulement, je t'en avertis :
n'essaie pas de jouer au plus fin avec moi.

LE CORYPHÉE. — Elle a raison ; écoute-la. Tu n'auras
pas à le lui reprocher plus tard, et moi je t'en saurai gré.

LICHAS. — Ma chère maîtresse, puisque je vois que,
mortelle, tu te résignes sagement aux disgrâces des
mortels, je te découvrirai toute la vérité. Il en est bien
comme le dit cet homme : Héraclès, un jour, fut pénétré
d'un terrible désir pour la jeune femme ; à cause d'elle
fut consommée la ruine d'Œchalie, sa ville natale. Mais
il faut dire aussi ce qui fait honneur à ton mari : jamais
il ne m'a demandé de te rien cacher, jamais il n'a nié
le fait. C'est moi, maîtresse, craignant de t'affliger,
c'est moi seul qui suis fautif, si tu vois là une faute. Maintenant, tu sais tout. Songe au bonheur de ton mari en
même temps qu'au tien : ne hais point cette femme ; ne
renie pas les bonnes paroles que tu lui as dites. Partout
ailleurs invincible, le héros cède en toutes choses à
l'amour qu'il a pour elle.

DÉJANIRE. — Tu nous donnes un avis conforme à notre dessein. Nous n'attirerons pas sur nous le malheur en bataillant sans espoir contre les dieux. Rentrons à la maison : tu emporteras un message écrit, avec les présents par lesquels je me dois de répondre à ceux que j'ai reçus. Il ne convient pas, ayant conduit jusqu'ici ce beau cortège [168], que tu repartes les mains vides.

CHANT DU CHŒUR

Quelle force montre Cypris en chacune de ses victoires !
         Pour les dieux je n'en dis rien,
et comment elle séduisit le fils de Cronos, je le tais,
         et Hadès, prince de la nuit,
         et Posidon qui fait trembler la terre.
Mais je dirai, pour la main de notre princesse,
         quels prétendants en champ clos s'affrontèrent
            et comment, égaux en vigueur,
dans un nuage de coups et de poussière ils luttaient.

         L'un était un puissant fleuve,
sous la quadrupède apparence d'un taureau haut encorné,
Achelôos, venu d'Œniades [169] ; et l'autre
         de la bachique Thèbes [170] accouru,
         brandissant l'arc nerveux à la détente [171],
            et ses piques, et sa massue,
c'était le fils de Zeus. Ensemble,
ils bondirent en lice, impétueux rivaux,
et, seule arbitre du combat, comme de l'amoureuse joute,
         siégeait Cypris, la baguette à la main [172].

Alors ce furent des chocs sourds de poings, de flèches,
         de cornes, dans la mêlée,
            les corps s'entrechevauchant
l'un à l'autre liés, les heurts mortels
         des fronts, les deux haleines gémissantes...
Et la tendre beauté, sur la terrasse,
         contemplant de loin le spectacle,
était assise, attendant un époux...

         . . . .

         Fiancée au vainqueur promise,
touchante en sa tristesse, elle attendait...
Et soudain la voici enlevée à sa mère,
         telle une génisse égarée !

TROISIÈME ÉPISODE

DÉJANIRE. — Mes amies, tandis que le courrier cause avec les jeunes captives en attendant son départ, je suis venue vous retrouver ici sans éveiller l'attention. Je veux vous découvrir ce que j'ai préparé de mes mains et vous faire les confidentes de mon triste sort. Cette jeune fille (ou plutôt, je pense, cette jeune femme), on me l'impose donc, comme on donne l'ordre à un marin d'embarquer une charge suspecte, et c'est là tout le prix de ma tendresse : être deux, désormais, côte à côte, à attendre l'époux! Oui, c'est ainsi qu'Héraclès, à mes yeux la loyauté, la vertu mêmes, me remercie d'avoir si longtemps gardé son foyer! Oh! je ne vais pas m'irriter contre lui, car il souffre là d'un mal qui le met souvent à l'épreuve. Cependant, vivre sous le même toit qu'une rivale, partager avec elle son mari, quelle femme s'y résoudrait ? Je vois cette jeunesse fraîche éclose et la mienne près de se faner. Le regard de l'homme cueille avidement la fleur nouvelle; il se détourne des autres... Je crains qu'Héraclès n'ait plus de mon époux que le nom : à la plus jeune tout l'amour! Malgré tout, je le répète, pour une femme intelligente, c'est une faute que de céder à la colère. J'ai trouvé, mes amies, un autre remède à mon chagrin, et vous allez le connaître. Je conservais, renfermé dans un coffret d'airain, un présent que m'avait fait autrefois le Centaure Nessos [173]. J'étais encore presque une enfant lorsque, mortellement blessé, le vieux monstre au poitrail crêpu m'en fit don. D'un bord à l'autre du fleuve Evénos, au cours profond, sans s'aider de rames ni de voiles, il gagnait sa vie en passant à bras les voyageurs. Je faisais alors mon premier voyage avec Héraclès, le jeune époux que mon père m'avait choisi. Le Centaure me prend sur son dos, mais voilà qu'au milieu du passage l'insolent ose porter les mains sur moi. A mes cris, le fils de Zeus se retourne et lui décoche une flèche sifflante qui s'enfonce dans sa poitrine jusqu'au poumon. Le monstre agonisant peut à peine m'adresser quelques mots : « Fille du vieil Œnée, ô ma dernière passagère, cette aventure te portera bonheur si tu consens à m'écouter. Recueille du sang coagulé de ma blessure, mêlé au noir venin de l'hydre de Lerne [174] dont la flèche est imprégnée, et tu posséderas un charme d'amour si puissant sur l'esprit d'Héraclès que jamais il ne chérira aucune femme plus que toi. » Depuis sa mort, mes amies, je conservais à la maison ce présent soigneusement enfermé. L'idée m'est venue d'en teindre une tunique en suivant les instructions du moribond. C'est chose faite. Loin de moi les audaces perfides; puissé-je n'en être jamais capable! Les femmes qui le sont me font horreur. Si seulement, par l'effet de ce philtre, j'éclipsais ma jeune rivale en jetant un charme sur Héraclès, j'aurais atteint mon but. Trouvez-vous mon projet raisonnable? Sinon, je l'abandonnerai.

LE CORYPHÉE. — Si tu es fondée à croire que ce moyen peut réussir, l'idée ne m'en semble pas mauvaise.

DÉJANIRE. — Certes, j'ai confiance dans ce moyen, mais je ne peux rien affirmer avant d'avoir tenté l'épreuve.

LE CORYPHÉE. — Essaie donc. Il n'y a que l'expérience qui puisse t'apporter une certitude.

DÉJANIRE. — Nous serons bientôt fixées. J'aperçois Lichas devant la porte : il est déjà sur son départ. Vous, conservez bien mon secret, surtout! Ce qu'on garde pour soi, le mal comme le bien, ne risque pas d'être mal jugé.

LICHAS (sortant du palais). — Donne-moi tes instructions, fille d'Œnée. Il est grand temps que je parte.

DÉJANIRE. — J'y ai songé, Lichas, pendant que tu devisais avec ces étrangères. Je désire que tu emportes pour mon mari ce vêtement d'un tissu très léger; c'est un ouvrage de ma main. Quand tu le lui remettras, recommande-lui d'avoir soin que personne au monde ne s'en revête avant lui; qu'il ne l'expose ni aux feux du soleil, ni à la flamme d'un autel ou d'un foyer, jusqu'au jour où lui-même, en public, présidant à une immolation de taureaux, il se montrera aux dieux dans l'éclat de cette parure. J'avais promis, s'il me revenait sain et sauf ou que je ne pusse douter de son retour, de leur présenter un Héraclès brillant d'une beauté nouvelle dans sa tunique toute neuve de sacrificateur. Pour gage de tout ceci, tu auras mon sceau apposé sur la cassette : il le reconnaîtra tout de suite. Pars, il en est temps; et souviens-toi qu'un messager doit s'en tenir aux ordres qu'on lui donne. Si tu travailles à mériter mes bonnes grâces, jointes à celles de ton maître, ce sera pour toi double profit.

LICHAS. — Foi de messager sûr, digne élève de mon patron Hermès, ne crains point de ma part une fâcheuse surprise : en présentant le coffret dans l'état où je le reçois, j'y joindrai en garantie tes recommandations.

DÉJANIRE. — Je ne te retiens plus. Tu as vu, n'est-ce pas, comment vont toutes choses, à la maison ?

LICHAS. — J'ai constaté que l'ordre y règne, et je le dirai.

DÉJANIRE. — Tu as vu comment j'ai reçu l'étrangère, avec quelles marques d'amitié ?

LICHAS. — J'en ai moi-même été charmé autant que surpris.

DÉJANIRE. — Que peux-tu dire encore à ton maître ? Que je soupire après son retour ? J'aimerais à savoir d'abord si mes désirs sont partagés.

(Elle rentre dans le palais. Lichas sort.)

CHANT DU CHŒUR

O vous qui habitez devant la rade,
   près des rochers aux sources chaudes,
    sous les pics de l'Œta, et vous,
les riverains du golfe Maliaque
sur qui règne la chasseresse aux flèches d'or,
près des Portes [175], *où les Hellènes tiennent leur illustre*
                                        [assemblée,
de plus belle, chez vous, bientôt, va retentir
    la flûte aux sons mélodieux,
     non pour un chant lugubre,
mais pour fêter les dieux, émule de la lyre !
    Car il vole vers ses foyers,
    le fils de Zeus, le fils d'Alcmène,
    chargé du butin que lui vaut
    sa bravoure sans défaillance.

    Il errait, loin de sa patrie,
   et depuis douze mois nous l'attendions.
Sur quelles mers ? On ne sait trop... Mais cependant
     sa tendre et dolente épouse
     se rongeait de chagrin.
Enfin l'impétueux Arès l'a délivrée
    des jours d'épreuve !

    Qu'il arrive donc, qu'il arrive !
  Que son vaisseau, faisant force de rames,
sans relâcher, le conduise à bon port !

> *Laissant les autels de l'île,*
> *où l'on dit qu'il sacrifie,*
> *qu'il vienne enflammé de désir,*
> *le corps tout imprégné de ce charme d'amour*
> *dont le Centaure avait prédit merveilles !*

QUATRIÈME ÉPISODE

DÉJANIRE (*rentre*). — Ah! mes filles, qu'ai-je fait? J'ai bien peur d'être allée trop loin...

LE CORYPHÉE. — Qu'y a-t-il, Déjanire, fille d'Œnée?

DÉJANIRE. — Je ne sais, mais le cœur me manque. Si j'allais me découvrir criminelle, après les beaux espoirs dont je me berçais!

LE CORYPHÉE. — S'agit-il du présent que tu as envoyé à Héraclès?

DÉJANIRE. — Oui, et je ne conseillerais à personne de se lancer ainsi dans une aventure aussi aléatoire.

LE CORYPHÉE. — Si je puis la connaître, apprends-moi la cause de tes craintes.

DÉJANIRE. — Ce qui vient d'arriver, mes amies, va vous paraître incroyable. Le flocon de laine de brebis dont je m'étais servi pour oindre la blanche tunique, personne à la maison n'y a touché. Or il s'est recroquevillé, il s'est comme absorbé en lui-même, consumé, pulvérisé sur le dallage. Pour que tu comprennes comment la chose s'est produite, je vais te la décrire en détail. Je n'ai omis aucune des recommandations que m'avait faites le bestial Centaure, tandis que le torturait la pointe amère enfoncée dans son flanc; ma mémoire les conservait gravées comme sur une tablette d'airain. Or il m'avait prescrit, et c'est en somme ce que j'ai fait, de tenir le baume à l'abri du feu ou de tout rayon qui pût l'échauffer, ne l'exposant à la lumière du jour qu'à l'instant d'en faire l'application. Oui, c'est bien là ce que j'ai fait : ce moment venu, en grand secret, dans mon appartement, j'ai teint le tissu en me servant d'une touffe de laine; puis, toujours à l'abri du soleil, j'ai placé mon présent soigneusement plié dans le coffret de bois que vous avez vu. Or, tout à l'heure, en rentrant, j'ai constaté quelque chose d'étonnant, d'inexplicable. J'avais jeté sans y prendre garde le flocon de laine qui avait servi à l'onction, et il était tombé en plein soleil. Sous l'action de la chaleur, voilà qu'il se décomposait, se résorbait, se réduisait en poussière; on aurait dit de la sciure de bois. Et, à l'endroit où il avait touché le sol, se formait une écume grumeleuse, ainsi que s'écoule le moût épais exprimé d'une grappe mûre. Hélas! je ne sais plus que faire. J'ai commis une affreuse imprudence, c'est évident : en effet, quelles raisons la brute mourante aurait-elle eues de me vouloir du bien, périssant à cause de moi? Cela ne se pouvait. Ses paroles mielleuses n'étaient qu'un piège préparé pour son meurtrier. Je le comprends trop tard, quand le mal est fait. Moi seule, si mes craintes sont fondées, moi seule, malheureuse! j'aurai causé la mort d'Héraclès. La flèche qu'il a lancée sur Nessos, je sais qu'elle avait blessé Chiron [176], un être d'essence divine; de tous les animaux qu'elle atteint, aucun n'en réchappe. Comment le venin de cette flèche, mêlé au sang noir du monstre blessé, n'aura-t-il pas le même effet mortel sur mon mari? C'est inévitable, à mon sens. Aussi bien je suis résolue, s'il lui arrive malheur, à le suivre aussitôt dans la mort. Vivre en butte au mépris du monde, cela n'est pas supportable pour une femme quand elle met son honneur au-dessus de tout.

LE CORYPHÉE. — Certes, on tremblerait à moins, mais il ne faut pas d'avance condamner tout espoir.

DÉJANIRE. — Quand on a mal agi, on perd jusqu'à l'espoir qui donne du courage.

LE CORYPHÉE. — Devant les fautes involontaires, la rigueur des lois s'adoucit. Ton erreur est pardonnable.

DÉJANIRE. — Celui qui parle ainsi, c'est qu'il ne porte le poids d'aucune faute.

LE CORYPHÉE. — N'en dis pas davantage si tu ne veux rien révéler à ton fils. Il était parti à la recherche de son père et le voici de retour.

(Entre Hyllos.)

HYLLOS. — Ma mère, je ne sais ce que j'aimerais le mieux, ou te voir morte, ou qu'un autre t'appelât sa mère, ou que tu fusses revenue à des sentiments moins pernicieux.

DÉJANIRE. — Mon enfant, qu'as-tu contre moi?

HYLLOS. — Sache que ton mari — mon père, entends-tu bien? — tu viens de lui porter un coup mortel.

DÉJANIRE. — Malheur à moi! Qu'oses-tu prétendre, mon enfant?

HYLLOS. — Ce que je voudrais qui ne fût pas. Mais quand cela éclate aux regards, hélas! comment en récuser la réalité?

DÉJANIRE. — Qu'as-tu dit, mon enfant? Qui a pu te
faire croire que j'aie commis un tel forfait?

HYLLOS. — Je n'en ai cru que mes yeux qui ont vu le
supplice de mon père.

DÉJANIRE. — Ainsi, tu étais auprès de lui? Où l'as-tu
rejoint?

HYLLOS. — Puisqu'il faut que tu l'apprennes, autant
reprendre tout depuis le commencement.

Lorsqu'il eut détruit l'illustre capitale du roi Eurytos,
Héraclès s'en fut, emportant trophées et prises de guerre.
En Eubée, se dresse un promontoire battu des flots, le
cap Cénaeon. C'est là qu'il dédie à Zeus paternel des
autels et un bois sacré. Et c'est là, ô joie tant désirée!
que je l'ai d'abord revu. Il se disposait à immoler de
nombreuses victimes quand arriva son domestique, le
courrier Lichas, qui venait tout droit de la maison,
porteur d'un présent de ta part : la tunique mortelle!
Mon père s'en revêtit, suivant tes instructions. Puis il
mit à mort douze bœufs sans défaut, qu'il avait choisis
parmi le butin pour la première offrande, et compléta
la centaine [177] en présentant au dieu un choix d'espèces
diverses. Tout d'abord, d'un cœur paisible, le malheureux! tout réjoui de son beau vêtement, il formula des
vœux. Mais, de l'auguste sacrifice, aussitôt que la
flamme monta, éclatante, nourrie de sang et de résine,
la sueur perle sur la peau d'Héraclès; la tunique se moule
à ses flancs comme celle d'une statue, adhère à tous les
replis de son corps; la morsure pénètre jusqu'aux os,
convulsive; on eût dit que le rongeait le venin d'une
vipère furieuse. Alors il interpella l'infortuné Lichas,
pourtant bien innocent de ton crime : à quelle ruse
infâme s'était-il prêté en lui apportant cette tunique?
Le malheureux n'en savait rien; il dit que c'était un
présent de ta part et qu'il l'avait remis tel quel. Tandis
que mon père l'écoutait, ses poumons furent déchirés
d'une douleur aiguë : le saisissant par le pied, au-
dessous de la cheville, il le lance contre un rocher où le
flot battait. Parmi la chevelure, par le crâne ouvert, gicla
une moelle blanche mêlée au sang. La foule troubla le
silence rituel d'un cri d'horreur unanime, en contemplant
les tortures de l'un et le destin de l'autre, si brutalement
achevé. Mais personne n'osait s'approcher d'Héraclès.
Il se roulait par terre, secoué de soubresauts, criant,
hurlant, et les rochers d'alentour, depuis les contreforts
marins de la Locride jusqu'aux promontoires de l'Eubée,

répercutaient ses plaintes. Enfin, n'en pouvant plus de
s'agiter, le malheureux! et de se meurtrir contre le sol,
et de gémir, et de crier, et de maudire la couche où il
t'a reçue, malheureuse! pour sa perte, et sa funeste
alliance avec la maison d'Œnée, comme il levait parmi
la fumée ses yeux hagards, soudain il m'aperçut tout en
larmes au milieu de la foule. Son regard se fixe sur moi,
il m'appelle : « Mon enfant, approche, ne fuis pas
devant mon mal, quand tu devrais en mourir avec moi.
Emporte-moi loin d'ici! Mon plus cher désir, c'est que
tu me déposes là où nul ne me verra plus. Si la pitié
te retient, fais-moi du moins passer le détroit bien vite :
je ne veux pas mourir ici. » Déférant à sa prière, nous
l'avons installé au milieu d'une embarcation et nous
avons atteint l'autre rive, non sans peine, tandis qu'il
rugissait, en proie à des convulsions. Vous le verrez
bientôt; peut-être vit-il encore, peut-être vient-il de
rendre l'âme. Tel est, ma mère, le crime que tu as médité
et perpétré contre mon père! Mais tu es prise sur le
fait. Puissent Dicé et l'Erinys vengeresse des morts te
demander des comptes! Pour autant que j'en ai le droit,
j'en fais le vœu! Or je l'ai, ce droit, et c'est toi qui me
l'as donné en faisant périr le plus valeureux des hommes
qui aient paru sur la terre, un homme dont jamais tu
ne verras l'égal.

LE CORYPHÉE (à Déjanire, qui rentre dans le palais).
— Quoi! tu te retires sans un mot? Songe que ton silence
donne des armes à ton accusateur.

HYLLOS. — Laisse-la se retirer. Loin de mes regards,
puisqu'elle s'en va, qu'une heureuse inspiration la conduise. Ce nom auguste de mère, il n'est pas légitime de
s'en prévaloir quand on n'a pas un cœur de mère. Oui,
qu'elle s'en aille, adieu! Pour de la joie, je lui en souhaite
autant qu'elle en donne à mon père. (Il sort.)

CHANT DU CHŒUR

Voyez, enfants, combien soudaine
se présente à nous l'échéance
de l'oracle ancien!
Qu'avait-il annoncé? Que, le temps du labour
douze fois revenu, Zeus laisserait son fils
reprendre haleine enfin au bout de ses travaux.
Or cet oracle arrive à bon port aujourd'hui :
car celui dont les yeux sont clos à la lumière,

n'est-il pas de son dur servage
enfin délié par la mort ?

Si, par la ruse inéluctable du Centaure,
ses flancs sont imprégnés d'une vapeur mortelle,
     quand le virus mortel y filtre
qu'avait sécrété l'hydre aux chatoyants replis,
verra-t-il le soleil demain, lui que consume
le venin du dragon, dans un supplice atroce,
tandis que du monstre aux crins noirs la meurtrière fourberie
     le perce d'aiguillons de feu ?

La triste Déjanire avait vu s'installer,
brutal, à son foyer, le mépris de ses droits
     avec la nouvelle épousée ;
     mais plutôt que de se soumettre,
d'un perfide conseil elle s'est souvenue...
Et maintenant elle gémit, la malheureuse,
          elle répand des larmes,
          tendre rosée intarissable,
     tandis que le destin poursuit sa marche,
ensemble découvrant la ruse et le malheur.

Elle a donc jailli la source des larmes !
Hélas ! un mal étreint le vaillant fils de Zeus
tel que jamais il n'a subi plus rude assaut !
Ô fer noirci de la lance fougueuse,
ah ! fallait-il si tôt, par la loi de la guerre,
     emmener la jeune captive
     loin de son abrupte Œchalie ?
Mais Cypris était là... Je le vois à présent :
     c'est elle, sans un mot, qui a tout fait.

CINQUIÈME ÉPISODE

PREMIER PARASTATE. — Suis-je le jouet d'une hallucination ? Il me semble avoir entendu, à l'instant même, un gémissement sortir de la maison. Mais je n'ose l'affirmer.

DEUXIÈME PARASTATE. — N'en doutons pas, on a crié à l'intérieur. C'est une plainte douloureuse : il vient d'arriver quelque chose au palais.

LE CORYPHÉE. — Regarde : la vieille nourrice se dirige vers nous. Comme elle a l'air sombre et fronce les sourcils ! Elle a quelque chose à nous annoncer.

LA NOURRICE. — Las! mes enfants, il vient de nous attirer de grands malheurs, ce présent offert à Héraclès.

LE CORYPHÉE. — Vieille femme, veux-tu parler d'un nouveau malheur ?

LA NOURRICE. — Déjanire est partie, sans bouger le pied, pour son dernier voyage.

LE CORYPHÉE. — Eh quoi, morte ?

LA NOURRICE. — Ce mot dit tout.

LE CORYPHÉE. — Elle n'est plus, l'infortunée ?

LA NOURRICE. — C'est comme je te l'ai dit.

LE CHŒUR.
> O malheureux jouet d'un sort funeste !
>> Comment, dis-moi, est-elle morte ?

LA NOURRICE.
>> De la plus affreuse manière.

LE CHŒUR.
>> Mais encore, femme ? Dis-nous
>> comment la mort s'est présentée ?

LA NOURRICE.
> Elle s'est frappée elle-même.

LE CORYPHÉE.   Quel transport
>> de désespoir, quelle fureur,
l'a percée, à son tour, d'une pointe perfide ?
>> Comment a-t-elle résolu
>> d'ajouter la mort à la mort,
>> et, sans aide, en vint-elle à bout ?

LA NOURRICE.
>> Par le tranchant d'un fer cruel.

LE CHŒUR.
> Quoi ! folle, tu l'as vue, en proie au désespoir...

LA NOURRICE.
> Si je l'ai vue, hélas ! J'étais près d'elle !

LE CHŒUR.
> Qui a frappé ? Comment ? Parle, à la fin.

LA NOURRICE.
> De sa propre main est parti le coup.

LE CHŒUR. — Que dis-tu ?

LA NOURRICE.   La vérité même.

LE CHŒUR.
> Elle a donc franchi le seuil, la nouvelle favorite,
>> pour enfanter la vengeance,
>> une bien lourde vengeance !

LA NOURRICE. — Que trop! Et tu n'étais pas auprès de la reine, tu ne l'as pas vue à l'œuvre : tu l'aurais plainte encore davantage.

LE CORYPHÉE. — Un tel acte, une main féminine l'a osé!

LA NOURRICE. — Et d'atroce façon. Écoute plutôt. Elle venait de rentrer au palais, seule, quand elle aperçut dans la cour son fils qui étendait un matelas sur un brancard pour aller au-devant de son père. Alors, cherchant l'ombre et le secret, elle tomba au pied des autels. Elle se plaignait à voix sourde que tout l'abandonnât, et sanglotait, la malheureuse, quand sa main rencontrait un objet familier, dont tout à l'heure encore elle se servait. Errant de chambre en chambre, si elle apercevait quelque serviteur qu'elle aimait bien, l'infortunée à nouveau fondait en larmes en déplorant sa propre destinée et le destin de sa maison qui ne verrait plus naître d'enfants légitimes. Puis elle se tut. Mais soudain je la vois qui se précipite dans la chambre d'Héraclès. Moi, dissimulée dans l'ombre, je suivais tous ses mouvements : elle commence par étendre des couvertures sur le lit d'Héraclès; cela fait, elle se jette sur cette couche et s'y laisse tomber en pleurant à chaudes larmes : « O lit, disait-elle, ô chambre de mes noces, adieu, adieu pour toujours. C'est la dernière fois que vous m'accueillez. » Ayant dit, elle défit d'une main ferme l'agrafe de sa robe, au-dessus du sein, et découvrit entièrement son flanc et son bras gauches. Alors, de toute la force de mes vieilles jambes, je courus avertir son fils. Hélas! à peine le temps d'aller et de revenir, nous la trouvons le flanc percé d'une lame à deux tranchants, à la hauteur du foie. A cette vue, le jeune homme poussa un cri. Il comprenait, le pauvre enfant, que cette mort était son œuvre, l'œuvre de la colère — instruit trop tard par les gens du palais que sa mère ne voulait pas le mal, mais que les conseils de la Bête l'avaient trompée. Il est toujours là qui gémit, le malheureux garçon, et il sanglote sur le corps de la morte, couvrant ses lèvres de baisers, se couchant contre elle flanc à flanc. Et il se lamente, et il se reproche une accusation si folle et si cruelle, et il s'afflige, privé de ses père et mère par un double coup du sort, en se voyant seul dans la vie. Voilà où nous en sommes, dans cette maison. En vérité, celui-là qui compte sur l'avenir, ou seulement sur le lendemain, c'est une cervelle creuse : il n'y a point de lendemain qui tienne, tant qu'on n'a pas doublé sans encombre le cap de la journée.

CHANT DU CHŒUR

De ce double malheur, lequel pleurer d'abord ?
Lequel dépasse l'autre ?
Las ! mon affliction ne sait en décider.

L'un s'offre à nos regards dans la maison,
l'autre, nous l'attendons, nous le voyons d'avance;
et c'est souffrir d'attendre, et c'est souffrir de voir.

Ah ! qu'il se lève, l'âpre vent
qui souffle de l'Hestiotide [178]
et, bien loin d'ici, qu'il m'emporte !
Car à la seule vue
du noble fils de Zeus
je crains de mourir d'épouvante...
Déjà l'on dit qu'en proie à ses douleurs tenaces
on le porte devant sa maison :
ô spectacle d'horreur indicible !

Il s'approchait, l'objet de mes larmes, tandis
que je pleurais pareille au rossignol plaintif !
Vers nous s'avance une troupe étrangère :
avec quel amour ils le portent,
quels soins ! marchant d'un pas
grave, silencieux...
Et lui, sans une plainte, il se laisse porter.
Que faut-il croire ? Est-il mort ? assoupi ?

DERNIER ÉPISODE

HYLLOS. — *Malheur à moi ! mon père, que je souffre pour toi ! Hélas ! que faire ? Que résoudre ? Malheur à moi !*

UN VIEILLARD. — *Silence, enfant. Ne réveille pas la sauvage douleur de ton père, ni ses fureurs. Il vit, mais il est très bas. Mords-toi les lèvres, et tais-toi.*

HYLLOS. — *Que dis-tu, vieillard ? Il vit ?*

LE VIEILLARD. — *Il est assoupi. Tu veux donc l'éveiller, pour faire poindre encore et surgir, mon enfant, cet affreux mal qui revient par accès ?*

HYLLOS. — *Quelle détresse est la mienne ! J'éprouve comme une pesanteur infinie. Ma tête s'égare.*

HÉRACLÈS. — *O Zeus, où suis-je ? Quels mortels me reçoivent, gisant, abattu par mes souffrances interminables ?*

*Oh! ce supplice... Horreur! Il reprend, ce mal hideux, il
me ronge.*

LE VIEILLARD. — *Ne voyais-tu pas qu'il eût mieux valu
dévorer tes plaintes plutôt que de chasser le sommeil de son
front et de ses paupières?*

HYLLOS. — *Je ne peux m'accoutumer au spectacle de ses
douleurs.*

HÉRACLÈS. — *O terrasses de Cénaeon, où je t'ai dressé
des autels! Voilà comment tu m'as su gré de mes actions
de grâces, ô Zeus! Voilà comment, voilà comment tu m'as
traité! Jamais je n'aurais dû voir pareille chose, assister
à l'éclosion en moi de ces fureurs incoercibles! Mais quel
magicien, par ses incantations, quel guérisseur, de ses mains
habiles, apaisera, si ce n'est Zeus, cette mortelle douleur?
Ce serait miracle si je la voyais s'éloigner.*

Ah!... Ah!...

*Laissez-moi, laissez ce malheureux reposer,
une dernière fois laissez-moi reposer!
Ne me touche pas là... Ou m'étends-tu?*

Ah!... Ah!... tu me feras mourir...

*Le mal se tenait coi, tu le réveilles.
Le voilà qui m'étreint encore... Ah! Ah!... Il rampe...*

D'où venez-vous, vous autres,

*ô les plus ingrats de tous les Hellènes,
vous que, sur mer, dans les forêts, j'ai délivrés tant de fois,*

misère! au péril de ma vie...

Et maintenant, dans mon supplice

nul de vous ne me tend le feu, le fer sauveurs?

Ah!... Ah!...

Nul ne s'offre à faire voler

ma tête loin de ce corps torturé?

LE VIEILLARD.
*O fils de ce héros, l'effort passe mes forces;
il faut m'aider. Tu as aussi de meilleurs yeux:
vois donc, pour le sauver, ce que nous pourrons faire.*

HYLLOS.
Je le soutiens. Mais pour apaiser ses douleurs,

je ne trouve rien qui vaille.

Zeus seul peut le sauver.

HÉRACLÈS.
*Mon fils, où es-tu donc? Soulève-moi
de ce côté, de ce côté... Là... soutiens-moi...*

Ah!... Ah!... ô destinée!

*Il me tue... ah!... ce mal féroce, insurmontable.
O Pallas, Pallas, il me torture à nouveau!*

Mon fils, aie pitié de ton père !
    Tire ton glaive et ne crains point le blâme :
frappe là, sous la clavicule, et guéris-moi
      des tourments par lesquels ta mère
    — *l'impie !* — *excita mes fureurs !*
    Ah ! puissé-je à son tour la voir tomber,
et de la même mort dont je péris, mourir !
Frère de Zeus, Hadès, dispensateur de paix,
envoie au malheureux la mort à tire-d'aile !
Endors, endors enfin ses forces consumées...

LE CORYPHÉE. — Je frissonne, mes amies, quand
j'écoute gémir notre seigneur : ses malheurs sont à sa
mesure.

HÉRACLÈS. — Que d'épreuves épuisantes — le récit
seul en donne chaud ! — mes bras et mes reins ont endu-
rées ! jamais encore ni l'épouse de Zeus [179] ni l'odieux
Eurysthée ne m'en ont infligé de comparable à ce vêtement dont la fille d'Œnée, dans sa perfidie, a enveloppé
mes épaules, — ce vêtement de mort tissé par les Érinyes !
Appliqué à mes flancs, il dévore ma chair jusqu'à l'os,
il imprègne et ronge les artères de mes poumons. Il a
déjà bu tout mon sang frais, et je sens mon corps qui
s'effondre, vaincu par la mystérieuse étreinte. Non, ni
la lance, en bataille rangée, ni l'armée des Géants, fils
de la Terre [180], ni la force des monstres, ni la Grèce,
ni les contrées d'autre langue, ni aucun pays que j'aie
purgé de ses fléaux, ne m'en ont fait voir de si rudes.
Une femme a suffi pour m'abattre, une frêle femme, sans
même le secours d'une épée ! O mon fils, prouve-moi
que tu dois tout au sang paternel : plus de respect pour
ce nom de mère qui n'est plus qu'un mot. Va me le
chercher, celle qui t'enfanta : livre-la-moi de tes propres
mains. Devant son corps défiguré par un juste châtiment, je saurai auquel des deux s'adresse ta douleur.
Va, mon enfant, n'hésite pas. Et plains-moi, car je
suis bien à plaindre : tu vois, je sanglote comme une
fillette. Et pourtant qui se fût vanté de m'avoir vu pleurer ?
Dans les pires épreuves, je n'ai jamais gémi. Moi, si fort,
tu vois quelle femmelette je suis devenu... Approche-toi
de ton père, examine les ravages du mal que j'endure :
je vais les découvrir à ta vue. Holà ! vous tous, regardez
ce corps torturé, et contemplez cette infortune : cela ne
fait-il pas pitié ?

    Ah !... Ah !... Misère !... Ah !...

    L'atroce brûlure vient encore de me déchirer ; elle

m'a traversé de part en part... Ah! je le vois, il ne veut pas me laisser de répit, ce maudit mal qui me dévore! Hadès, mon maître, accueille-moi! Éclair de Zeus, frappe-moi!

Brandis, Seigneur, abats sur moi, Père, ta flèche fulgurante! Il revient, le vorace, il m'attaque avec des forces fraîches! O mes mains, mes mains, ô mes reins et ma poitrine, ô mes bras, chers compagnons, est-ce bien vous qui, autrefois, avez maîtrisé l'habitant de Nemée [181], ce lion terreur des bouviers, — comme il tenait en respect l'assaillant! — et l'hydre de Lerne et la horde des hommes-chevaux, ces brutes qui n'ont pour loi que la force, et le fauve d'Erymanthe, et encore l'infernal mâtin à triple tête (un monstre malaisé à combattre, ce nourrisson de l'immonde Echidna), et le dragon gardien des pommes d'or, au bout du monde [182]? J'ai tâté de mille autres périls et personne n'a élevé un trophée avec mes dépouilles [183]. A présent, voyez : mes membres sont sans force, mon corps est en lambeaux; l'aveugle fléau a tout détruit sur son passage. Hélas! moi qui tiens mon nom de la plus noble des mères, moi qu'on appelle le fils de Zeus qui règne au milieu des astres! Mais sachez une chose : tout néant que je suis et cloué sur cette couche, je punirai la coupable. Qu'elle s'aventure à portée de mes mains, et je lui ferai rendre publiquement témoignage que, vivant ou mort, j'ai châtié les méchants.

LE CORYPHÉE. — Hellade infortunée, dans quel deuil je te vois plongée, si tu perds ce héros!

HYLLOS. — Puisque tu m'as permis de te répondre, mon père, écoute-moi en silence, bien que tu souffres cruellement. Je voudrais t'adresser une prière que je crois légitime. Fais confiance à ton fils en refrénant la colère qui te mord le cœur et tu comprendras quelle vaine satisfaction tu te promets, quels tourments tu peux t'épargner.

HÉRACLÈS. — Trêve de discours. Je souffre trop pour rien entendre à tes circonlocutions.

HYLLOS. — C'est au sujet de ma mère. Je viens te dire quel sort est à présent le sien, et comme elle a fait le mal sans le vouloir.

HÉRACLÈS. — Misérable! Cette mère meurtrière de ton père, tu oses la nommer devant moi?

HYLLOS. — Au point où en sont les choses, il ne convient plus de se taire.

HÉRACLÈS. — En effet, s'il s'agit de son crime.

HYLLOS. — Quand tu sauras ce qu'elle vient de faire, tu changeras de langage.

HÉRACLÈS. — Parle, mais crains de te montrer mauvais fils.

HYLLOS. — Apprends qu'elle vient de périr par l'épée.

HÉRACLÈS. — Quelle main l'a frappée? Incroyable nouvelle, paroles sinistres!

HYLLOS. — Elle s'est frappée sans le secours d'une main étrangère.

HÉRACLÈS. — Trop tôt, hélas! Que n'est-elle morte de la mienne!

HYLLOS. — En toi, quel revirement, si tu savais tout!

HÉRACLÈS. — Ce préambule est bien étrange. Dis ce que tu sais.

HYLLOS. — Pour tout dire en un mot, elle a fait le mal en désirant le bien.

HÉRACLÈS. — Le bien, misérable! quand elle a fait mourir ton père?

HYLLOS. — Lorsqu'elle a vu la nouvelle épouse à ton foyer, elle a voulu agir sur toi par un philtre amoureux. Ce fut là son erreur.

HÉRACLÈS. — Un philtre? Et qui est si grand sorcier, à Trachis?

HYLLOS. — Nessos le Centaure, autrefois, lui avait persuadé que ce philtre raviverait ton amour pour elle.

HÉRACLÈS. — Malheur sur malheur, tout est fini. C'en est fait, c'en est fait de moi, et je peux dire adieu à la lumière. Hélas! je mesure maintenant mon infortune. Approche, mon enfant... Considère que tu n'as plus de père. Rassemble tes frères à mon chevet; appelle la malheureuse Alcmène — à quoi nous a servi que Zeus l'ait aimée? — afin que mes dernières paroles vous instruisent des commandements du destin, tels qu'ils me sont connus.

HYLLOS. — Tu ne verras pas Alcmène; elle réside à Tirynthe, au bord de la mer, avec quelques-uns de tes enfants dont elle a pris la charge; plusieurs autres ont leur demeure à Thèbes [184]. Mais nous qui sommes près de toi, mon père, tout ce qu'il faudra faire, nous le ferons selon tes ordres.

HÉRACLÈS. — Apprends donc quelle sera votre tâche. Tu vas pouvoir montrer ce que c'est que d'être mon fils. Un oracle paternel m'avait jadis annoncé que la mort ne me viendrait pas d'un vivant, mais d'un habitant des enfers. C'est donc le bestial Centaure qui, selon la

prédiction divine, m'a tué, longtemps après sa mort!
Apprends encore qu'une prophétie plus récente, et qui
s'accorde avec la première, arrive à échéance en même
temps. Lorsque je fus visiter le bois sacré des Selles,
ces prêtres montagnards qui couchent sur la terre nue,
je recueillis la voix innombrable du chêne qui parle au
nom de mon père [185]. Elle me révéla en quel temps les
travaux qui m'étaient imposés auraient leur terme. Le
jour en est venu. Je m'attendais à une retraite paisible,
et c'était la mort qui m'était signifiée, la mort qui nous
apporte en effet la fin de nos travaux. Puis donc que ces
choses sont expliquées, mon enfant, tu ne peux pas me
refuser ton assistance. Sans attendre que je m'irrite,
sache me servir d'un cœur docile, ayant compris qu'il n'y
a pas de loi plus belle que d'obéir à un père.

HYLLOS. — Mon père, je tremble à la pensée de ce
que tu vas exiger de moi; mais je ferai selon ta volonté.

HÉRACLÈS. — Donne-moi premièrement ta main droite.

HYLLOS. — As-tu donc besoin d'une garantie formelle?

HÉRACLÈS. — Ta main, te dis-je : c'est trop te défier
de moi.

HYLLOS. — La voici : je n'objecterai plus rien.

HÉRACLÈS. — Jure sur la tête de Zeus qui m'a engendré, jure...

HYLLOS. — De quoi faire? Ne me l'apprendras-tu pas?

HÉRACLÈS. — ... d'exécuter point par point mes instructions.

HYLLOS. — J'en fais le serment devant Zeus.

HÉRACLÈS. — Pour le cas où tu y manquerais, fais
vœu d'être puni.

HYLLOS. — A quoi bon? Je tiendrai parole. Mais
enfin je formule ce vœu.

HÉRACLÈS. — Tu connais, dominant l'Œta, le pic de
Zeus?

HYLLOS. — Je le connais, pour avoir maintes fois
sacrifié là-haut.

HÉRACLÈS. — C'est là, de tes propres mains, assisté
d'amis de ton choix, que tu transporteras mon corps.
Coupe des chênes aux racines profondes, en grand
nombre, et quantité de durs oliviers mâles. Quand tu
m'auras placé sur ce bûcher, embrase-le d'une torche de
résine. Aucune lamentation ne devra se faire entendre :
si tu es mon fils, fais ta besogne sans un soupir, sans une
larme. Sinon, du sein de la terre, ma malédiction pèsera
sur tes jours à jamais.

HYLLOS. — Hélas! mon père, voilà donc tes commandements! Qu'ils sont rudes!

HÉRACLÈS. — Tels qu'ils sont, il faut les exécuter, sinon je te renonce pour mon enfant.

HYLLOS. — Je disais bien : hélas! Tu m'invites, ô mon père, à me faire ton meurtrier, à teindre mes mains de ton sang!

HÉRACLÈS. — Au contraire, j'attends de toi l'apaisement de mes souffrances : tu es mon seul médecin.

HYLLOS. — Et comment te guérirais-je en te livrant aux flammes?

HÉRACLÈS. — Si cette idée te fait horreur, exécute au moins le reste.

HYLLOS. — Je ne me refuserai pas à te porter là-haut.

HÉRACLÈS. — Ni à dresser le bûcher, ainsi qu'il a été dit?

HYLLOS. — Excepté d'y mettre la main, je veillerai à tout, et tu n'auras rien à me reprocher.

HÉRACLÈS. — Me voilà satisfait là-dessus. Mais ajoute à ce grand service une grâce légère.

HYLLOS. — Dût-il m'en coûter, je suivrai ton désir.

HÉRACLÈS. — Tu connais, je pense, la fille d'Eurytos?

HYLLOS. — Est-ce Iole que tu veux dire?

HÉRACLÈS. — Elle-même; et voici ce que j'attends de toi, mon enfant. Après ma mort, si tu as à cœur, dans ta piété filiale, de tenir ton serment, prends cette femme pour épouse; c'est un ordre de ton père. Je ne veux pas qu'un autre que toi possède la compagne qui a dormi à mes côtés. C'est toi, mon fils, qui sera son mari. Obéis-moi. En dépit des graves promesses que tu m'as consenties, ce refus dans une moindre chose détruirait toute ma gratitude.

HYLLOS. — Hélas! c'est mal de s'irriter contre un homme qui souffre; mais qu'on ait de telles exigences, qui le supporterait?

HÉRACLÈS. — Je crois comprendre qu'on se dérobe?

HYLLOS. — Une femme qui est cause que ma mère s'est tuée et que tu es dans l'état où te voilà! Il faudrait être frappé de démence par la colère du ciel pour vouloir l'épouser. J'aime encore mieux mourir, père, que de partager ma vie avec mes pires ennemis.

HÉRACLÈS. — Il me semble que ce garçon se révolte contre son père mourant? Prends garde : la vindicte des dieux te guette, si tu ne m'obéis pas.

HYLLOS. — C'est la douleur, je le crains, qui inspire tes paroles.

HÉRACLÈS. — Elle s'était assoupie : tu la réveilles.

HYLLOS. — O cruel débat dans mon cœur! Que je souffre!

HÉRACLÈS. — C'est que tu ne veux pas obéir à l'auteur de tes jours.

HYLLOS. — Mais c'est l'impiété, père, que tu m'enseignes!

HÉRACLÈS. — Il n'y a pas d'impiété à me complaire.

HYLLOS. — Ainsi tu me le commandes absolument?

HÉRACLÈS. — Absolument. J'en atteste les dieux.

HYLLOS. — Soit. Je ferai selon ta volonté : les dieux nous voient. On ne saura me faire un crime de t'avoir obéi, mon père.

HÉRACLÈS. — Je te trouve enfin raisonnable. Une dernière prière, cependant, mon petit : n'attends pas que m'assaillent de nouveaux spasmes et de nouvelles fureurs pour me placer sur le bûcher. Allons, faites vite, soulevez-moi. Voici le repos qui succède aux épreuves, car je touche à mon instant suprême.

HYLLOS. — Rien ne s'oppose à ce que ta volonté soit faite, puisque tu me l'ordonnes, mon père, et que tu m'y obliges.

HÉRACLÈS. — *Allons, avant que le mal ne se réveille, ô ma nature indomptable, scellant d'une griffe d'acier mes lèvres, comme deux pierres, étouffe mes cris! Ce qu'il coûte le plus de faire, tu vas le faire avec joie.*

(Il meurt.)

HYLLOS. — *Soulevez-le, mes compagnons; et ne me jugez pas trop sévèrement. Aux dieux toute votre réprobation pour ce qui s'est accompli. Leurs enfants, leurs propres fils, voyez comme ils considèrent de haut leurs épreuves! Ce que l'avenir nous réserve, nul ne saurait le prévoir; mais l'heure présente est lourde d'affliction pour nous, de honte pour eux, et, pour celui qu'ils ont frappé, d'une souffrance qui passe les forces humaines.*

LE CORYPHÉE. — *Jeune femme, ne reste pas dans la maison à l'écart. Tu viens de voir des morts extraordinaires, des tortures multiples, inouïes : rien que n'ait voulu Zeus.*

PHILOCTÈTE

PHILOCTÈTE[186]

ULYSSE, NÉOPTOLÈME,
CHŒUR DE MATELOTS, PHILOCTÈTE,
UN ESPION DÉGUISÉ EN MARCHAND,
HÉRACLÈS.

Un site désert, dans l'île de Lemnos. Une grotte.
A l'arrière-plan, la côte, dominant la mer.

PROLOGUE

ULYSSE. — Voici donc ce rivage de la terre de Lemnos
environnée des flots; rivage vierge de pas humains, inha-
bité[187]. C'est là, Néoptolème, ô rejeton de cet Achille
qui fut le plus vaillant des Grecs, c'est là, autrefois, sur
l'ordre de nos chefs, que j'ai déposé le fils de Pœas, le
Malien[188] Philoctète, à cause de son pied atteint d'une
plaie rongeuse qui suppurait. Il n'y avait plus moyen de
procéder en paix à une libation ou à un sacrifice, tant le
silence était troublé par les cris effroyables dont il remplis-
sait le camp. Mais laissons cela; nous n'avons que faire
de longs discours qui pourraient, en trahissant ma présence, lui faire éventer le piège où j'espère le prendre
avant qu'il soit longtemps. A cet effet, j'ai besoin de ton
aide, et d'abord pour découvrir certaine grotte qui est
percée d'une double ouverture, de sorte qu'en hiver elle
reçoit deux fois la visite du soleil et qu'en été le courant
d'air qui la traverse y entretient une fraîcheur favorable
au sommeil. Un peu en contrebas, sur la gauche, tu
devras trouver une source d'eau potable, si toutefois elle
n'est point tarie. Tu t'approcheras sans bruit et tu me
feras savoir par signes s'il habite encore là ou s'il est allé

vivre ailleurs. Je t'expliquerai ensuite ce qu'il te reste à savoir pour que nous manœuvrions bien d'accord.

NÉOPTOLÈME. — Ulysse, mon cher prince, nous n'irons pas loin pour trouver notre affaire : je crois apercevoir l'antre dont tu parles.

ULYSSE. — Par en haut ? par en bas ? Je ne distingue rien.

NÉOPTOLÈME. — Ici dessus. Mais aucun bruit de pas.

ULYSSE. — Regarde s'il n'est pas chez lui à faire un somme.

NÉOPTOLÈME. — J'aperçois le logis libre de son occupant.

ULYSSE. — Et en fait de mobilier, là-dedans, que trouves-tu ?

NÉOPTOLÈME. — Une litière de feuilles foulées comme par un dormeur.

ULYSSE. — Est-ce là tout ce que contient la grotte ?

NÉOPTOLÈME. — Non. Voici un gobelet de bois gauchement taillé, et ce qu'il faut pour faire du feu.

ULYSSE. — Tu dénombres là tous les trésors de notre homme.

NÉOPTOLÈME. — Ah !... et ces chiffons encore, qui sèchent... Ils sont chargés d'un pus épais.

ULYSSE. — Plus de doute : nous tenons sa demeure et lui-même n'est pas loin. Il y a beau temps que sa jambe malade l'empêche de s'éloigner beaucoup. Il est sorti en quête de nourriture ou de quelque plante calmante. Envoie l'homme qui t'accompagne guetter sa venue, de peur qu'il ne tombe sur nous à l'improviste : car Ulysse lui serait une capture plus précieuse que tous les Argiens [189] ensemble.

NÉOPTOLÈME. — L'homme y va et surveillera les abords. En attendant, si tu as encore quelque chose à m'expliquer, je t'écoute.

ULYSSE. — Fils d'Achille, notre mission n'exige pas de toi le seul courage du corps. Si étrange que doive te paraître ce qu'il te reste à entendre, tu devras suivre mes consignes à la lettre, car tu es sous mes ordres.

NÉOPTOLÈME. — Que m'ordonnes-tu donc ?

ULYSSE. — De captiver Philoctète par tes discours artificieux. Lorsqu'il te demandera qui tu es, d'où tu viens, dis-lui que tu es le fils d'Achille (pourquoi le cacher ?) et que tu retournes chez toi, désertant notre base navale. Feins de garder rancune aux Achéens de ce que, après t'avoir supplié de tout quitter pour les rejoindre — et

c'est la vérité que, sans toi, Ilion restera imprenable —
ils t'ont refusé les armes d'Achille, bien qu'elles te
revinssent de droit, pour les donner à Ulysse. Charge-moi
des plus noirs méfaits qu'il te plaira d'imaginer, je ne
m'en fâcherai point, au contraire; m'épargner serait faire
le malheur de tous les Argiens. En effet, si nous ne
mettons la main sur les flèches de cet homme, il n'est pas
en ton pouvoir de ravager les champs de Dardanos [190].
Apprends aussi ce qui m'empêche de l'aborder, alors que
tu le peux, toi, sans aucun risque. Lorsque tu as pris la mer,
aucun serment ne te liait, personne ne t'a contraint,
tu n'étais pas du premier départ [191] : autant de griefs
contre moi que je ne pourrais éluder. De là que, tant
qu'il sera maître de son arme, je suis perdu s'il m'aperçoit — et, bien entendu, ma mort entraînerait la tienne.
Ce qu'il faut inventer, c'est donc un stratagème qui fasse
passer entre tes mains, sans qu'il s'en doute, ces flèches
invincibles. Je le sais, mon petit, tu n'es pas fait pour
parler ce langage; l'artifice te répugne; mais quoi! ils
sont doux à cueillir, les fruits de la victoire. De l'audace!
Nous nous montrerons plus honnêtes gens une autre fois.
Pour une faible partie de cette journée, faisant taire tes
scrupules, soumets-toi sans réserve à mes directives. Tu
as toute la vie pour t'acquérir un renom de parfaite
loyauté.

NÉOPTOLÈME. — Ce que j'entends avec dégoût, fils de
Laërte, j'en déteste aussi la pratique. Je suis ainsi fait
que les moyens vils me font horreur. Il paraît même qu'en
cela je tiens de mon père. Je suis prêt à emmener notre
victime de vive force; mais par la ruse, non ferai-je.
D'ailleurs, avec son unique pied valide, il ne pourra pas
grand'chose contre nous, qui avons le nombre. On m'a
envoyé ici pour être ton second, c'est vrai; mais j'hésite
à passer pour un fourbe. Oui, prince, je préfère encore un
échec honorable à une lâche victoire.

ULYSSE. — Digne fils d'un vaillant père! Moi aussi,
dans ma jeunesse j'avais moins d'entrain pour débattre
que pour me battre. Depuis lors, la vie m'a enseigné que
c'est la langue plus que la prouesse qui mène le monde.

NÉOPTOLÈME. — Tranchons le mot : tu m'engages à
mentir.

ULYSSE. — A t'emparer de Philoctète par la ruse, tout
simplement.

NÉOPTOLÈME. — Pourquoi par la ruse plutôt que par la
persuasion?

ULYSSE. — Tu ne le prendras pas plus par la persuasion que par la force.

NÉOPTOLÈME. — Dans quelles ressources prodigieuses met-il donc sa confiance ?

ULYSSE. — Dans ses flèches inévitables qui portent la mort au loin.

NÉOPTOLÈME. — Et ne peut-on l'attaquer corps à corps ?

ULYSSE. — Non, te dis-je, nous ne le prendrons que par la ruse.

NÉOPTOLÈME. — Ainsi tu n'éprouves aucune honte à mentir ?

ULYSSE. — Aucune, quand il y va de notre salut.

NÉOPTOLÈME. — De quel front peut-on avouer de tels principes ?

ULYSSE. — Quand l'intérêt commande, il est coupable d'hésiter.

NÉOPTOLÈME. — Et que m'importe que cet homme aille à Troie ?

ULYSSE. — De ces flèches seules dépend la prise de Troie.

NÉOPTOLÈME. — Ce n'est donc pas moi qui détruirai la ville, comme vous l'assuriez ?

ULYSSE. — Tu ne peux rien sans ces flèches, ni elles sans toi.

NÉOPTOLÈME. — S'il en est ainsi, la capture en vaut sans doute la peine.

ULYSSE. — Tu peux en escompter double avantage.

NÉOPTOLÈME. — Double ? Explique-toi : cela me décidera peut-être.

ULYSSE. — Tu acquerras renom de prud'homie en même temps que de prouesse.

NÉOPTOLÈME. — Soit. J'accepte. Laissons là les scrupules.

ULYSSE. — Te rappelles-tu bien mes recommandations ?

NÉOPTOLÈME. — Tu n'as rien à craindre, puisque tu as ma parole.

ULYSSE. — Reste ici, et attends Philoctète. Moi, je m'éloigne, de peur qu'il ne soupçonne ma présence, et je vais renvoyer notre homme de garde au navire. Si l'affaire n'avance pas assez vite à mon gré, vous le verrez revenir déguisé, par précaution, en patron de bateau. Dans la bigarrure de ses discours, mon fils, ne perds pas de vue le fil qui peut te guider. Je m'en retourne à mon

bord ; à toi l'initiative. Veillent sur nous l'astucieux
Hermès, notre guide, et la Victorieuse, Athéna de la Cité,
qui toujours me tire du péril.

ENTRÉE DU CHŒUR

LE CHŒUR.
Que dois-je, ô mon maître, moi qui ne suis pas du pays,
que dois-je cacher ou dire à cet homme soupçonneux ?
    Instruis-moi : l'adresse et l'intelligence,
        entre les humains inégales,
l'emportent chez celui qui tient en main le sceptre,
        divin présent de Zeus.
Ainsi de toi, mon fils, qui, de par tes aïeux,
        as reçu la toute-puissance :
    dis-moi ce que je puis pour ton service.

NÉOPTOLÈME. — *Pour le moment, si tu veux jeter de*
loin un coup d'œil sur son habitation, regarde sans peur.
Mais, quand le redoutable maître de ces lieux rentrera de sa
promenade, tiens-toi à ma portée et tâche de me servir au
mieux de la circonstance.

LE CHŒUR.
    Ouvrir l'œil, et le bon ! me tenir à tes ordres,
    Seigneur, c'est mon emploi, mon souci de toujours.
    Mais, dis-moi : où est sa demeure ?
        Et lui-même, où est-il ?
        Il est important de savoir
— car j'ai bien peur qu'il ne survienne à l'improviste —
    s'il n'est pas quelque part assis, de quel côté
    il est allé, s'il est chez lui, s'il est dehors...

NÉOPTOLÈME. — *Sa maison, tu la vois d'ici : cette grotte*
à double entrée, c'est là qu'il couche.

LE CHŒUR. — *Mais lui, le malheureux, où est-il allé ?*

NÉOPTOLÈME. — *Je présume qu'il se traîne en quête*
de nourriture, du côté de ces traces, non loin d'ici. Telle est,
dit-on, son unique ressource pour subsister : le misérable
atteint les bêtes sauvages de ses flèches, comme il peut,
mais aucun médecin, hélas ! ne fréquente ces parages.

LE CHŒUR.
        J'ai pitié de lui, quand j'y songe ;
        sans personne pour le soigner,
        sans un regard qui le comprenne,
        l'infortuné ! toujours tout seul
        et torturé d'un mal atroce,
    et, lorsque le besoin l'assaille, s'affolant !

> *Ah ! comment y tient-il, le malheureux !*
> *O bras des dieux ! ô races des mortels*
> *par le malheur frappées,*
> *quand leur destin s'élève au-dessus du commun !*

> *Cet homme qui, par sa naissance,*
> *s'égale aux plus nobles maisons,*
> *il n'a plus part aux choses de la vie,*
> *il se traîne, privé du commerce des hommes,*
> *dans la société des oiseaux et des fauves ;*
> *la faim s'ajoute à ses tortures,*
> *et sur ses douleurs pèse une angoisse incurable,*
> *car seul l'écho, dans le lointain,*
> *cette bouche, toujours ouverte sur le vide,*
> *répond à ses plaintes amères.*

NÉOPTOLÈME. — *Il n'y a rien là qui m'étonne, s'il est vrai que ses maux lui viennent d'une divinité, la cruelle Chrysé[192]. S'ils ont duré, s'il souffre encore aujourd'hui dans l'abandon, comment douter que quelque dieu le veuille, craignant qu'il ne décoche sur Troie ses flèches invincibles, héritées d'une main divine, avant le jour où il est dit que par ces flèches la ville sera domptée ?*

LE CHŒUR.
> *Parle plus bas, fils.*

NÉOPTOLÈME. — *Qu'est-ce ?*

LE CHŒUR.   *Un bruit se fait entendre,*
> *compagnon de l'homme qui souffre,*
> *— par ici ? par là ? je ne sais...*
> *mais ce qui frappe mon oreille, à coup sûr, c'est*
> *la respiration pénible d'un infirme*
> *qui se traîne avec effort...*
> *De loin, j'ai reconnu la plainte lourde,*
> *épuisée... A présent, la voici plus distincte.*
> *C'est le moment, mon fils,...*

NÉOPTOLÈME. —   *Eh ! de quoi faire ?*

LE CHŒUR.   *... de garder l'esprit en alerte*
> *notre homme n'est pas loin, il s'apprête à rentrer.*
> *Ah ! ce n'est pas un air de flûte qu'il module*
> *comme un berger des champs !*
> *Il a hurlé... A-t-il heurté contre un obstacle ?*
> *Ah ! comme sa voix porte !*
> *A-t-il, jetant les yeux le long de cette côte*
> *inhospitalière aux vaisseaux...*
> *Ah ! le cri déchirant qu'il a poussé !*

PREMIER ÉPISODE

PHILOCTÈTE *(paraissant)*. — Holà, étrangers!... Qui êtes-vous ? Quelle aventure vous a poussés sur le rivage sans port de ce désert ? Quelle patrie, quelle race puis-je vous attribuer ? Votre vêtement me rappelle ma chère Hellade, mais je désire vous entendre parler. N'hésitez pas, n'ayez pas peur de mon aspect sauvage. Ayez plutôt pitié de ce malheureux abandonné, solitaire, sans ressources. De grâce, parlez-moi, si vous êtes venus en amis. Voyons, répondez-moi : ce n'est pas raison que vous me refusiez ce que vous venez d'obtenir de moi.

NÉOPTOLÈME. — Tu l'as deviné, nous sommes Grecs. N'est-ce pas là ce que tu voulais apprendre ?

PHILOCTÈTE. — O langage chéri! O joie d'entendre, après si longtemps, un Grec m'adresser la parole! Mon fils, quel besoin t'a fait accoster ? Quelle aventure t'a poussé vers ces bords ? Quelle brise entre toutes bénie ? Apprends-moi tout cela, que je sache qui tu es.

NÉOPTOLÈME. — Je suis originaire de l'île de Scyros [193]. Je fais voile vers mon foyer. On me nomme Néoptolème, fils d'Achille. Tu sais maintenant l'essentiel.

PHILOCTÈTE. — O fils d'un père qui m'est cher et d'un pays que j'aime, ô nourrisson du vieux Lycomède [194], quelle navigation t'amène ici, et venant d'où ?

NÉOPTOLÈME. — J'arrive d'Ilion et j'aborde tout juste.

PHILOCTÈTE. — Comment cela ? — Car tu n'avais pas pris la mer avec nous au début de l'expédition...

NÉOPTOLÈME. — Tu en étais donc, toi, de cette équipée ?

PHILOCTÈTE. — Mon fils, je vois que tu ne sais pas quel homme tu as devant toi!

NÉOPTOLÈME. — Comment connaîtrais-je un homme que je n'ai jamais vu ?

PHILOCTÈTE. — Ainsi mon nom, ainsi le bruit des malheurs qui me minent, rien n'est parvenu jusqu'à toi ?

NÉOPTOLÈME. — Non, rien; tes questions ne me rappellent rien.

PHILOCTÈTE. — Ainsi, chargé de misères, haï des dieux, aucune nouvelle de mes épreuves n'est parvenue dans ma patrie ni même en un point quelconque de la terre grecque! Dire qu'ils rient sous cape, les criminels qui m'ont jeté ici, tandis que mon mal prospère et empire. Enfant, ô fils d'Achille, l'homme qui te parle est celui —

peut-être le connais-tu par ouï-dire ? — qui possède les
armes d'Héraclès; c'est Philoctète, le fils de Pœas. Les
deux généraux en chef [195] et le roi des Céphalléniens [196]
ont eu le front de me jeter dans cette île. Ils m'y ont abandonné, proie d'une maladie atroce, déchiré par la morsure
d'un serpent venimeux. Seul avec ma plaie, mon enfant,
ils m'ont débarqué dans ce désert, puis ils sont repartis.
Venant de Chrysé en mer, la flotte avait ici fait escale.
Comme nous avions eu forte houle, j'étais heureux de descendre à terre et je m'étais endormi sur le rivage, au
creux d'un rocher : ce que voyant, ils s'en allèrent, me
laissant ce qu'on laisse aux réprouvés : quelques hardes
et à peine de quoi me soutenir. Je leur souhaite la pareille !
Ce que fut mon réveil, tu l'imagines, enfant, lorsque je
m'aperçus qu'ils n'étaient plus là ! Tu devines mes larmes,
mes cris de désespoir ! Les navires qui avaient vogué sous
mes ordres, je les voyais s'effacer au large... Et personne
pour m'aider à vivre et pour soigner mon mal épuisant !
Partout où se tournaient mes regards, je ne découvrais
que des sujets d'affliction, mais il n'en manquait pas,
mon fils ! Les jours après les jours passaient. Seul sous
cet abri étroit, j'ai dû me faire mon propre serviteur.
Les besoins de l'estomac, mon arc y pourvoyait en tirant
au vol les pigeons sauvages. Mais, pour saisir tout ce que
mes flèches m'abattaient, il me fallait ramper en traînant
mon pied malade. Si je voulais boire, ou bien — le gel
hivernal couvrant la terre — si j'avais à casser du bois, c'est
toujours en rampant, misère ! que j'en venais à bout. Du
feu non plus, je n'en avais pas sous la main. A grand'peine,
en frottant pierre contre pierre, je fis jaillir la flamme qui
s'y cache et qui m'a conservé la vie. En somme, j'ai le feu,
j'ai l'abri ; il me manque seulement de n'être point malade.
Quelques mots encore, mon fils, au sujet de cette île.
Aucun navigateur ne s'en approche volontiers ; on n'y
rencontre aucun mouillage, aucun comptoir pour le trafic
et point d'hôte pour vous faire accueil. Il faut être fou
pour mettre le cap de ce côté. Certes, il advient qu'on y
relâche malgré soi ; une vie un peu longue est fertile en
hasards de ce genre. Lorsqu'il m'arrive ainsi des voyageurs, mon enfant, ils s'apitoient sur mon sort ; parfois
même leur cœur s'est vraiment ému, ils m'ont donné un
peu de nourriture, quelque vêtement. Quant à ce qui
serait mon salut, à me rapatrier, il suffit que je touche ce
point : ils se dérobent tous. Hélas ! voilà tantôt dix ans
que je me consume, épuisé par la faim et les souffrances,

à nourrir le mal qui me dévore. Telle est l'œuvre des Atrides et d'Ulysse, mon enfant. Veuillent les dieux Olympiens leur faire payer misère pour misère !

Le Coryphée. — Les étrangers qui sont venus ici avaient raison de te plaindre, et je te plains aussi, fils de Pœas.

Néoptolème. — Et moi, j'atteste que tu dis vrai. Comme toi, j'ai éprouvé ce que valent ces lâches : les Atrides et Ulysse.

Philoctète. — Comment ? toi aussi ? Est-il vrai que tu aies eu à te plaindre de ces maudits Atrides et que tu leur en gardes rancune ?

Néoptolème. — Ah ! si mon bras pouvait un jour assouvir mon ressentiment et montrer à Mycènes et à Sparte que, non moins qu'elles, Scyros a enfanté des braves !

Philoctète. — Bien dit, fils. Mais conte-moi quels griefs ont excité en toi cet amer ressentiment.

Néoptolème. — Fils de Pœas, bien qu'il m'en coûte, je ne te cacherai rien des outrages dont ils m'ont abreuvé là-bas. Quand sa destinée nous eut enlevé Achille...

Philoctète. — Malheur à moi ! Arrête, que j'apprenne cela d'abord. Quoi ! il est mort, le fils de Pélée ?

Néoptolème. — Il est mort, invulnérable aux hommes, mais non pas aux dieux, car on dit que c'est une flèche de Phœbos qui a eu raison de sa vie [197].

Philoctète. — Noble victime, bien digne de la main qui l'a frappé ! Cependant, ô mon fils, tu vois, je ne sais plus ou j'en suis... J'ai soif de connaître tes épreuves, et en même temps je voudrais donner des larmes à ton père.

Néoptolème. — Pauvre ami, tu as bien assez de tes malheurs, sans gémir sur ceux d'autrui.

Philoctète. — Tu as raison, reprends ton récit : quels outrages t'ont fait subir les Atrides ?

Néoptolème. — A bord d'un navire peint de vives couleurs, le divin Ulysse [198] et Phénix [199], le père nourricier de mon père, vinrent me chercher. A tort ou à raison, ils prétendaient, Achille n'étant plus, que les dieux me réservaient l'honneur d'enlever la citadelle [200]. Leurs beaux discours m'eurent bientôt persuadé : je m'embarquai, avide surtout de contempler mon père avant qu'on ne l'ensevelît, car je ne l'avais jamais vu. Et puis j'aimais la gloire ; je ne rêvais que d'aller à Troie et d'emporter la place ! Après deux jours de navigation, le vent poussa mes rameurs en direction du sombre cap Sigée [201], où j'abordai. L'armée entière faisait cercle autour de mon navire pour me souhaiter la bienvenue; tous juraient qu'ils revoyaient en moi Achille revenu à la vie. Le corps de mon père reposait. D'abord, tout à ma douleur, je le pleurai. Mais bientôt j'allai voir les Atrides : n'étaient-ils pas mes amis ? Je leur demandai les armes du mort et tout ce qui lui avait appartenu. C'est alors, pauvre de moi ! qu'ils me tinrent ce langage effronté : « Fils d'Achille, tous les biens paternels te reviennent, et tu peux les prendre. Pour les armes, un autre les possède; c'est le fils de Laërte. » Aussitôt, je me relève pleurant de rage, le cœur serré : « Misérables ! leur criai-je, vous avez le front de donner à un autre des armes qui sont mon bien, sans seulement me consulter ? » Alors Ulysse, qui assistait à la scène : « Oui, petit, ils me les ont données, et c'est justice. Si je n'avais été là, elles étaient perdues, et le corps de ton père avec elles. » Ulcéré, je vomis contre cet homme toutes les malédictions qu'il est possible de lancer, s'il persistait à me voler mes armes. Poussé à bout, malgré sa patience, car mes insultes le mordaient au cœur, il me répondit : « Tu n'étais pas où nous étions, tu étais absent quand il fallait être là, tant pis pour toi. Et tu as beau le prendre de haut : tu n'as aucune chance de les rapporter à Scyros, ces armes ! » C'est ainsi, bafoué, injurié, que j'ai pris le chemin du retour, spolié par cet Ulysse, un scélérat s'il en fut, et fils de scélérat [202] ! Mais je l'incrimine moins encore que les deux commandants suprêmes : il n'est de ville ou d'armée qui ne respire tout entière par ceux qui la dirigent, et tous les fauteurs de désordre ont été pervertis par les leçons d'un maître. A présent, tu sais tout, Puisse l'ennemi des Atrides être cher aux dieux comme il m'est cher !

LE CHŒUR.

> Déesse montagnarde, ô Terre [203],
> nourrice universelle et mère de Zeus même,
> toi qui possèdes le grand Pactole [204] plein d'or,
> là-bas, déjà, je t'ai priée, ô mère auguste,
> lorsque la fureur des Atrides
> sur cet enfant se déchaînait,
> et qu'ils l'ont dépouillé des armes de son père
> pour en faire hommage au fils de Laërte !
> Dis-moi, Bienheureuse qui trônes
> sur le dos des lions égorgeurs de taureaux,
> cet homme, un tel honneur, l'avait-il mérité ?

PHILOCTÈTE. — Vos griefs, étrangers, sont votre meilleure lettre d'introduction auprès de moi dans cette île, et nos plaintes s'accordent pour imputer nos malheurs aux Atrides et à Ulysse. Ah! celui-là, je connais sa langue, coutumière de toute calomnie, de toute fourberie : rien de bon n'en peut sortir. En vérité, tout ceci ne m'étonne point, mais plutôt comment le grand Ajax, s'il était présent, a pu contenir sa colère.

NÉOPTOLÈME. — Il n'était déjà plus, ô mon hôte. Ah! du vivant d'Ajax, jamais on ne m'aurait dépouillé de la sorte.

PHILOCTÈTE. — Qu'as-tu dit? Se peut-il qu'il s'en soit allé, lui aussi?

NÉOPTOLÈME. — Eh oui, il ne voit plus la lumière du jour.

PHILOCTÈTE. — Ah! malheureux que je suis! Pour le fils de Tydée [205], ou pour cette graine de Sisyphe à Laërte vendue [206], pas de danger qu'ils soient morts, eux qui n'auraient jamais dû vivre!

NÉOPTOLÈME. — Il s'en faut, sache-le : ils tiennent le haut du pavé dans le camp des Grecs!

PHILOCTÈTE. — Et mon vieil et excellent ami Nestor de Pylos [207], vit-il encore? Il a été le sage conseiller qui les empêchait de faire trop de mal.

NÉOPTOLÈME. — Le malheur vient de le frapper, lui aussi : il a perdu son fils Antiloque.

PHILOCTÈTE. — Hélas! tu m'apprends la mort des deux hommes que j'aurais le plus souhaité de savoir encore vivants. Où donc, où tourner à présent mes regards, puisque ceux-là ne sont plus et qu'Ulysse leur survit! Bonne nouvelle, si la mort l'avait pris à leur place!

NÉOPTOLÈME. — C'est un habile jouteur; mais quoi! il arrive souvent, Philoctète, que l'habileté elle-même s'empêtre dans ses ruses.

PHILOCTÈTE. — Dis-moi encore, au nom des dieux, où se trouvait alors Patrocle [208], l'ami chéri de ton père?

NÉOPTOLÈME. — Il était mort, lui aussi. Vois-tu, la chose s'explique aisément : la guerre ne veut pas d'un vaurien; c'est toujours les braves qu'elle choisit!

PHILOCTÈTE. — J'en conviens. Et même, à ce propos, je t'interrogerai sur un personnage fort indigne, à dire vrai, mais discoureur infatigable et retors. Qu'est-il advenu de lui?

NÉOPTOLÈME. — Tu me fais là tout le portrait d'Ulysse!

PHILOCTÈTE. — Ce n'est pas à lui que je pensais,

mais à un certain Thersite : plus on le faisait taire et
plus il pérorait [209]. Ne sais-tu pas s'il est mort ?

NÉOPTOLÈME. — Je ne l'ai pas vu, mais on m'a dit
qu'il vivait toujours.

PHILOCTÈTE. — Cela devait être. Tous les mauvais
ont survécu : de bons génies veillent sur eux ! Je ne sais
pourquoi tout ce qu'il y a de fourbes et de coquins
rompus au crime, les divinités se plaisent à les sauver,
elles qui ne manquent jamais d'expédier chez Hadès les
justes et les vaillants. Comment s'expliquer cela ? Comment l'approuver ? Lorsque je voudrais louer le ciel, je
trouve les dieux favorisant le mal.

NÉOPTOLÈME. — Pour moi, ô fils du pays de l'Œta, je
me tiendrai sur mes gardes, à l'avenir, content de voir
de loin Ilion et les Atrides. Là où le méchant l'emporte
sur le juste, où périt l'honneur, où triomphent les lâches,
je n'irai pas me choisir des amis. Ma rocheuse Scyros
me suffira pour le reste de mes jours, et les joies du foyer.
Allons, je m'en retourne à mon navire. Adieu et bonne
chance, fils de Pœas ; puissent les divinités te soulager de
ton mal ainsi que tu le désires ! Partons, nous autres ; dès
qu'un dieu nous accordera bon vent, nous mettrons les
voiles.

PHILOCTÈTE. — Quoi ! mon enfant, vous en allez-vous
déjà ?

NÉOPTOLÈME. — Pour mettre à la voile, mieux vaut
guetter l'occasion de près que de loin.

PHILOCTÈTE. — Ah ! par ton père, mon enfant, par ta
mère, par tout ce qui t'est cher dans ta maison, ne me
laisse pas seul ainsi, abandonné en proie à tous les
maux que tu vois ou que je t'ai dépeints ; je t'en supplie,
prends-moi à ton bord ! Ce sera un supplément de
charge — pénible, je le sais trop — et pourtant supporte
cette gêne : aux natures généreuses, ce qui fait honte fait
horreur, ce qui est noble est glorieux. En te dérobant, tu te
perdrais d'honneur ; mais quelle fierté sera ta récompense,
si tu me ramènes vivant dans mes montagnes natales !
Va, tu n'en as pas seulement pour un jour entier d'ennuis.
Du courage ! Tu me chargeras où tu voudras, dans la
sentine, sur l'avant, sur l'arrière, là où j'incommoderai le
moins ton équipage. Au nom de Zeus des Suppliants,
consens, mon fils, laisse-toi persuader. Tu vois, je me
traîne à tes genoux, tout invalide que je suis, misère !
tout boiteux... Ne me laisse pas retomber dans ma détresse
au milieu de ce désert ; conduis-moi seulement jusque

chez toi, ou aux échelles de l'Eubée, chez le roi Chalco-
don [210] : de là, une courte traversée me mettra au pied de
l'Œta, près de la chaîne de Trachis et du beau fleuve
Sperchios, et tu m'auras rendu à mon père. Hélas! ce
cher père, depuis tant d'années, je crains qu'il ne soit
plus de ce monde! Maintes fois, par des navigateurs de
passage, je l'ai fait supplier de m'envoyer un vaisseau
pour me rapatrier. S'il n'est pas mort, je suppose qu'avec
cette négligence des auxiliaires de fortune ces gens se
sont hâtés d'oublier ma détresse pour rentrer chez eux
plus vite. Heureusement, tu es là, toi vers qui je me
tourne, guide et messager de mon retour : sauve-moi
la vie, toi, prends-moi en pitié! Tu sais comme tout est
étrange et périlleux pour les mortels, sans trêve ballottés
entre bonheur et revers. Au sortir des mauvaises passes,
ne perdons pas de vue le danger. C'est dans les accalmies
surtout qu'il est prudent de veiller au grain : la ruine est
là sans qu'on y ait pris garde.

LE CHŒUR.
 Mon seigneur, laisse-toi fléchir.
Il t'a dit comme il a souffert jusqu'à l'extrême
et lutté... Qu'un tel sort épargne mes amis!
Ces Atrides vindicatifs, si tu les hais,
sais-tu, mon roi, ce que je ferais à ta place?
Tournant à son profit les maux dont ils l'accablent,
puisqu'aussi bien c'est là son désir le plus cher,
à bord de ton solide et rapide navire,
je le ramènerais dans son pays natal,
sûr d'éviter ainsi la colère divine.

NÉOPTOLÈME. — Toi qui fais le généreux, attends
d'être écœuré par cette promiscuité de la maladie : on
verra si tu parles toujours de même.
LE CORYPHÉE. — Je m'en fais fort. Tu n'auras jamais
rien à me reprocher là-dessus.
NÉOPTOLÈME. — Après tout, je rougirais de me montrer
moins empressé que toi à secourir cet étranger, quand
nous en avons l'occasion. Puisque c'est ton avis, mettons
les voiles, et que notre passager se hâte. Nous l'emme-
nons, c'est dit. Veuillent seulement les dieux protéger
notre départ et nous conduire à bon port!
PHILOCTÈTE. — O jour cher entre tous! O toi le plus
bienfaisant des hommes, ô vous, bons matelots, comment
vous prouverai-je que vous avez fait de moi votre ami?

Viens, mon enfant, allons tous deux saluer mon logis, —
piètre logis, en vérité! Tu verras de quoi je vivais et
quel courage il m'a fallu. La vue seule de tant de misère
doit paraître insupportable à tout autre qu'à moi. Mais
la nécessité m'a appris à m'en accommoder.

LE CORYPHÉE. — Arrêtez. Sachons ce qu'on nous
veut. Deux hommes s'avancent : l'un est un marin de
ton navire, et l'autre un étranger. Avant d'entrer, voyez
ce qu'ils viennent faire.

                    (Paraît, accompagné d'un matelot, un espion
                    déguisé en marchand.)

LE MARCHAND. — Fils d'Achille, j'ai ordonné à cet
homme de ton équipage, qui gardait ton navire avec
deux autres matelots, de m'indiquer en quel point de
l'île tu te trouvais, car une chance inattendue t'a mis sur
ma route en me faisant mouiller devant la même côte.
Patron d'un modeste vaisseau, je faisais voile, venant
d'Ilion, pour rentrer chez moi, à Péparèthe [211], une bonne
terre à vigne. Mais quand j'ai su que tous ces marins que
je voyais étaient des gens à toi, j'ai résolu de ne pas poursuivre ma route avant de t'avoir fourni certains renseigne-
ments. Tu me les paieras à leur valeur. Il se trame des
choses à ton sujet, sans que tu t'en doutes. Les Argiens
ont sur toi de nouveaux desseins, que dis-je! ils ont
déjà pris des mesures.

NÉOPTOLÈME. — Etranger, je ne suis pas un ingrat;
je saurai reconnaître ton obligeance. Mais explique-moi la
chose : qu'est-ce que les Argiens complotent contre moi?

LE MARCHAND. — Le vieux Phénix et les fils de
Thésée [212] ont pris la mer à ta poursuite.

NÉOPTOLÈME. — Pour me ramener, sans doute. Mais
par la contrainte ou par la persuasion?

LE MARCHAND. — Je l'ignore. Je te fais part seulement
de ce que j'ai entendu dire.

NÉOPTOLÈME. — Phénix et ses compagnons se
montrent-ils si empressés à servir les Atrides?

LE MARCHAND. — Dis-toi bien qu'ils n'en sont plus au
projet : l'affaire est en route.

NÉOPTOLÈME. — Pourquoi Ulysse ne s'est-il pas lui-
même chargé de l'ambassade? Quelque crainte l'a-t-elle
retenu?

LE MARCHAND. — Nullement, mais il partait chercher
quelqu'un d'autre, en compagnie du fils de Tydée, au
moment où j'appareillais.

NÉOPTOLÈME. — Qui donc Ulysse allait-il voir outre-mer ?

LE MARCHAND. — C'était... Mais d'abord, dis-moi qui est celui-ci ? Parle bas.

NÉOPTOLÈME. — C'est Philoctète, étranger. Son aventure est bien connue.

LE MARCHAND. — Ah ! ne m'en demande pas plus long, mais plie bagage et gagne le large !

PHILOCTÈTE. — Que dit-il, mon fils ? A quel trafic mystérieux se livre-t-il sur mon compte, ce marin ?

NÉOPTOLÈME. — Je ne comprends pas ce qu'il veut dire. Qu'il s'explique au grand jour, devant toi, devant moi, devant mes hommes.

LE MARCHAND. — Fils d'Achille, au moins ne ruine pas mon crédit auprès de l'armée en me faisant révéler ce que je dois taire. J'entretiens de bonnes relations avec la troupe : elle me fait vivre et je lui rends mes petits services, comme un pauvre homme que je suis.

NÉOPTOLÈME. — Je n'aime pas les Atrides, et cet homme est mon grand ami parce qu'il les déteste. Si tu veux m'être agréable, il ne faut rien nous cacher de ce que tu as appris.

LE MARCHAND. — Pèse bien tes décisions, mon fils.

NÉOPTOLÈME. — Je n'ai cessé d'y réfléchir.

LE MARCHAND. — Tout ceci, je t'en rendrai responsable.

NÉOPTOLÈME. — A ta guise, mais explique-toi.

LE MARCHAND. — Les deux chefs que j'ai nommés, Ulysse et le fils de Tydée, sont en mer : ils viennent chercher cet homme. Ils ont juré qu'ils l'emmèneraient de gré ou de force. Cela, tous les Achéens ont pu l'entendre, car Ulysse ne s'en est pas caché. Diomède, lui, s'avouait moins sûr de réussir.

NÉOPTOLÈME. — Mais pourquoi les Atrides se montrent-ils soudain préoccupés de Philoctète, après l'avoir tenu si longtemps à l'écart ? Ont-ils des regrets, ou craignent-ils la vengeance des dieux, qui poursuit le crime ?

LE MARCHAND. — Je vais te conter toute l'histoire, car j'ai idée que tu l'ignores. Il y avait un devin de grande naissance, un fils de Priam ; il se nommait Hélénos [213]. Or il fut fait prisonnier par Ulysse, une nuit que ce roué, dont la réputation n'est plus à faire, était allé seul rôder hors de l'enceinte. Ulysse le ramena chargé de chaînes et montra cette capture de choix aux Achéens

attroupés. Le devin leur prédit toute sorte de choses, et
en particulier qu'ils ne détruiraient point la citadelle
troyenne, s'ils ne tiraient Philoctète — consentant, bien
entendu — de cette île-ci où il est toujours relégué.
A peine eut-il entendu la prédiction que le fils de Laërte
promit aux Achéens de leur amener cet homme : à son
avis, il ne ferait pas de résistance; et, s'il résistait, on
l'emmènerait de force : Ulysse était si sûr de lui qu'il
offrait sa tête à couper si l'entreprise échouait. Mon fils,
voilà toute l'affaire. Pour ton protégé autant que pour
toi-même, je t'engage à presser le mouvement.

PHILOCTÈTE. — Malheur à moi! Il a juré, ce fléau
des hommes, d'obtenir mon assentiment pour me livrer
aux Achéens? Autant vaudrait me persuader de remonter au jour après ma mort, comme le fit son père [214]!

LE MARCHAND. — Je ne veux plus me mêler de cela et
je retourne à mon bateau. Qu'un dieu vous conseille
pour le mieux.

(Il sort.)

PHILOCTÈTE. — N'est-il pas scandaleux que le fils
de Laërte ait pensé m'apprivoiser par ses discours et
m'exhiber sur le débarcadère, devant tous les Argiens?
J'écouterais plutôt ma plus cruelle ennemie, la vipère
qui m'a privé d'un pied. Tout est bon à dire pour un
Ulysse, tout est bon à entreprendre. Il viendra, j'en suis
certain. Allons-nous-en, mon petit; mettons une grande
étendue de mer entre son navire et le nôtre. En route!
Se hâter à propos, c'est se ménager du loisir pour un
sommeil réparateur.

NÉOPTOLÈME. — Quand le vent de proue aura cessé,
nous partirons. Pour l'heure, il nous arrête.

PHILOCTÈTE. — On navigue toujours bien quand on
fuit devant le malheur.

NÉOPTOLÈME. — Ce n'est pas dit. Mais enfin ils ont
comme nous le vent contraire.

PHILOCTÈTE. — Il n'y a pas de vent contraire pour les
pirates, quand s'offre une rapine ou un coup de main.

NÉOPTOLÈME. — Fuyons, puisque c'est ton désir.
Mais va prendre là-dedans tout ce qui pourrait te faire
défaut.

PHILOCTÈTE. — Il y a, en effet, des choses dont j'ai
besoin, mais le choix en sera vite fait!

NÉOPTOLÈME. — Qu'y a-t-il que tu ne trouveras pas à
bord?

PHILOCTÈTE. — J'ai là une plante qui réussit chaque fois à endormir les élancements de la douleur : elle me procure un grand soulagement.

NÉOPTOLÈME. — Emporte-la. N'as-tu rien d'autre à prendre ?

PHILOCTÈTE. — Voyons si je n'oublie pas une de mes flèches qui m'aurait glissé des mains. Je ne voudrais pas que personne s'en emparât.

NÉOPTOLÈME. — C'est donc lui que tu tiens là, cet arc fameux ?

PHILOCTÈTE. — C'est lui que je porte. Je n'en possède point d'autre.

NÉOPTOLÈME. — M'est-il permis de le voir de près, de le soulever, de le vénérer comme un dieu ?

PHILOCTÈTE. — Oui, mon fils, et tout ce que j'ai qui puisse te faire plaisir t'appartient.

NÉOPTOLÈME. — Certes, j'ai grande envie de manier cet arc, mais seulement si les dieux y consentent; sinon, n'en parlons plus.

PHILOCTÈTE. — Ta demande n'est point pour offenser les dieux, mon fils : toi seul, tu m'as rendu la lumière du soleil! Grâce à toi, je reverrai mon cher pays, mon vieux père, mes amis, et je triomphe des ennemis qui m'opprimaient. Ne crains rien : tu pourras, cet arc, en le maniant à loisir, te vanter d'être le seul qui ait eu l'honneur de le toucher. Ce sera le prix de ta vertu. Et n'est-ce pas pour prix d'un service que je l'ai reçu, moi aussi ?

NÉOPTOLÈME. — Je me félicite de te connaître et d'avoir gagné ton amitié. Celui qui sait payer un bienfait nous devient un ami plus précieux que tous les biens du monde. Mais entre donc.

PHILOCTÈTE. — C'est cela, je vais te conduire. Aussi bien mon infirmité a besoin de ton bras pour s'y appuyer.

CHANT DU CHŒUR

Si je ne l'ai point vu, du moins on m'a conté
  comment jadis Ixion[215] *s'approcha,*
    larron d'amour, du lit de Zeus,
et comment le lia sur une roue agile
    le fils tout-puissant de Cronos;
    mais je n'ai jamais vu mortel
et je n'en connais pas, même par ouï-dire,
    qui plus que celui-ci ait eu le sort contraire.

Il respectait les biens et les personnes,
il était juste envers les justes ; cependant
il dépérissait misérable, et si une chose m'étonne,
c'est comment, dans sa solitude, entouré du fracas des vagues,
il a pu prolonger des jours qui n'étaient faits que de tour-
[*ments!*

Ne trouvant port qu'en lui-même, impuissant à faire un pas,
et personne alentour, nul voisin de misère,
pour l'entendre jeter à tous échos sa plainte
épuisante, voix de sa plaie ensanglantée,
ou calmer le flux chaud de cette purulence
par l'application de plantes salutaires
          comme il en croît dans la prairie !...
     Tel qu'un enfant privé de sa nourrice,
     il se traînait, rampait, ici, puis là,
          comme il pouvait aller,
chaque fois que le mal relâchait sa morsure.

Il n'avait point pour se nourrir les fruits de la terre sacrée,
ni les fruits du labeur ingénieux des hommes.
Seules les flèches qui, de son arc, s'envolaient,
diligentes, lui rapportaient de quoi manger.
          O misère de cette vie !
Voilà dix ans que la moindre coupe de vin
     ne lui a réchauffé le cœur !
Hélas ! avait-il vu quelque part de l'eau morte,
     il se traînait jusque là, chaque jour...

Enfin la gloire et le bonheur vont lui sourire,
car il a rencontré un fils de noble race
qui, sur son bâtiment rapide, après tant de mois, le ramène
dans son foyer, près des hauts bords du Sperchios,
          séjour des nymphes Maliennes [216]*,*
     où jadis le Héros [217] *au bouclier d'airain,*
          devant la céleste assemblée,
          environné du feu divin,
apparut, au-dessus des hauts bords de l'Œta.

DEUXIÈME ÉPISODE

NÉOPTOLÈME. — Avance en rampant, si tu veux...
Mais qu'as-tu ? Pourquoi, sans raison, te taire, immo-
bile, comme frappé de la foudre ?
PHILOCTÈTE. — Ah !... Ah !...

NÉOPTOLÈME. — Qu'y a-t-il?

PHILOCTÈTE. — Rien d'inquiétant. Va, mon enfant.

NÉOPTOLÈME. — Serait-ce une nouvelle attaque de ton mal?

PHILOCTÈTE. — Mais non, mais non... Je me sens déjà soulagé. — O dieux!

NÉOPTOLÈME — Pourquoi invoques-tu les dieux en gémissant?

PHILOCTÈTE. — Afin qu'ils nous sauvent et nous soient bienveillants. — Ah!... Ah!...

NÉOPTOLÈME. — Que t'arrive-t-il? Parle, voyons; ne t'obstine pas dans ce silence. Je vois bien que tu souffres.

PHILOCTÈTE. — Je suis perdu, enfant. Je ne peux plus vous cacher mon mal. Ah!... Cela me traverse, oui, me traverse... Ah!... Que j'ai mal, infortuné... Je suis perdu, mon enfant... Ce mal me dévore, mon enfant. Ah!... ah!... ah!... ah!... ah!... ah!... Au nom des dieux, si tu as une épée sous la main, mon enfant, frappe-moi, là, au bout du pied, tranche-le au plus vite. Et tant mieux si j'en meurs. Va, mon fils.

NÉOPTOLÈME. — Quelle brusque attaque te fait ainsi hurler et gémir sur toi-même?

PHILOCTÈTE. — Tu le sais, mon enfant.

NÉOPTOLÈME. — Mais encore?

PHILOCTÈTE. — Tu le sais, mon fils.

NÉOPTOLÈME. —Je ne sais pas ce qui t'arrive...

PHILOCTÈTE. — Comment ne le sais-tu pas? Ah!... ah!... ah!... ah!...

NÉOPTOLÈME. — Quel effroyable redoublement de tes souffrances!

PHILOCTÈTE. — Oui, effroyable, indescriptible. Aie pitié de moi...

NÉOPTOLÈME. — Que puis-je faire?

PHILOCTÈTE. — Point de panique; ne m'abandonne pas! Cette crise féroce revient au gîte par intervalles, sans doute quand elle en a assez de courir!

NÉOPTOLÈME. — Infortuné que tu es, oui, vraiment infortuné, on ne peut évidemment souffrir plus que tu souffres. Veux-tu que je te prenne dans mes bras, que je te soutienne de la main?

PHILOCTÈTE. — Non, mais prends plutôt mes armes, comme tu m'en priais tout à l'heure. Garde-les et veille sur elles jusqu'à la fin de cet accès. Car le sommeil me saisit, à ce moment-là; c'est lui qui annonce que la crise cst passée : il faut donc le respecter, ce sommeil

paisible. Si cependant nos persécuteurs arrivaient, —
alors, au nom des dieux, ne leur livre ces armes ni de
gré ni de force, ni d'aucune façon : ce serait notre perte
commune, car je suis ton suppliant.

NÉOPTOLÈME. — Rassure-toi : je veillerai. Ces armes
n'iront pas en d'autres mains que les nôtres. Donne-les,
et qu'elles nous portent bonheur!

PHILOCTÈTE. — Reçois-les, mon fils. Mais prie
l'Envie [218] qu'elles ne te soient point cause de beaucoup
de peines, comme elles le furent pour moi et pour leur
premier maître.

NÉOPTOLÈME. — O dieux, exaucez notre vœu. Puisse
un bon vent nous conduire au port que vous assignez
pour terme à notre voyage!

PHILOCTÈTE. — Ah! je crains fort, mon fils, que ton
vœu ne demeure vain. De ma plaie ruisselle un nouveau
flux de sang presque noir, et je m'attends à un nouvel
accès.

Ah!... ah!... douleur!

Que je souffre, ô mon pied, que tu vas encore me tor-
turer! Il s'approche, l'affreux mal, il m'attaque de près...
Malheur, malheur à moi! Vous voyez où j'en suis, ne me
quittez pas.

Ah!... ah!...

Ah! toi, le Céphallénien, si seulement pareille douleur
pouvait percer ta poitrine et s'y fixer! Ah!... ah!... ah!...
cela reprend de plus belle... Et vous, les deux grands
chefs, Agamemnon, Ménélas, que j'aimerais à vous voir
la pâture de ce mal aussi longtemps qu'il m'aura rongé!

Malheur, malheur à moi!

O mort, mort, toi que chaque jour, que tout le jour
j'appelle, tu ne peux donc jamais venir? Mais toi, mon
enfant, cœur généreux, toi, du moins, rends-moi un bon
office : ces fournaises de Lemnos, dont on parle toujours [219], plonge-moi dedans, enfant au grand cœur! J'ai
accepté, moi, de rendre au fils de Zeus le même service,
en échange des armes dont tu as aujourd'hui la garde.
Que dis-tu, fils?

Que dis-tu? Rien? Pourquoi ce silence? Où donc,
mais où es-tu, mon enfant?

NÉOPTOLÈME. — Je n'ai cessé de souffrir et de gémir
des maux qui sont sur toi.

PHILOCTÈTE. — Ne perds pas courage, mon fils. Après
la phase aiguë, le mal s'éloigne rapidement. Ah! je t'en
conjure, ne me laisse pas seul!

NÉOPTOLÈME. — Rassure-toi, nous resterons ici.

PHILOCTÈTE. — C'est bien vrai que tu resteras ?

NÉOPTOLÈME. — N'aie aucun doute.

PHILOCTÈTE. — Je ne te demande pas de le jurer, mon enfant.

NÉOPTOLÈME. — Devant les dieux, je n'ai pas le droit de partir sans toi.

PHILOCTÈTE. — Ta main, en gage de ta promesse.

NÉOPTOLÈME. — Prends-la. Je resterai.

PHILOCTÈTE. — Là, maintenant, là, qu'on me...

NÉOPTOLÈME. — Où dis-tu...

PHILOCTÈTE. — Là-haut...

NÉOPTOLÈME. — Est-ce le délire qui te reprend ? Pourquoi montres-tu des yeux le ciel ?

PHILOCTÈTE. — Laisse, laisse-moi aller...

NÉOPTOLÈME. — Aller où ?

PHILOCTÈTE. — Me lâcheras-tu, enfin ?

NÉOPTOLÈME. — Cela, non, je ne le ferai pas.

PHILOCTÈTE. — Tu me tueras, si tu ne me lâches point.

NÉOPTOLÈME.— Allons, je te lâche. Tu parais reprendre tes esprits.

PHILOCTÈTE. — O terre, je vais mourir. Accueille-moi comme je suis. Mon mal me refuse l'usage de mes jambes.

NÉOPTOLÈME. — Je pense que le sommeil ne tardera pas à le prendre. Voyez : sa tête se renverse. La sueur perle partout sur son corps, tandis qu'une veine qui s'est rompue au bout de son pied laisse échapper du sang noir. Ne le troublons pas, mes amis, afin qu'il tombe dans un sommeil profond.

LE CHŒUR.
Insouciant Sommeil qu'épargne la douleur,
Sommeil, viens près de nous répandre ton haleine,
    mon doux seigneur, délice de nos jours,
    et garde aux traits de ce dormeur
cette sérénité qui s'y peint à présent...
        Accours à mon appel, ô Guérisseur !
Mais toi, mon fils, vois bien où tu veux t'arrêter,
jusqu'où tu veux aller, bref : ce que tu dois faire.
        Regarde : il dort...
        Qu'attendons-nous ?
L'occasion, conseillère infaillible,
emporte la balance du succès.

NÉOPTOLÈME. — Il ne nous entend plus, soit; et après ?
Il est trop clair, selon moi, que la possession de ses armes
ne nous avancerait à rien si nous nous embarquions
sans lui. C'est à lui que la couronne est promise, c'est
lui que le dieu a prescrit d'emmener. Quand on a manqué
son but et qu'ensuite on se vante pour donner le change,
on en est pour sa courte honte.

LE CHŒUR.
   Cela, mon fils, que les dieux en aient cure!
   Mais toi, pour me répondre, je t'en prie,
   baisse la voix, baisse la voix, mon fils!
Il est si transparent, le sommeil des malades,
     à peine si c'est du sommeil!
     Cependant réfléchis encore;
pèse tout en toi-même, et surtout, point d'éclat!
Tu comprends ce que je veux dire : ton projet,
     à l'examiner d'un œil froid,
     est gros d'inextricables embarras.

C'est le bon vent qui souffle, oui, mon fils, le bon vent :
     les yeux clos, sans défense,
l'homme repose dans la nuit de ce sommeil
     que la chaleur rend plus pesant ;
il n'a ni bras, ni pied, ni rien dont il dispose
et n'y voit pas plus clair qu'un gisant dans sa tombe.
Es-tu si sûr d'avoir choisi le bon parti?
     Moi je ne comprends qu'une chose :
     plus faibles sont les risques,
     meilleure est l'entreprise.

TROISIÈME ÉPISODE

NÉOPTOLÈME. — Tais-toi, je t'en prie, et garde ton
sang-froid : le voici qui remue les paupières; sa tête se
soulève.

PHILOCTÈTE. — O clarté qui succède au sommeil, ô
présence inespérée de ces étrangers qui veillent sur moi!
Mon fils, jamais je ne me serais flatté que ta compassion
irait jusqu'à supporter si bravement les incommodités
de mon mal : tu te tiens près de moi, tu m'assistes...
Ah! ce n'est pas les Atrides qui ont jamais montré un
si patient dévouement, ces seigneurs de la guerre!
Toi, noble nature, tant il est vrai que bon sang ne peut
mentir, ô mon fils, tu as tout supporté avec aisance,

rassasié pourtant de mes cris et de mon odeur fétide! Allons, à présent que la douleur assoupie me laisse respirer, soulève-moi, mon enfant, pour m'aider à me mettre debout. Dès que je me sentirai moins faible, nous volerons au navire afin d'appareiller aussitôt.

NÉOPTOLÈME. — Je suis heureusement surpris de te voir rouvrir les yeux en respirant paisiblement. Tu donnais tous les signes de la vie qui s'arrête, mais te voilà presque un autre homme. Essaie de te lever, à présent. Ou peut-être préfères-tu que mes hommes te portent? Ils ne plaindront pas leur peine pour notre service à tous deux.

PHILOCTÈTE. — Je te rends grâce, mon fils. C'est cela, aide-moi à me lever. Ne dérange pas tes hommes : ils ont le temps d'être incommodés par ma mauvaise odeur : notre vie commune sur le navire ne les mettra que trop à l'épreuve.

NÉOPTOLÈME. — Comme tu voudras. Mais lève-toi en t'appuyant sur moi.

PHILOCTÈTE. — N'aie pas peur. J'ai l'habitude de me redresser.

(Un silence.)

NÉOPTOLÈME. — Hélas! que ferai-je, maintenant, moi?

PHILOCTÈTE. — Qu'as-tu, mon fils? Ces paroles n'ont pas de sens.

NÉOPTOLÈME. — Je ne sais comment tourner un aveu si difficile.

PHILOCTÈTE. — Qu'est-ce qui t'embarrasse? Ne parle pas ainsi, mon enfant.

NÉOPTOLÈME. — C'est bien là mon embarras; il faut que je parle.

PHILOCTÈTE. — Mon ulcère te répugne, peut-être, et tu hésites à me prendre à ton bord.

NÉOPTOLÈME. — Tout répugne, quand on trahit sa nature pour commettre une action vile.

PHILOCTÈTE. — Ni tes actes ni ton langage ne dégénèrent, dès lors que tu rends service à un honnête homme.

NÉOPTOLÈME. — Tout le monde me méprisera. Cette pensée me tourmente.

PHILOCTÈTE. — Ta conduite n'a rien de méprisable... Pour tes paroles, ma foi, je n'y comprends plus rien.

NÉOPTOLÈME. — O Zeus! Que faire? Vais-je une seconde fois me montrer lâche, cachant ce qu'il faudrait dire et mentant sans vergogne?

PHILOCTÈRE. — Ai-je perdu le sens? Je crois deviner que ce traître se dispose à s'embarquer sans moi!

NÉOPTOLÈME. — A m'embarquer sans toi, non; mais à t'emmener, pour ton plus grand chagrin, voilà ce qui me tourmente.

PHILOCTÈTE. — Que veux-tu dire, enfin, mon enfant? Je ne comprends plus.

NÉOPTOLÈME. — Je t'avouerai tout : il faut que tu ailles devant Troie retrouver les Achéens [220] et le camp des Atrides.

PHILOCTÈTE. — Malheur! Qu'as-tu dit?

NÉOPTOLÈME. — Ne te désole pas avant de savoir les choses.

PHILOCTÈTE. — Quelles choses? Que veux-tu faire de moi, enfin?

NÉOPTOLÈME. — Te guérir de ta blessure, et puis nous ravagerons ensemble les champs de la Troade.

PHILOCTÈTE. — Est-ce vraiment cela que tu médites?

NÉOPTOLÈME. — Une nécessité supérieure le commande. Ne te révolte point.

PHILOCTÈTE. — C'en est fait de moi, misère! je suis trahi! Étranger, quel piège m'as-tu tendu? Rends-moi sur-le-champ mes flèches.

NÉOPTOLÈME. — Cela n'est pas possible; j'exécuterai les ordres des chefs, comme c'est mon devoir et mon intérêt.

PHILOCTÈTE. — Fléau pire que le feu, monstre horrible, odieux chef-d'œuvre de perfidie, voilà ce que tu as fait! voilà comment tu m'as joué! Et tu oses me regarder en face, toi mon recours, toi que je suppliais, scélérat! En me volant ces armes, c'est ma vie que tu me prends. Rends-les-moi, je t'en conjure, rends-les-moi, je t'en supplie, mon enfant! Par les dieux paternels, ne m'arrache pas ma vie... Hélas! il ne m'adresse même plus la parole. Comme s'il ne voulait plus me les rendre jamais, son regard se détourne. O grèves, promontoires, fauves que je rencontre dans la montagne, rochers abrupts, vous mes seuls confidents, les témoins habituels de mes plaintes, vous voyez ce que m'a fait le fils d'Achille : il jurait de me rapatrier, et il m'emmène à Troie; il me tend sa main droite en gage de sa promesse, je lui confie les armes sacrées d'Héraclès, fils de Zeus, et il les garde pour parader devant les Argiens! Comme s'il eût fait prisonnier un homme vigoureux, il m'emmène de force, sans voir qu'il tue un mort, l'ombre d'une fumée, une vaine image! Ah! ce n'est pas dans le plein de ma vigueur qu'il m'aurait capturé, puisque, tout faible que je suis, il n'en vient à bout que par la ruse! Je suis donc pris au piège, infortuné! Que faire? Rends-les-moi, reviens à ton naturel, il n'est pas trop tard... Que dis-tu? Pas un mot... Je ne suis plus rien, infortuné! O galerie de roc à tous les vents ouverte, je te reviens, mais sans armes, cette fois, et sans ressources. Solitaire, je me dessécherai dans cet antre, n'ayant plus mes flèches pour abattre l'oiseau en plein vol ou la bête montagnarde. C'est moi qui donnerai pâture à ce qui me nourrissait; chasseur chassé, je paierai de ma vie, misère! la vie de mes victimes! Et qui l'aura voulu? Celui qui paraissait l'innocence même! Ah! puisses-tu périr! Mais non, je veux voir d'abord si tu reviendras sur ta résolution. Sinon, puisses-tu mourir misérablement!

LE CORYPHÉE. — Que faire? S'il faut mettre les voiles ou céder à ses prières, à toi, maître, d'en décider.

NÉOPTOLÈME. — J'éprouve pour cet homme une singulière compassion, et qui s'est éveillée en moi dès que je l'ai vu.

PHILOCTÈTE. — Pitié, mon fils, au nom des dieux! N'encours pas devant les hommes le reproche de m'avoir trompé.

NÉOPTOLÈME. — Que faire? Ah! que je regrette d'avoir quitté Scyros! Que cette aventure m'afflige!

PHILOCTÈTE. — Tu n'es pas méchant. Je vois bien que tu as cédé à de perfides influences. Laisse donc la perfidie aux méchants, rends-moi mes armes et quitte cette île.

NÉOPTOLÈME. — Que devons-nous faire, matelots?

ULYSSE (survenant). — Traître, que fais-tu? Livre-moi arc et va-t'en.

PHILOCTÈTE. — Malheur à moi! Quel est cet homme? Je crois entendre Ulysse.

ULYSSE. — Ulysse, en effet. Oui, c'est moi que tu as en face de toi.

PHILOCTÈTE. — Malheur! On m'a vendu; je suis perdu... C'est lui qui a fait main basse sur mes armes!

ULYSSE. — C'est moi, et nul autre. Je ne le nie pas.

PHILOCTÈTE. — Rends-moi mes armes, mon fils, lâche-les!

ULYSSE. — Le voudrait-il qu'il n'en fera rien. Mais ce n'est pas tout : il faut que tu partes avec elles. Au besoin, mes gens t'embarqueront de force.

PHILOCTÈTE. — O le plus traître, le plus impudent des hommes, on m'emmènera de force, moi ?

ULYSSE. — Sans doute, à moins que tu ne viennes de bon gré.

PHILOCTÈTE. — O terre de Lemnos, éclat tout-puissant des forges d'Héphaestos, supporterez-vous que cet homme m'arrache à vous par la contrainte ?

ULYSSE. — C'est Zeus, entends-tu, Zeus lui-même, patron de ce territoire, qui l'a résolu. J'exécute les ordres.

PHILOCTÈTE. — Exécrable peste, que n'inventeras-tu pas ? En alléguant les dieux, tu les fais mentir.

ULYSSE. — Je manifeste leurs vrais desseins. Allons, il faut partir.

PHILOCTÈTE. — Je m'y refuse.

ULYSSE. — Je te l'ordonne. Tu obéiras.

PHILOCTÈTE. — Malheureux que je suis ! Mon père a donc engendré un esclave au lieu d'un homme libre ?

ULYSSE. — Tu es l'égal des plus nobles. Le destin t'a désigné pour consommer avec tes pairs la prise et la ruine de Troie.

PHILOCTÈTE. — Plutôt souffrir tous les maux, aussi longtemps que me portera ce sol abrupt.

ULYSSE. — Que pourrais-tu faire ?

PHILOCTÈTE. — Plutôt me briser le crâne en me précipitant du haut de ce rocher sur les rochers d'en bas.

ULYSSE. — Saisissez-le, vous autres, qu'il n'en puisse rien faire.

PHILOCTÈTE. — Mes mains, comme on vous traite ! Privées de votre arc fidèle, vous devenez la capture de cet homme ! O cœur tout corrompu, âme servile, tu m'as joué une fois de plus, pris au piège avec l'appât de cet enfant inconnu de moi, mais que je sentais de ma race, non de la tienne, et qui ne savait qu'exécuter sa consigne ! On voit assez qu'il regrette amèrement et son erreur et le mal qu'il m'a fait. Ah ! ton astuce criminelle, toujours à l'affût, a bien su lui enseigner la malice qui répugnait à sa nature honnête. Et voici que tu complotes, misérable, de m'enlever, chargé de chaînes, à ces bords où tu m'avais jeté sans ami, sans ressource, sans patrie, pareil à un mort vivant ?

Hélas !

Puisses-tu périr ! Je te l'ai souhaité souvent, mais les dieux me refusent tout ce qui me serait doux.

Cette vie dont tu goûtes les douceurs, elle fait mon

tourment, car je la traîne accablé de misères, bafoué par toi, bafoué par les fils d'Atrée, les deux grands chefs dont tu es le lieutenant! Ce n'est pourtant pas faute qu'on ait dû ruser pour te contraindre à les suivre outremer! Tandis que moi — faut-il que je sois en butte à tous les coups du sort! — moi qui avais de grand cœur équipé sept bâtiments, ils m'ont jeté ici au rebut — du moins à t'en croire, car, eux, ils en rejettent sur toi la faute! Et pourquoi venez-vous me chercher, à présent? Pourquoi m'emmenez-vous? Dans quel espoir? Il y a beau temps qu'à votre compte je n'existe plus. Comment se fait-il, peste maudite, que tu ne me trouves plus boiteux et puant? Comment vous flatterez-vous, m'ayant à votre bord, d'allumer le feu des sacrifices, de répandre des libations? Car c'était là ton prétexte, n'est-ce pas, pour me débarquer? Puissiez-vous périr comme des misérables que vous êtes! Oui, vous périrez pour le mal que vous m'avez fait, si les dieux ont souci du bien et du mal. Or je sais qu'ils en ont souci: vous n'auriez jamais fait la traversée pour un misérable de ma sorte, si un aiguillon divin ne vous poussait vers moi! O terre paternelle, ô dieux de là-haut, qui nous voyez, punissez-les — je saurai attendre — mais punissez-les bien tous, si vraiment vous avez de moi compassion! Certes, ma vie fait pitié, mais si je pouvais les voir une bonne fois abattus, je me croirais guéri.

LE CHŒUR. — Rude caractère, Ulysse, et rude langage d'un homme que le malheur ne fait point plier.

ULYSSE. — J'aurais beaucoup de choses à répondre, si j'en avais le temps. Un mot me suffira. C'est vrai, je suis l'homme des besognes comme celle-ci. Mais dans les rivalités d'honneur et de vertu, on ne trouvera personne de plus intègre que moi. Certes, ma nature me porte à désirer la victoire partout et toujours. Non pas sur toi, cependant, et je te quitterai la place de bonne grâce. Lâchez-le donc, laissez-le libre de rester!... Nous n'avons plus besoin de toi, puisque nous tenons ton arc et tes flèches. N'avons-nous pas dans nos rangs Teucer, pour qui cette arme n'a pas de secrets? Moi-même, je m'estime tout aussi bon tireur que toi. En quoi nous ferais-tu défaut? Puisque tu te plais à Lemnos, partons, nous autres! Ce présent qui faisait ton orgueil va peut-être me rapporter une gloire que tu ne devais céder à personne.

PHILOCTÈTE. — Malheur à moi! A quoi me résoudre,

infortuné ? Quoi ! tu irais faire parade de mes armes devant les Argiens ?

ULYSSE. — Il est trop tard pour discuter. Je pars.

PHILOCTÈTE — Fils d'Achille, n'as-tu rien à me dire, toi non plus ? Tu t'en vas, comme cela ?

ULYSSE (à Néoptolème). — Éloigne-toi sans le regarder. Avec ta générosité, tu risquerais de tout compromettre.

PHILOCTÈTE. — Et vous, chers hôtes, m'abandonnerez-vous aussi ? N'aurez-vous pas pitié de moi ?

LE CORYPHÈE. — Nous naviguons sous les ordres de ce jeune homme. Tout ce qu'il te dira, c'est comme si c'était nous.

NÉOPTOLÈME (aux matelots). — Ulysse me reprochera d'être plein de pitié ; tant pis... Restez, si ce malheureux le désire, le temps que les matelots rechargent le vaisseau et que nous invoquions les dieux. Peut-être ce délai lui inspirera-t-il à notre égard des pensées plus conciliantes. (A Ulysse.) Allons-y, nous deux. (Aux matelots.) Et vous, au premier appel, ralliez le bâtiment.

PHILOCTÈTE.
             O mon antre dans ce roc,
tour à tour brûlant et glacé, il était dit
          que nous ne nous quitterions plus,
et tu m'assisteras pendant mon agonie !...
             Malheur, malheur à moi !
          O mon repaire qui résonnes
       de mes plaintes, mon pauvre abri,
comment vais-je parer, chaque jour, au besoin,
et quel recours contre la faim puis-je espérer ?
             Malheureux, malheureux !
          Ah ! du plus haut du ciel,
       que les oiseaux, d'un vol strident,
       fondent sur moi ! Je n'en puis plus...
LE CHŒUR.
C'est toi qui l'as voulu, par le sort accablé !
Ton malheur ne vient pas de plus puissant que toi.
       Tu pouvais suivre la raison
       et tu as préféré le pire !
PHILOCTÈTE.
O misérable, misérable que je suis !
O persécution de la douleur ! Seul, loin
des hommes, las ! quel avenir, quel autre espoir
          que de périr ici ?
             Hélas ! Hélas !

> comment me nourrirais-je,
> dépossédé de ces armes ailées
que dirigeait mon poing puissant ? Mais, subreptices,
les paroles du fourbe en moi se sont glissées...
Que je voudrais donc, pour m'avoir tendu ce piège,
> aussi longtemps que j'ai souffert
> le voir endurer mes tortures !

LE CHŒUR.

> Vois-tu, c'était ta destinée, et moi
je ne t'ai point tendu de piège ; adresse à d'autres
ton imprécation accablante et funeste,
car nous avons à cœur de rester tes amis.

PHILOCTÈTE.

> Misère ! songer que là-bas,
> au bord de la mer blanchissante,
> il me raille, et que sa main joue
avec le soutien de ma vie, avec cette arme
que nul autre mortel n'avait jamais portée !
> Mon arc, mon ami, qu'à mes mains amies
> ces brutes ont arraché,
> n'as-tu pitié de voir, s'il t'est donné de voir,
> l'infortuné compagnon d'Héraclès
à tout jamais privé de ton service,
tandis que toi, passé aux mains du maître fourbe,
> instrument de ses basses ruses,
tu vois ce scélérat, à force d'infamies
inépuisablement produire des malheurs
tels que nul contre nous jamais n'en suscita ?

LE CHŒUR.

> Faire entendre à propos un juste blâme,
un homme en a le droit, mais non point de céder
> aux entraînements de la haine.
> Ulysse, entre tous les Grecs
> élu par la voix de tous,
a servi ses amis et l'intérêt commun.

PHILOCTÈTE.

> Gibier des airs et vous, fauves à l'œil
> étincelant, qui hantez ces montagnes,
à peine si, naguère, et toujours prêts à fuir,
> vous vous risquiez autour de mon abri !
> Mais je ne tiens plus dans mes mains
> les flèches qui faisaient ma force :
> vous voyez où j'en suis réduit,
> plus rien ne défend ces abords ;
Vous n'avez plus rien à craindre de moi.

Accourez, approchez : carnage pour carnages,
*   rassasiez-vous de mes chairs livides!*
*   Je n'en ai plus pour bien longtemps :*
*   où prendrais-je ce qui fait vivre,*
*   et qui vivrait de l'air du temps,*
déshérité des dons nourriciers de la terre ?
LE CHŒUR.

*   Au nom des dieux, par égard pour un hôte*
qui te voulait du bien, ne fuis pas à l'écart.
*   Comprends, comprends qu'il t'appartient*
*   de guérir le mal dont tu meurs,*
que c'est pitié de le nourrir, et qu'il ne peut
qu'irriter les chagrins sans nombre qui le suivent.
PHILOCTÈTE.

Ah! mes douleurs, tu vas les réveiller encor
*   — de tous mes visiteurs, toi le seul qui m'ait fait*
un peu de bien — Tu m'achèves! Qu'as-tu fait là ?
LE CHŒUR.

Voyons, ne parle pas ainsi.
PHILOCTÈTE.   *As-tu vraiment cru qu'en Troade*
*   — ce pays détesté — j'allais te suivre ?*
LE CHŒUR.   *A mon sens, c'est le bon parti.*
PHILOCTÈTE.

Si vous le pensez, laissez-moi, allez-vous-en!
LE CHŒUR.

Nous en aller ? Hélas! c'est mon plus cher désir !
*   Au navire, vous autres,*
*   et chacun à son poste!*
PHILOCTÈTE.

*   Par Zeus vengeur, ne t'en va pas,*
je t'en conjure...
LE CHŒUR. *Calme-toi!...*
PHILOCTÈTE.   *Au nom des dieux,*
*   étrangers, demeurez!...*
LE CHŒUR.   *A quoi bon ces appels ?*
PHILOCTÈTE.

Hélas! hélas! ô destinée! ô destinée!
*   c'en est fait de moi, malheureux !*
*   Hélas! mon pied, mon pauvre pied,*
comment vivre avec toi ce qui me reste à vivre ?
Étrangers, revenez sur vos pas... Revenez !
LE CHŒUR.

*   A quoi bon, si tu dois changer d'avis encore ?*
PHILOCTÈTE.

*   C'est donc un si grand crime,*

sous les assauts de la douleur
de ne plus bien savoir ce que l'on dit ?

LE CHŒUR.

Viens donc, infortuné ! Nous t'en prions.

PHILOCTÈTE.

Jamais! jamais! Cela, vois-tu, c'est décidé,
quand Zeus qui lance au loin l'éclair
m'embraserait de ses flammes tonnantes !
Ah ! périsse Ilion et périssent le lâche
et ses valets qui ont abandonné l'infirme !
Mais une grâce encore, étrangers, une seule...

LE CHŒUR.

Parle.

PHILOCTÈTE.

Si vous avez par hasard une épée,
une hache, un épieu, donnez.

LE CHŒUR.

Et quel exploit veux-tu donc accomplir ?

PHILOCTÈTE.

Seulement me trancher le cou et les vertèbres :
me tuer, me tuer, voilà ce que je veux !

LE CHŒUR.

Hélas ! pourquoi ?

PHILOCTÈTE.   *Pour aller retrouver mon père.*

LE CHŒUR. *Le retrouver ? Où, cela ?*

PHILOCTÈTE.   *Chez Hadès.*

Je ne le verrai plus sur terre.
Et vous, ô mon pays,   de mes aïeux ;
quelle chance, accablé de maux comme je suis,
me reste-t-il de vous revoir ?
Dire que je n'aurai quitté
les eaux saintes de votre fleuve
que pour servir ces Danaens que je déteste,
et que je ne suis plus que l'ombre d'un vivant !

(*Il se retire dans son abri.*)

DERNIER ÉPISODE

LE CORYPHÉE. — Pour moi, j'aurais déjà repris le chemin de mon bateau, si je n'apercevais Ulysse qui s'avance dans notre direction en compagnie du fils d'Achille.

ULYSSE (*à Néoptolème*). — M'expliqueras-tu pourquoi tu nous fais rebrousser chemin d'un tel pas ?

NÉOPTOLÈME. — Pour défaire le mal que j'ai fait.

ULYSSE. — Étrange langage. Quel mal as-tu fait ?

NÉOPTOLÈME. — En vous obéissant, à toi et à l'armée tout entière...

ULYSSE. — Qu'y a-t-il là de déshonorant ?

NÉOPTOLÈME. — ... j'ai mis un homme à ma merci par une ruse malhonnête.

ULYSSE. — Un homme ? Hé là ! méditerais-tu quelque surprise ?

NÉOPTOLÈME. — Pas la moindre. Mais au fils de Pœas...

ULYSSE. — Que penses-tu faire ? Je commence à craindre...

NÉOPTOLÈME. — Je lui ai pris les armes que voici, n'est-ce pas ? Eh bien, je vais...

ULYSSE. — Par Zeus ! que vas-tu dire ? Tu ne prétends pas les lui rendre ?

NÉOPTOLÈME. — Si, car c'est un bien acquis contre tout droit et tout honneur.

ULYSSE. — Par les dieux, j'espère que tu plaisantes.

NÉOPTOLÈME. — Si c'est plaisanter que de dire la vérité.

ULYSSE. — Je t'en prie, fils d'Achille, pèse bien tes paroles.

NÉOPTOLÈME. — Devrai-je répéter deux fois et trois fois la même chose ?

ULYSSE. — Hélas ! C'est déjà trop d'une fois !

NÉOPTOLÈME. — Sache que tu as entendu mon dernier mot.

ULYSSE. — Tu as compté sans celui qui saura t'arrêter sur la pente.

NÉOPTOLÈME. — Comment dis-tu cela ? Qui est celui qui saura m'arrêter ?

ULYSSE. — Le peuple entier des Achéens, que je représente.

NÉOPTOLÈME. — Pour un homme de sens, ton langage n'a rien de sensé.

ULYSSE. — Et toi, tes propos, tes résolutions, cela a-t-il le sens commun ?

NÉOPTOLÈME. — Il me suffit d'être loyal ; cela vaut mieux que d'être habile.

ULYSSE. — Est-il loyal de rendre ce que tu as saisi sur mon ordre ?

NÉOPTOLÈME. — Je m'efforce de réparer une faute qui est aussi une vilenie.

ULYSSE. — Et tu ne redoutes pas le jugement de l'armée ?

NÉOPTOLÈME. — Fort de ma loyauté, non, je ne le redoute pas.

(Lacune d'un vers. Ulysse fait un geste de menace.)

NÉOPTOLÈME. — Tu ne me persuaderas point par la violence.

ULYSSE. — Ce n'est donc plus les Troyens, c'est toi que nous combattrons.

NÉOPTOLÈME. — Advienne que pourra!

ULYSSE. — Vois-tu ma main droite, sur le pommeau de mon épée?

NÉOPTOLÈME. — J'en ai autant à ton service et tu n'attendras pas longtemps.

ULYSSE. — Laissons cela. Au retour, je ferai mon rapport devant toute l'armée : elle te condamnera.

NÉOPTOLÈME. — Enfin, te voici raisonnable! En marchant toujours avec cette prudence, tu éviteras plus d'une embûche. *(Il se tourne vers la grotte.)* Fils de Pœas, Philoctète! sors, ne reste pas confiné dans cet abri de pierre.

PHILOCTÈTE. — Quel bruit de voix se fait entendre près de ma grotte? Pourquoi m'appelez-vous au-dehors? De quoi avez-vous besoin, étrangers? Hélas! je ne pressens rien de bon. De quel surcroît de maux êtes-vous porteurs?

NÉOPTOLÈME. — Rassure-toi, et écoute la nouvelle.

PHILOCTÈTE. — Je tremble. Tu m'as déjà fait bien du mal avec tes beaux discours.

NÉOPTOLÈME. — N'est-il pas permis de se repentir?

PHILOCTÈTE. — Tel déjà tu t'es montré quand tu m'as pris mes armes : parleur séduisant, mais perfide.

NÉOPTOLÈME. — Tout est changé. Mais je veux savoir de toi si tu as résolu de demeurer ici ou de partir avec nous?

PHILOCTÈTE. — Trêve de discours; ce seront autant de paroles perdues.

NÉOPTOLÈME. — Ta décision est-elle inébranlable?

PHILOCTÈTE. — Plus que je ne puis dire.

NÉOPTOLÈME. — J'aurais aimé à te convaincre; mais si je dois parler pour rien, je n'insisterai pas.

PHILOCTÈTE. — En effet, tu ne peux que parler pour rien. Jamais je ne t'écouterai volontiers, toi dont la fourberie m'a enlevé le soutien de ma vie, et qui viens après cela me donner des conseils, toi, le rejeton dégénéré d'un noble père! Puissiez-vous tous périr, les Atrides d'abord, puis le fils de Laërte, et toi avec eux!

NÉOPTOLÈME. — Cesse de me maudire et reprends tes flèches : je te les rends.

PHILOCTÈTE. — Qu'as-tu dit? Suis-je le jouet d'une seconde ruse?

NÉOPTOLÈME. — Nullement, je le jure par la sainte majesté de Zeus très haut.

PHILOCTÈTE. — O douceur de tes paroles, si elles ne mentent pas !

NÉOPTOLÈME. — Tu vas en voir l'effet. Avance la main et redeviens le possesseur de tes armes.

ULYSSE. — Par-devant les dieux, je m'y oppose au nom des Atrides et de l'armée.

PHILOCTÈTE. — Enfant, qui a parlé ? N'est-ce pas la voix d'Ulysse ?

ULYSSE. — Oui, c'est bien lui qui est devant tes yeux — et qui va t'expédier en Troade, avec ou sans le consentement du fils d'Achille.

PHILOCTÈTE. — Tu me le paieras cher si cette flèche atteint son but.

NÉOPTOLÈME. — Par les dieux, arrête, ne lance pas cette flèche !...

PHILOCTÈTE. — Par les dieux, lâche ma main, cher enfant.

NÉOPTOLÈME. — Non, je ne la lâcherai pas.

(Ulysse s'éclipse.)

PHILOCTÈTE. — Hélas ! pourquoi m'ôter la joie de tuer d'une flèche mon pire ennemi ?

NÉOPTOLÈME. — Tu ne ferais que nous déshonorer tous les deux.

PHILOCTÈTE. — Apprends du moins à les connaître, nos grands chefs Achéens : des menteurs patentés, aussi poltrons qu'impudents.

NÉOPTOLÈME. — Quoi qu'il en soit, tu l'as, ton arc. Je ne vois pas de quoi tu me tiendrais rigueur.

PHILOCTÈTE. — J'en conviens, ta vraie nature s'est révélée, mon enfant ; tu n'as point démenti ta race, — race d'Achille et non de Sisyphe, d'Achille qui fut le premier entre les vivants, qui est le premier entre les morts.

NÉOPTOLÈME. — Il m'est doux d'être uni dans tes louanges au souvenir de mon père, mais écoute ce que j'attends de toi. Force est aux humains de subir les fortunes diverses dont les dieux leur ont fait présent. Aussi bien, celui qui s'obstine à plaisir dans son malheur, comme tu le fais, on ne le comprend pas, on ne le plaint pas, et c'est justice. Ton cœur irritable repousse tous les conseils. Qu'un ami cherche à t'éclairer, tu le hais, tu lui prêtes des intentions hostiles ! Eh bien, je parlerai quand même — et que Zeus m'entende, qui veille sur les serments ! Toi, grave mes paroles dans ton esprit. Si tu es malade, si tu souffres, un dieu l'a voulu, car tu as violé à la face du ciel l'enceinte où le serpent qui garde Chrysé, caché dans l'herbe, fait le guet [221]. Or, aussi longtemps que de ce côté sera le levant, et le ponant là-bas, apprends que tu ne connaîtras de cesse au mal qui te consume que le jour où tu te rendras de bon cœur aux champs de la Troade. Là, tu rencontreras dans nos rangs les deux fils d'Asclépios [222]. Lorsqu'ils t'auront guéri, tes flèches t'assureront l'honneur — et je serai ton second — d'avoir abattu la citadelle. Que je te dise encore comment ces arrêts du destin sont venus à ma connaissance. C'est un captif troyen, Hélénos, devin de grande autorité, qui en prédit l'échéance inévitable : il ajoute que la place doit être tombée en notre pouvoir avant la fin de l'été, et il offre sa propre vie en garantie de ses prédictions. A présent que tu sais tout, incline-toi donc de bon gré. N'as-tu pas tout avantage, désigné comme le plus valeureux des Hellènes, à te confier aux mains des guérisseurs pour recueillir ensuite la gloire insigne d'avoir abattu la cité funeste ?

PHILOCTÈTE. — O détestable vie, pourquoi tiens-tu encore mes yeux ouverts sous ce ciel ? Pourquoi ne m'accordes-tu pas mon congé pour Hadès ? Hélas ! que faire ? Douterai-je des paroles de cet enfant ? Il me veut du bien, ses avis me le prouvent. Faut-il céder ? Mais comment, infortuné ! pourrais-je affronter la clarté du jour ? Je n'oserais plus parler à personne. O mes yeux, qui avez vu tout ce qu'on m'a fait, souffrirez-vous que je fasse bon ménage avec les fils d'Atrée, mes bourreaux, avec le fils de Laërte, cet abominable fourbe ? Ce n'est pas tant la morsure du passé qui me blesse, mais je prévois tout ce qu'ils me feront endurer encore; car ceux dont l'esprit une fois a enfanté le crime, ils sont formés au mal pour toujours. En vérité, une chose m'étonne de ta part : loin de retourner en Troade, tu devrais plutôt me détourner d'y aller, après l'injure qu'ils t'ont faite. Quoi ! eux qui t'ont spolié du glorieux legs paternel, tu cours guerroyer sous leurs ordres ! Et tu veux me forcer à te suivre ! Cela ne se peut, mon enfant. Fidèle à ta promesse, ramène-moi dans ma patrie, rentre toi-même à Scyros et n'en bouge plus, laissant ces misérables se perdre misérablement : ainsi tu mériteras ma gratitude et celle de mon père; ainsi, refusant de servir des scélérats, on ne t'accusera pas de leur ressembler.

NÉOPTOLÈME. — Je comprends tes rancœurs; malgré

tout, je veux que tu fasses confiance aux dieux et à l'ami
qui te presse de quitter cette île avec lui.

PHILOCTÈTE. — Quoi! pour retrouver devant Troie
l'odieux Atride, et souffrant de mon pied comme j'en
souffre!

NÉOPTOLÈME. — Pour te confier aux médecins qui
sécheront ton douloureux abcès et qui te guériront.

PHILOCTÈTE. — O conseiller du pire, où veux-tu en
venir, à la fin?

NÉOPTOLÈME. — Je ne vois pas de meilleur parti à
prendre pour nous deux.

PHILOCTÈTE. — Oses-tu parler de la sorte à la face des
dieux?

NÉOPTOLÈME. — Pourquoi rougirait-on de son avantage?

PHILOCTÈTE. — Parles-tu de l'avantage des Atrides ou
du mien?

NÉOPTOLÈME. — Je suis ton ami, et c'est en ami que
je te parle.

PHILOCTÈTE. — Toi! toi qui veux me livrer à mes
ennemis, comment peux-tu...

NÉOPTOLÈME. — Que le malheur t'enseigne à te résigner, pauvre ami.

PHILOCTÈTE. — Je t'ai percé à jour : si je me laisse persuader, tu me perdras.

NÉOPTOLÈME. — Jamais de la vie. Je t'assure que tu me
méconnais.

PHILOCTÈTE. — Les Atrides m'ont-ils, oui ou non,
débarqué dans cette île?

NÉOPTOLÈME. — Oui, mais considère, aujourd'hui,
qu'ils vont te sauver.

PHILOCTÈTE. — Je ne me laisserai point sauver pour
aller voir les champs de Troie.

NÉOPTOLÈME. — Que faire, à présent, si je ne trouve
plus de mots pour te convaincre! J'aurai plus tôt fait d'y
renoncer, t'abandonnant à ce misérable sort.

PHILOCTÈTE. — C'est cela, laisse-moi souffrir toute ma
part de souffrance. Et pourtant ne m'avais-tu pas, ta main
dans ma main, promis de me rapatrier? Tiens ta promesse, mon enfant; ne me fais pas attendre. Et de Troie,
plus un mot! J'ai assez gémi à cause d'elle.

NÉOPTOLÈME. — Eh bien, puisqu'il te plaît ainsi,
mettons-nous en route.

PHILOCTÈTE. — O parole généreuse!

NÉOPTOLÈME. — Marche en t'appuyant sur moi.

PHILOCTÈTE. — Je m'y efforce de mon mieux.

NÉOPTOLÈME. — Mais quelle excuse ferai-je valoir aux Achéens ?

PHILOCTÈTE. — Ne t'inquiète pas de cela.

NÉOPTOLÈME. — Et s'ils ravagent mon pays ?

PHILOCTÈTE. — Je serai près de toi.

NÉOPTOLÈME. — Que pourras-tu faire pour moi ?

PHILOCTÈTE. — Avec les flèches d'Héraclès...

NÉOPTOLÈME. — Que dis-tu ?

PHILOCTÈTE. — ... je les tiendrai à distance.

NÉOPTOLÈME. — Prosterne-toi sur la terre de ce pays, et viens.

(A ce moment apparaît Héraclès dans les airs.)

HÉRACLÈS. — *Pas encore, fils de Pœas. Pas avant d'avoir entendu mes instructions. Reconnais la voix qui te parle et lève ton regard vers Héraclès. J'ai quitté mon céleste séjour pour te découvrir les desseins de Zeus et te dire : ne prends pas cette route. Prête-moi une oreille attentive.*

Premièrement je te rappellerai mes fortunes diverses, ces épreuves que j'ai assumées et surmontées afin de conquérir la gloire immortelle où je parais à tes yeux. Toi aussi, sache-le, la part qui t'est due, c'est, libéré de tes souffrances, de connaître des jours de gloire. Ce jeune homme te conduira au rempart troyen. Là, guéri de ta blessure amère et désigné comme le plus brave dans l'armée, tu feras périr par mes flèches Pâris, qui est la cause de tous vos maux, et tu consommeras la ruine de Troie. Les dépouilles dont l'armée récompensera ta valeur, tu les enverras à Pœas, ton père, dans ton palais, sur les flancs de l'Œta où tu es né ; celles dont l'armée, entre tes mains, fera hommage à mon arc et à mes flèches, tu les consacreras sur l'emplacement de mon bûcher. *(A Néoptolème.)* Fils d'Achille, entends ce que j'ai à te dire : sans lui, tu n'es pas assez fort pour conquérir la Troade, non plus que lui sans toi. Comme deux lions qui ont sucé le même lait, veillez donc l'un sur l'autre. *(A Philoctète.)* J'enverrai à Ilion Asclépios afin qu'il te guérisse [223]. Car le destin de cette ville est de tomber sous mes flèches pour la seconde fois [224]. Ayez soin, quand vous ravagerez le pays, de respecter les droits des dieux. Le reste, le grand Zeus le tient pour secondaire. C'est que la piété ne partage point la condition des humains : ils vivent et meurent, elle est impérissable.

PHILOCTÈTE. — *Ami tant regretté, qui après si long-temps m'apparais et me parles, je ne me déroberai pas à tes ordres.*

NÉOPTOLÈME. — *Je prends ma part du même engagement.*

HÉRACLÈS. — *Ne différez donc plus d'agir. Vous aurez bon vent : c'est le moment d'appareiller.*

(Il disparaît.)

PHILOCTÈTE. — *Allons, puisque je suis sur mon départ, je veux saluer ce pays. Adieu, mon logis tutélaire ; adieu, nymphes humides des prairies ; adieu, mâle grondement des flots battant la côte, ô promontoire où souvent, dans ma grotte, j'eus le front trempé par les rafales soufflant du sud, où souvent le mont d'Hermès répondait à mes cris par un gémissement, écho de mes propres tempêtes ! Et vous, sources lyciennes* [225] *qui me donniez à boire, c'en est fait : je vous quitte... Certes, je ne l'aurais point cru... Adieu, terre de Lemnos que le flot environne ; fais que j'arrive à bon port là où m'appellent la haute Destinée, la sagesse de mes amis et la divinité toute-puissante qui préside à ces événements.*

LE CORYPHÉE. — *Au moment de partir tous ensemble, prions les nymphes marines d'accourir, protectrices de notre retour.*

ŒDIPE A COLONE

ŒDIPE A COLONE [226]

PERSONNAGES

ŒDIPE, ANTIGONE, UN PASSANT,
CHŒUR DE VIEILLARDS COLONIATES,
ISMÈNE, THÉSÉE, CRÉON,
POLYNICE, UN MESSAGER.

Une campagne, en vue d'Athènes.

PROLOGUE

ŒDIPE. — Enfant d'un vieil homme aveugle, Antigone,
dans quelle contrée sommes-nous arrivés, devant la cité
de quel peuple ? Pour aujourd'hui, cet Œdipe vagabond,
qui l'accueillera d'une aumône chétive ? Je demande peu,
j'obtiens moins encore, et cela me suffit. Les souffrances
et l'expérience de tant d'années — et aussi ma nature
courageuse — m'enseignent la résignation. Allons, mon
enfant, si tu aperçois quelque siège naturel, soit en lieu
profane soit près d'un bois sacré, faisons halte et aide-
moi à m'asseoir; après quoi nous nous enquerrons où
nous sommes. Etrangers au pays, il faut bien nous infor-
mer auprès des habitants et faire comme on nous dira.

ANTIGONE. — Œdipe, ô mon père usé par la douleur,
je distingue là-bas devant nous les remparts d'une ville.
Et nous foulons un sol consacré, si j'en crois le laurier,
l'olivier et la vigne qui le couvrent et ces voix de rossignols
de toutes parts jaillissant sous la ramée. Baisse-toi jusqu'à cette pierre rude. Tu as fait une longue route pour
un vieillard.

ŒDIPE. — C'est cela, fais-moi asseoir et veille sur
l'aveugle.

ANTIGONE. — Depuis le temps, tu n'as plus besoin de me le dire.

ŒDIPE. — Or ça, peux-tu m'apprendre quelle étape nous avons atteinte ?

ANTIGONE. — Nous sommes sûrement en vue d'Athènes ; pour ce lieu-ci, je ne connais pas son nom.

ŒDIPE. — En effet, tous les passants nous annonçaient les approches d'Athènes.

ANTIGONE. — Veux-tu que j'aille demander le nom du pays ?

ŒDIPE. — Va, mon enfant, si toutefois nous ne sommes pas en pleine campagne.

ANTIGONE. — Non, c'est un lieu habité. Et même je n'aurai pas à courir bien loin : je vois quelqu'un qui s'avance.

ŒDIPE. — De notre côté ? Marche-t-il bon pas ?

ANTIGONE. — Il arrive. Si tu as quelque chose à lui demander, parle ; il est devant toi.

ŒDIPE. — Etranger, ma fille que voici me signale ton passage, car elle y voit pour nous deux, et tu viens à propos pour nous éclairer sur...

LE PASSANT. — Avant de me demander quoi que ce soit, sors de l'endroit où tu es assis : tu foules un sol interdit.

ŒDIPE. — Quel sol ? Et à quel dieu consacré ?

LE PASSANT. — Un sol inviolable, où l'on n'habite point ; c'est le domaine des déesses redoutables, filles de la Terre et de l'Erèbe [227].

ŒDIPE. — Dis-moi : sous quel nom révéré les invoquerai-je ?

LE PASSANT. — Les Euménides [228] au regard inévitable : ainsi les appellent les gens d'ici. Mais, autres peuples, autres usages.

ŒDIPE. — Puisse leur faveur accueillir le suppliant, car je ne sortirai plus de cet asile.

LE PASSANT. — Que veux-tu dire par là ?

ŒDIPE. — Telle est la loi de mon destin.

LE PASSANT. — Je ne me risquerai pas à t'expulser sans l'avis de mes concitoyens. Je vais de ce pas les consulter.

ŒDIPE. — Etranger, au nom des dieux, ne dédaigne pas ce vagabond qui te supplie de lui répondre.

LE PASSANT. — A quel sujet ? Ne crains de ma part aucun dédain.

ŒDIPE. — Ce pays où nos pas nous ont portés, quel est-il ?

LE PASSANT. — Tu en sauras aussi long que moi si tu m'écoutes un moment. Le pays tout entier est terre sainte. Posidon y est vénéré, et aussi le Titan Prométhée, le divin donateur du feu. Tu foules un sol qu'on appelle le Seuil d'Airain [229] ; il défend l'accès d'Athènes. La campagne d'alentour s'honore d'avoir pour patron le cavalier Colônos, que l'on aperçoit ici près [230], et dont le canton tout entier porte le nom. Tel est cet endroit, étranger ; il fait peu parler de lui, mais il est l'objet d'un culte assidu.

ŒDIPE. — C'est dire que c'est un pays habité ?

LE PASSANT. — Bien sûr, et dont les habitants portent le nom du héros.

ŒDIPE. — Ont-ils un roi ou un gouvernement populaire ?

LE PASSANT. — Le territoire dépend du roi d'Athènes.

ŒDIPE. — Comment se nomme ce prince, puissant par la loi et les armes ?

LE PASSANT. — Il se nomme Thésée ; c'est le fils et le successeur d'Egée.

ŒDIPE. — Quelqu'un d'ici lui porterait-il un message ?

LE PASSANT. — Pour l'avertir de ta venue ou pour le prier de venir ?

ŒDIPE. — Pour qu'il m'accorde une aide légère qui lui sera d'un grand profit.

LE PASSANT. — D'un homme qui ne voit pas, quelle aide attendre ?

ŒDIPE. — Nos paroles ne seront point aveugles.

LE PASSANT. — Sais-tu, étranger, comment tu peux t'épargner une faute ? Car tu as l'aspect d'un malheureux, mais de noble race. Reste là où je te vois : sans pousser jusqu'à la ville, je vais avertir les gens du bourg voisin. Ils décideront si tu dois demeurer ou reprendre ta route.

(Il sort.)

ŒDIPE. — Mon enfant, l'étranger s'est-il éloigné ?

ANTIGONE. — Oui, père. Tu peux parler en toute tranquillité : je suis seule auprès de toi.

ŒDIPE. — Augustes filles au regard terrible, puisque dès le seuil de ce territoire, je fais halte chez vous, ne repoussez pas Phœbos en ma personne. Quand il me prédit mes épreuves sans nombre, le dieu m'annonça qu'elles prendraient fin, au bout de longues années, dans une contrée où d'augustes déesses me feraient asseoir, m'accueilleraient, et que là, doublant la dernière borne de

mon misérable parcours [231], mon séjour deviendrait source
de bénédictions pour mes hôtes et de calamités pour
ceux qui m'ont banni. Et il a dit qu'apparaîtraient des
signes : un tremblement du sol, des grondements de
tonnerre, l'éclair de Zeus... Ah! j'en suis certain, elle
venait de vous, cette sûre inspiration qui m'a guidé jusqu'à vos saints ombrages. Sinon je ne vous aurais point
rencontrées les premières sur ma route, moi qui, comme
vous, m'abstiens de vin [232], et je ne me serais point assis
sur ce roc vénérable et rugueux. Eh bien, déesses, pour
obéir à la voix d'Apollon, ne me faites plus attendre le
trépas, si vous ne croyez pas indigne d'intérêt ce mortel
continuellement asservi aux plus rudes souffrances. O
douces filles de l'antique Erèbe [233], et toi, toi qui portes le
nom de la très grande Pallas, cité d'Athènes honorée entre
toutes, prenez en pitié ce misérable reflet d'un homme
qui fut Œdipe; il n'est plus que l'ombre de lui-même.

ANTIGONE. — Prête l'oreille. Je vois s'avancer un groupe
d'hommes âgés : sûrement ils viennent voir où tu t'es assis.

ŒDIPE. — Je me tais. Cache-moi seulement dans le
bois, à l'écart de la route, que j'entende ce qu'ils diront.
Pour agir avec prudence, il faut savoir écouter.

ENTRÉE DU CHŒUR
(par petits groupes.)

— Regarde bien... — Qui est-ce ?... — Où trouve-t-il abri ?
  Par où diantre a-t-il pu filer ?
  A-t-on jamais vu pareille impudence ?
  — Cherche une trace... Ouvre l'œil...
   Bats les buissons d'alentour...
— C'est un vieux vagabond, c'est quelque chemineau,
 il n'est pas de chez nous, car jamais il n'aurait
 pénétré dans ce bois interdit, chez les Vierges
   dont la seule vue épouvante
   et que nous tremblons de nommer !
— Nous passons là-devant, les yeux baissés,
 n'osant ouvrir la bouche, par les lèvres
   silencieuses de l'esprit
 exhalant nos oraisons, — et l'on vient nous dire
qu'un homme sans foi ni loi violerait ce saint lieu !
   Cependant, j'ai beau regarder,
  en nul endroit de l'enclos consacré
   je ne décèle sa présence...

ŒDIPE. — *Ne cherchez plus, me voici. J'y vois avec mes oreilles, comme on dit.*

LE CORYPHÉE. — *O ciel! qu'il est effrayant à regarder, à entendre!*

ŒDIPE. — *Je vous en supplie, ne me considérez pas comme un hors-la-loi.*

LE CORYPHÉE. — *Zeus protecteur, quel est donc ce vieil homme?*

ŒDIPE. — *Que j'aie eu la meilleure part, il s'en faut de beaucoup, notables de ce pays : il n'est que de me regarder. Me guiderais-je par les yeux d'autrui et si haut bord serait-il mouillé sur une ancre si frêle?*

LE CHŒUR.

> — *Hélas! ses pauvres yeux perdus!*
> *Es-tu donc un malheureux de naissance?*
>   *Tu parais fort âgé...*
> — *Mais je veux tout faire pour t'épargner*
>   *des malédictions nouvelles.*
> — *Tu es allé trop loin; dans le silence*
> *du vallon vert, on n'entre pas à l'étourdi!*
>   *C'est là que l'on mélange dans les vases*
>   *le miel liquide et l'eau.*
> *Ces vases, malheureux! garde-toi d'y toucher;*
> *reviens sur tes pas, tiens-toi à distance...*
>   *Un grand espace nous sépare :*
> *m'entends-tu, pauvre vagabond?*
>   *Si tu veux que nous t'écoutions,*
> *cesse de violer un sol inviolable.*
>   *Dans la zone permise à tous,*
> *tu parleras. Jusque-là, pas un mot.*

ŒDIPE. — *Ma fille, quel parti prendre?*

ANTIGONE. — *Père, nous devons suivre les usages du pays, écouter les habitants et leur céder quand il le faut.*

ŒDIPE. — *Tiens ma main.*

ANTIGONE. — *Je la tiens.*

ŒDIPE. — *Etrangers, vous ne me ferez point de mal, au moins? Vous voyez, je me fie à vous, je quitte mon asile.*

LE CORYPHÉE. — *La place que voici, il n'est pas question, vieillard, qu'on t'en fasse déloger par la force.*

ŒDIPE.
M'avancerai-je?

LE CHŒUR.
>   *Oui, quelques pas, droit devant toi.*

ŒDIPE. — *Encore?*

LE CHŒUR.
>   Fais-le s'avancer, jeune fille.
>   Plus près... Tu vois où je veux dire.

ANTIGONE.
>   Suis-moi, père, suis-moi d'un pied
>   tâtonnant ; laisse-toi conduire.

ŒDIPE. . . . .
ANTIGONE. . . . .
. . . .
ŒDIPE. . . . .
LE CHŒUR.
>   Sache, étranger, sur la terre étrangère,
>   cœur résigné, sache éviter de faire
>   ce qui déplaît à la cité,
>   et tout ce qui lui tient à cœur, le respecter.

ŒDIPE. — C'est bon, ma fille, mène-moi quelque part où nous pourrons parler et entendre sans violer la loi sainte. Ne partons pas en guerre contre la nécessité.

LE CHŒUR.
Là, ne dépasse pas cet autel adossé au rocher.
ŒDIPE.
>   Comme je suis ?
LE CHŒUR.
>   C'est bien ainsi.
ŒDIPE.
Puis-je m'asseoir ?
LE CHŒUR. — Oui, penche-toi vers le saillant
>   du rocher, et baisse-toi pour t'asseoir.

ANTIGONE.
>   Père, à moi de t'aider : sans hâte,
>   là, règle ton pas sur le mien...
ŒDIPE.
>   Ah ! misère, misère !
ANTIGONE.
>   ...et que ton corps usé par les années
>   s'appuie au bras de ta fille chérie.
ŒDIPE.
>   Ah ! l'horreur de ma destinée !
LE CHŒUR.
Malheureux, tandis que tes membres se délassent,
>   parle : quelle est ta naissance ?
Qui es-tu donc, triste jouet du sort ?
>   Et quelle est, dis-moi, ta patrie ?
ŒDIPE.
Etranger, je suis un banni. Mais non... jamais...

LE CHŒUR.
    Pourquoi, vieillard, ces réticences ?
ŒDIPE.
Non, non, ne me demande jamais qui je suis ;
non, ne t'efforce pas d'en savoir davantage !
LE CHŒUR.
Que veux-tu dire ?
ŒDIPE.   *Horrible est ma naissance.*
LE CHŒUR.   *Parle !*
ŒDIPE.
    Ah ! mon enfant, que dois-je dire ?
LE CHŒUR.
        Quelle semence paternelle
        — parle, étranger — t'a donné l'être ?
ŒDIPE.
    Malheur à moi ! Que ferai-je, ma fille ?
ANTIGONE.
Réponds, il le faut bien, dans cette extrémité.
ŒDIPE.
Je parlerai. Je ne puis plus me dérober.
LE CHŒUR.
Vous nous faites languir, tous les deux ! Hâte-toi.
ŒDIPE.
Connaissez-vous certain fils de Laïos ?
LE CHŒUR.   *Oh !... Oh !*
ŒDIPE.
Et la famille des Labdacides ?
LE CHŒUR.   *O Zeus !*
ŒDIPE.
Et cet Œdipe infortuné... ?
LE CHŒUR.   *Serait-ce toi ?*
ŒDIPE.
N'ayez aucun effroi des mots que je profère.
LE CHŒUR.
      Oh !...
ŒDIPE.   *Maudit du sort...*
LE CHŒUR.   *Oh !...*
ŒDIPE.
    Que va-t-il arriver, ma fille ?
LE CHŒUR.
  Hors d'ici ! Bien loin ! Quittez le pays !
ŒDIPE.
Ce que tu m'as promis, ne le tiendras-tu pas ?
LE CHŒUR.
  Quiconque a répondu par l'offense à l'offense

n'a point à redouter la vindicte du ciel,
et quiconque se voit, pour prix d'une imposture,
infliger un affront, ne reçoit que son dû.
      Lève-toi donc, retire-toi,
éloigne-toi! Encore un coup, fuis ce pays!
    Je ne veux pas qu'un tel contact
    souille plus longtemps ma patrie!

ANTIGONE.

             Etrangers,
   votre cœur n'est pas intraitable;
mais puisqu'en écoutant la voix de mon vieux père
   vous reculez d'horreur à la pensée
de ce qu'il a pu faire — hélas! sans le vouloir —
   moi du moins, étrangers, moi malheureuse!
nous vous en supplions, ayez pitié de moi.
Je vous implore pour mon père infortuné,
   je vous implore, et dans vos yeux
je fixe mon regard intact — comme ferait
une fille de votre sang [234] *— et je vous dis:*
puisse le misérable avoir votre respect!
En vous comme en un dieu, si, du sort accablés,
nous cherchons un refuge, ah! faites-nous la grâce
   que nous n'osions plus espérer!
Par tout ce qui vous tient au cœur je vous implore:
enfant, femme, trésor cher, dieu familial...
Où que vous regardiez, verrez-vous un mortel
   qui, lorsqu'un dieu vers sa perte le pousse,
   puisse échapper à son malheur?

PREMIER ÉPISODE

LE CORYPHÉE. — N'en doute pas, fille d'Œdipe, notre pitié se partage entre vos deux détresses. Mais nous craignons les dieux, et nous n'oserions revenir sur ce que nous avons dit.

ŒDIPE. — Belles renommées, ô fables trop légèrement répandues, vanité que tout cela! Ne dit-on pas qu'Athènes est la cité religieuse entre toutes, la seule qui assure aux étrangers refuge et protection dans leur infortune? Qu'avez-vous fait de ces vertus, vous qui m'expulsez de mon asile simplement parce que mon nom vous fait peur? Je ne parle pas même de mon aspect, ni de mes actes. Aussi bien, mes actes, vous verriez que j'en suis la victime plus que le responsable, s'il me fallait dévoiler la part de mes parents dans ce qui vous fait horreur. Croyez-moi, je sais ce que je dis. Comment serais-je criminel de cœur ? On m'a frappé, j'ai riposté : quand j'aurais vu clair à ce que je faisais, je ne serais point pour autant un criminel. Mais j'en suis venu là sans le savoir, alors qu'ils avaient prémédité ma mort, eux par qui j'ai tant souffert. Et c'est bien là mon titre à vous supplier, étrangers, au nom des dieux : vous qui m'avez fait sortir du lieu saint, protégez-moi ; vous qui honorez les dieux, n'allez pas vous jouer de leurs volontés. Considérez qu'ils voient le méchant comme le juste et qu'il est sans exemple qu'un impie ait esquivé leur poursuite. Soyez avec eux ; ne compromettez pas la brillante félicité d'Athènes en prêtant les mains à l'impiété. Ce suppliant qui a reçu de vous garantie, défendez-le, veillez sur lui jusqu'au bout ; ce visage affreux à voir, ne l'outragez pas. Je viens à vous sacré, irréprochable et porteur d'une grâce pour vos concitoyens. En présence du prince qui est votre guide, je parlerai et vous comprendrez tout. Jusque-là, ne manquez point à la loyauté.

LE CORYPHÉE. — Vieillard, ta prière exprimée en ces termes si graves nous impose le respect. Mais pour décider, je m'en remets à ceux qui nous gouvernent.

ŒDIPE. — Et où se trouve en ce moment votre roi, étrangers ?

LE CORYPHÉE. — Il réside en la capitale de ses pères. Le messager qui nous a envoyés ici est allé le chercher.

ŒDIPE. — Pensez-vous qu'il daigne se déranger par pitié pour un aveugle ?

LE CORYPHÉE. — Assurément, dès qu'il entendra ton nom.

ŒDIPE. — Mais qui se chargera de le lui apprendre ?

LE CORYPHÉE. — Si la route est longue, les propos des voyageurs vont bon train. Dès qu'ils l'auront touché, ne crains rien : le roi sera là. Ton nom, vieillard, vole maintenant sur toutes les lèvres ; si posément qu'il marche d'ordinaire, Thésée se hâtera d'accourir à cette nouvelle.

ŒDIPE. — Qu'il accoure pour le bonheur de sa patrie. J'ajouterai : et pour le mien, car on pense toujours un peu à soi.

ANTIGONE. — O Zeus, comment expliquer... Père, je crois rêver !

ŒDIPE. — Qu'y a-t-il, mon enfant ?

ANTIGONE. — J'aperçois une femme qui vient dans notre direction, montant une jument de l'Etna. Un cha-

peau de soleil à la mode thessalienne lui cache le visage.
Voyons, est-ce bien elle? n'ai-je pas l'esprit troublé?
Je dis oui, je dis non, hélas! je ne sais plus. Pourtant, ce
ne peut être qu'elle : ses yeux brillent et me font fête
cependant qu'elle s'approche. Oui, cette fois, plus de
doute : c'est mon Ismène que je vois.

ŒDIPE. — Qu'as-tu dit, mon enfant?

ANTIGONE. — Ta fille, père! Ma sœur!... Tu vas la
reconnaître à sa voix.

(Paraît Ismène.)

ISMÈNE. — Mon père et ma sœur, quelle joie de vous
appeler tous deux, de vous parler! Je ne vous ai pas
trouvés sans peine, et maintenant c'est à peine si mon
chagrin me laisse vous regarder.

ŒDIPE. — Mon enfant, c'est toi qui es venue!

ISMÈNE. — O père infortuné, douloureux spectacle!

ŒDIPE. — Mon enfant, c'est toi qui es ici?

ISMÈNE. — Et certes ce n'est pas sans peine!

ŒDIPE. — Viens, touche-moi, mon enfant.

ISMÈNE. — Je vous serre tous les deux dans mes bras.

ŒDIPE. — O chair fille et sœur de ma chair!

ISMÈNE. — O vies deux fois accablées!

ŒDIPE. — La vie de ta sœur et la mienne?

ISMÈNE. — Et la mienne aussi, non moins infortunée.

ŒDIPE. — Mon enfant, pourquoi es-tu venue?

ISMÈNE. — J'étais inquiète à cause de toi, père.

ŒDIPE. — Tu voulais me revoir?

ISMÈNE. — Et t'apprendre certaines choses... Un serviteur, le seul qui nous restât fidèle, m'a accompagnée.

ŒDIPE. — Et tes frères? Où sont-ils, ces jeunes
hommes, qu'ils n'ont pas pris cette peine à ta place?

ISMÈNE. — Ils sont... où ils sont : aux prises avec une
terrible conjoncture.

ŒDIPE. — O garçons dénaturés au point d'imiter en
tout les coûtumes de l'Egypte[235]! Là-bas, les mâles
restent assis sous l'auvent à tisser la toile, tandis que
leurs compagnes vont chercher au-dehors la nourriture
de chaque jour. La peine que vous prenez, mes enfants,
c'était à eux de la prendre. Mais non! occupés aux soins
de l'intérieur, comme des filles, ils vous laissent partager
les souffrances de votre malheureux père. Presque une
enfant encore, à peine eut-elle pris quelque vigueur,
celle-ci s'est faite notre bâton de vieillesse, la pauvre
petite, guidant nos pas errants, et bien souvent à tra-

vers des bois sauvages, privée de pain, nu-pieds, sans logis, transpercée de pluie, brûlée par le soleil, mais préférant ces dures épreuves à la tranquillité de la maison, pourvu que son père eût de quoi subsister. Et toi, sa sœur, toi qui étais déjà venue, en te cachant des Thébains, m'instruire de tous les oracles rendus à mon sujet, toi qui t'es faite la fidèle protectrice de l'exilé, dis-moi, Ismène, quelle nouvelle apportes-tu à ton père ? Pourquoi as-tu entrepris ce voyage ? Car je suppose que tu n'es pas venue sans motif et je redoute quelque fâcheuse surprise.

ISMÈNE. — Tout ce que j'ai enduré depuis que je me suis mise à ta recherche, père, j'aime mieux n'en rien dire, car je ne tiens pas à vivre une seconde fois ces épreuves, en les racontant. J'ai fait ce voyage pour t'apprendre quelle douloureuse fatalité pèse sur tes deux fils. Au début, ils rivalisaient à qui laisserait le trône à Créon, pour éviter une souillure à leur pays. A les entendre, ils n'avaient dans la pensée que la flétrissure qui marquait ton infortunée maison ! Mais bientôt, un dieu les poussant, et leurs criminels instincts, entre ces frères trois fois misérables se déclara une funeste émulation à s'emparer du sceptre et de la puissance royale. Au mépris des droits de son aîné, le plus jeune évince Polynice et le chasse de sa patrie. Alors, selon le bruit qui s'en est accrédité chez nous, l'exilé a gagné le val d'Argos ; là, entrant dans une nouvelle famille [236], il s'assure de troupes fidèles, tout impatient de livrer aux Argiens la terre de Cadmos, si leur défaite ne porte aux nues la gloire thébaine. Ce ne sont pas là des mots, mon père, ce sont des faits redoutables. Je me demande à quelle extrémité les dieux porteront ta misère avant de la prendre en pitié.

ŒDIPE. — As-tu donc quelquefois espéré qu'ils se souviendraient de moi pour me sauver un jour ?

ISMÈNE. — Oui, père, depuis les derniers oracles.

ŒDIPE. — Les derniers oracles ? Qu'ont-ils prédit, mon enfant ?

ISMÈNE. — Qu'un jour les Thébains chercheraient à te posséder mort ou vivant, car il y va de leur sécurité.

ŒDIPE. — Quel secours attendraient-ils d'un homme tel que moi ?

ISMÈNE. — En toi, dit-on, repose leur puissance.

ŒDIPE. — Quand je ne suis plus rien, alors on me compte pour quelque chose ?

ISMÈNE. — Les dieux te relèvent, après t'avoir abattu.

ŒDIPE. — Abattre un homme jeune pour le relever vieillard, mauvaise opération!

ISMÈNE. — Sache pourtant que cet oracle te vaudra la visite de Créon, sa très prochaine visite.

ŒDIPE. — Quelles sont ses intentions, ma fille? Eclaire-moi.

ISMÈNE. — De fixer ton séjour près du territoire thébain, car ils veulent s'assurer de ta personne, mais sans t'ouvrir leur frontière.

ŒDIPE. — A quoi leur servira-t-il que je repose à leurs portes?

ISMÈNE. — Ta tombe négligée leur porterait malheur.

ŒDIPE. — La chose va de soi, sans qu'un dieu ait besoin de le dire.

ISMÈNE. — C'est pour cette raison qu'ils veulent t'imposer une résidence à portée de leur territoire.

ŒDIPE. — Jetteront-ils sur mon corps de la terre thébaine?

ISMÈNE. — Père, le sang des tiens, que tu as versé, s'y oppose.

ŒDIPE. — S'il en est ainsi, jamais ils ne me tiendront en leur pouvoir.

ISMÈNE. — Ce refus pèsera lourd sur les enfants de Cadmos.

ŒDIPE. — En quelle conjoncture, ma fille?

ISMÈNE. — Ta colère les atteindra, s'ils s'approchent de ta tombe.

ŒDIPE. — Ce que tu me rapportes, mon enfant, de qui l'as-tu appris?

ISMÈNE. — De délégués aux Jeux, qui revenaient du sanctuaire delphique [237].

ŒDIPE. — Tels sont donc les termes de l'oracle rendu sur nous?

ISMÈNE. — Ces délégués l'ont affirmé, quand ils sont rentrés à Thèbes.

ŒDIPE. — Et mes fils? L'un ou l'autre a-t-il eu connaissance de l'oracle?

ISMÈNE. — Ils n'en ignorent rien l'un et l'autre.

ŒDIPE. — Et cependant ils songent plus à régner qu'à regretter leur père, les scélérats!

ISMÈNE. — Ce mot me meurtrit le cœur, mais je l'accepte sans protester.

ŒDIPE. — Veuillent les dieux ne jamais l'éteindre, cette discorde providentielle, et puissé-je demeurer

l'arbitre du combat qui affronte les deux frères! Il
régnera peu de temps, celui qui trône et tient le sceptre;
il ne retrouvera plus sa place au foyer, celui qui a choisi
l'exil, puisque, ni l'un ni l'autre, ils n'ont retenu et protégé
l'auteur de leurs jours, lorsqu'il fut ignominieusement
expulsé de sa patrie. Oui, si j'ai été jeté à la rue, si j'ai été
décrété de bannissement, c'est leur faute. Ne dites pas
qu'à cette époque je ne demandais pas mieux, en sorte
que la cité n'aurait fait que m'accorder une grâce. Ce
n'est pas vrai. Aussi bien, dans le feu de ma fureur,
lorsque rien ne m'eût été plus doux que de périr sous
une grêle de pierres, personne ne s'offrit à exaucer mon
vœu. Le temps mûrissant ma douleur, je compris que
les transports de mon désespoir m'avaient châtié trop
durement. C'est alors, la cité s'avisant de me chasser,
quand je ne le désirais plus, que les fils de mon sang, qui
d'un mot pouvaient me sauver, ne daignèrent pas ouvrir
la bouche, et que je pris pour toujours le chemin d'exil et
de misère. Voyez celles-ci — deux jeunes filles! — autant
qu'elles en ont la force, je reçois d'elles la nourriture de
la journée, l'abri du soir, les soins de la piété filiale. Aux
yeux de mes fils, le trône, le sceptre et la jouissance de
régner ont plus d'attraits que leur devoir envers leur
père? Soit, mais qu'ils ne se flattent ni d'obtenir mon
appui dans leur combat, ni qu'il leur sera bénéfique de
se disputer le royaume de Cadmos! Je m'en assure en
comparant les prédictions que m'apporte ma fille aux
anciens oracles rendus par Phœbos à mon sujet et qui
se sont accomplis. Mes fils peuvent toujours me dépêcher
Créon ou tel autre influent personnage! Si seulement
vous me prêtez main-forte, ô étrangers, de concert avec
les augustes protectrices de votre canton, vous susciterez
pour ce pays un puissant défenseur et bien des maux à
vos ennemis.

Le Coryphée. — Tu mérites pleinement notre compassion, Œdipe, et tes filles non moins que toi. Et
puisque tu te présentes comme un défenseur de notre pays,
je veux te donner un conseil dont tu te trouveras bien.

Œdipe. — Cher ami, je te suivrai en tout : sois mon
guide.

Le Coryphée. — Offre un sacrifice d'expiation aux
déesses de ce lieu, qui les premières ont accueilli tes pas
dans leur enceinte.

Œdipe. — Selon quels rites? O étrangers, enseignez-
moi cela.

LE CORYPHÉE. — Non sans avoir au préalable purifié tes mains, va puiser au courant de la fontaine l'eau pour les libations.

ŒDIPE. — Et quand j'aurai puisé cette eau pure ?

LE CORYPHÉE. — Tu trouveras des vases d'un beau travail. Tu y suspendras des guirlandes autour du col et aux anses.

ŒDIPE. — De feuillage ou de laine ou de quelle autre sorte, ces guirlandes ?

LE CORYPHÉE. — De laine fraîchement tondue sur une jeune brebis.

ŒDIPE. — Soit. Et pour finir, que faut-il que je fasse ?

LE CORYPHÉE. — Debout, face au levant, tu épancheras des libations.

ŒDIPE. — Avec l'eau des vases que tu dis ?

LE CORYPHÉE. — Oui, trois libations par vase, une seule pour le dernier.

ŒDIPE. — Ce dernier, de quoi le remplirai-je ? Précise encore ce point.

LE CORYPHÉE. — D'eau et de miel. N'ajoute pas de vin.

ŒDIPE. — Et lorsque, sous la sombre feuillée, la terre aura reçu ces libations ?

LE CORYPHÉE. — Dépose à main droite et à main gauche sur le sol trois fois neuf rameaux d'olivier, et récite cette prière...

ŒDIPE. — Je veux l'entendre : c'est important.

LE CORYPHÉE. — Nous les nommons Bienveillantes ; prie-les donc que, d'un cœur bienveillant, elles accueillent ce suppliant qui doit être un sauveur. Une autre personne peut prier en ton nom, mais il faut parler d'une voix indistincte et faible [238] et s'éloigner ensuite sans tourner la tête. Ces devoirs rendus, je t'approcherai sans scrupule. Autrement je ne serais pas rassuré, étranger, à ton sujet.

ŒDIPE. — Mes filles, avez-vous entendu les instructions de nos hôtes ?

ANTIGONE. — Nous avons écouté. Commande, et nous ferons le nécessaire.

ŒDIPE. — Je ne puis vaquer moi-même à ce devoir : deux fois infirme, la force et la vue me font défaut. Que l'une de vous aille donc s'en acquitter à ma place. Pas n'est besoin de beaucoup de monde pour ces sortes de dévotions : une seule âme fervente y suffit. Allons, faites promptement, et surtout ne me laissez pas seul, car mon corps est trop faible pour marcher sans soutien et sans guide.

ISMÈNE. — Je me charge des libations. Mais l'endroit où je dois me rendre, voulez-vous m'en montrer le chemin ?

LE CORYPHÉE. — C'est de ce côté-là du bois, étrangère, et si tu es en peine de quelque chose, il y a un gardien qui te renseignera.

ISMÈNE. — J'y vais. Antigone, reste ici, toi, et veille sur notre père. Quand il s'agit de nos parents, la fatigue ne doit plus compter.

(Ismène sort.)

LE CHŒUR.
De réveiller un mal si longtemps assoupi,
Certes, c'est cruel, étranger. Et pourtant, je voudrais ouïr...

ŒDIPE.
Et quoi donc ?

LE CHŒUR.
                    ...le détail de ces souffrances
affreuses, sans issue, à tes jours attachées.

ŒDIPE.
De grâce, au nom de ton accueil hospitalier,
ne rouvre pas, ami, la plaie honteuse.

LE CHŒUR.
   Partout l'histoire en a couru,
mais je brûle, étranger, d'entendre un récit vrai.

ŒDIPE.
O mes malheurs !

LE CHŒUR. — *Consens, je t'en supplie.*

ŒDIPE.   *Hélas !*

LE CHŒUR.
Défère à mon désir ; j'ai satisfait le tien.

ŒDIPE.
Etrangers, j'ai commis mes crimes : je les ai
commis ; mais — je l'affirme à la face du ciel —
à ces crimes ma volonté n'eut point de part.

LE CHŒUR.
   Comment cela s'est-il fait ?

ŒDIPE.
Thèbes, sans le savoir, sur la fatale couche
m'enchaîna par les nœuds d'un amour interdit.

LE CHŒUR.
   Ta mère t'a fait place
près d'elle, n'est-ce pas, dans ce lit sacrilège ?

ŒDIPE.
Malheureux! c'est la mort que d'entendre cela
étrangers! Et celles-ci, de mon sang...
LE CHŒUR.
      Comment cela? Que veux-tu dire?
ŒDIPE.
...mes deux filles, et mes deux fils aussi, ces pestes...
LE CHŒUR.
     O Zeus!
ŒDIPE.
...mes enfants sont sortis du ventre de ma mère!
LE CHŒUR.
Ces jeunes filles sont les filles et...
ŒDIPE. —   ... *les sœurs,*
oui, de leur père, en même sein que lui conçues!
LE CHŒUR.
Hélas!
ŒDIPE. —   *Oui! le malheur sur nous s'est acharné.*
LE CHŒUR.
     Tu as souffert...
ŒDIPE. —   *...des maux inoubliables!*
LE CHŒUR.
Tu as fait...
ŒDIPE. — *Je n'ai rien fait!*
LE CHŒUR. —   *Eh quoi?*
ŒDIPE. —   *J'ai reçu*
de ma patrie, hélas! un funeste présent,
    pour prix de mes services!
LE CHŒUR.
  Infortuné, oui, tu l'es! Mais le meurtre...
ŒDIPE.
  Ah! qu'est-ce encore et que veux-tu savoir?
LE CHŒUR.
...de ton père?
ŒDIPE.   *Ah! deux fois, coup sur coup, tu me blesses!*
LE CHŒUR.
Tu as tué...
ŒDIPE. — *C'est vrai, j'ai tué. Mais là; j'ai...*
LE CHŒUR.
    Eh bien?
ŒDIPE. — *...pour m'excuser...*
LE CHŒUR.   *Comment?*
ŒDIPE.   *Tu vas comprendre:*
meurtrier, soit; mais sans l'avoir prémédité,
et pur devant la loi, puisque j'ignorais tout.

DEUXIÈME ÉPISODE

Le Coryphée. — Ah! voici venir Thésée, notre roi,
le fils d'Egée; tu vois, il s'est rendu à ta prière.

(Entre Thésée.)

Thésée. — Si souvent l'on m'a conté le sanglant supplice de tes yeux, fils de Laïos, que ton nom m'est aussitôt venu à l'esprit, et les propos recueillis tout à l'heure
sur la route m'ont assuré que je ne me trompais pas.
Aussi bien, à l'état de tes vêtements, à ce front marqué
par la douleur, il m'est facile de te reconnaître. Je plains
tes malheurs, Œdipe, et c'est pourquoi j'ai voulu m'en-
quérir moi-même du service que vous attendez, ton
infortunée compagne et toi, de ce peuple et de son prince.
Expose-nous ton désir. Il faudra que tu veuilles l'impossible pour que je renonce à te satisfaire. Comme toi, il
m'en souvient, je fus élevé loin de ma patrie; sur la
terre étrangère, j'ai exposé ma vie en des luttes surhu-
maines. C'est pourquoi, lorsqu'un étranger, comme te
voilà maintenant, implore mon assistance, pour rien au
monde je ne la lui refuserais. Je n'oublie pas que je suis
homme et que, pas plus que toi, je ne suis maître du
lendemain.

Œdipe. — Thésée, ta générosité, que quelques mots
suffisent à faire paraître, me dispense moi-même d'un
long discours. Qui je suis, qui fut mon père et quelle est
ma patrie, tu le sais, tu l'as rappelé. Quand je t'aurai
exposé ma requête, j'aurai tout dit.

Thésée. — C'est le moment de me l'apprendre; je n'en
veux rien ignorer.

Œdipe. — Je viens te remettre mon misérable corps,
présent chétif en apparence, mais qui vous vaudra plus
de bienfaits qu'il n'est beau.

Thésée. — Quels bienfaits penses-tu nous apporter?

Œdipe. — L'avenir seul, je crois, te l'apprendra.

Thésée. — Dans quel temps en éclatera l'effet?

Œdipe. — Après ma mort, quand tu m'auras donné la
sépulture.

Thésée. — Cette demande envisage le terme de tes
jours; mais le temps qui t'en sépare, on dirait que tu
l'oublies ou que tu ne t'en inquiètes pas?

Œdipe. — Le reste m'est assuré de surcroît.

Thésée. — Vraiment, c'est peu de chose que ta requête.

ŒDIPE. — Prends garde : il y aura débat, et violent.

THÉSÉE. — Veux-tu parler de tes fils ou de moi-même ?

ŒDIPE. — De mes fils. Ils prétendent me ramener de force là-bas.

THÉSÉE. — S'ils désirent ton retour, il n'est pas bien de te dérober.

ŒDIPE. — Ce que je désirais, jadis, ils me l'ont refusé.

THÉSÉE. — Imprudent, le ressentiment ne sert de rien dans le malheur.

ŒDIPE. — Attends de tout savoir : alors tu me conseilleras.

THÉSÉE. — Eclaire-moi, car, je ne voudrais pas commettre un jugement téméraire.

ŒDIPE. — Je suis la proie, Thésée, de maux terribles et multipliés.

THÉSÉE. — Tu penses à ces anciens malheurs de ta famille ?

ŒDIPE. — Oh ! non, ceux-là, ils sont connus de la Grèce entière.

THÉSÉE. — De quels maux souffres-tu qui passent les forces humaines ?

ŒDIPE. — Telle est ma position : chassé de ma patrie par les fils de mon sang, il m'est interdit pour toujours d'y rentrer, puisque je suis un parricide.

THÉSÉE. — Comment se fait-il que tes fils te rappellent, si tu ne dois pas habiter sous leur toit ?

ŒDIPE. — C'est la voix d'un dieu qui les y contraindra.

THÉSÉE. — Quels malheurs les oracles leur font-ils redouter ?

ŒDIPE. — Leur destinée est d'être écrasés par ton peuple.

THÉSÉE. — Comment l'hostilité naîtrait-elle entre nos deux pays ?

ŒDIPE. — Fils d'Egée, mon cher ami, les dieux seuls sont exempts de la vieillesse et de la mort ; toutes choses, en dehors d'eux, sont brassées par le temps souverain. La force de la terre s'épuise, la vigueur corporelle s'épuise ; la bonne foi languit, la traîtrise germe à son tour ; pour les amis comme pour les peuples, le vent change ; aujourd'hui, c'est celui-ci, demain ce sera l'autre qui trouvera odieux ce qui le charmait, en attendant de s'y plaire à nouveau. Une paix sereine rapproche actuellement nos deux pays. Mais le temps innombrable enfante en son cours des jours et des nuits innombrables, et un jour peut venir où la lance détruira cette bonne entente sous un prétexte futile. Ce jour-là, mon corps glacé dans la nuit de la tombe boira tout chaud le sang thébain, si Zeus est toujours Zeus et Phœbos, fils de Zeus, toujours bon prophète. Mais il ne convient pas d'évoquer les secrets intouchables. Souffre que je m'en tienne à ce que j'ai dit. Pour peu que tu veilles à ta promesse, jamais tu n'accuseras Œdipe d'avoir mal su reconnaître l'accueil de ce pays, si du moins les dieux n'ont point dessein de m'abuser.

LE CORYPHÉE. — Roi, ce n'est pas la première fois que cet homme déclare qu'il accomplira pour notre pays tout ce qu'il vient de dire et d'autres choses encore.

THÉSÉE. — En vérité, qui repousserait, venant d'un homme tel que lui, des propositions qu'inspire l'amitié ? De tout temps, des liens d'hospitalité, jadis noués à la guerre [239], ont fait de mon foyer le sien ; il se présente en suppliant de nos déesses ; il s'acquitte envers nous par un magnifique tribut : je respecte trop de tels titres pour refuser ses bienfaits. En retour, je lui donnerai asile. S'il plaît à l'étranger de demeurer ici même, je vous charge de veiller sur lui. Si tu préfères t'en venir avec moi, Œdipe, tu en useras à ta convenance : dispose de mes services.

ŒDIPE. — O Zeus, comble de tes bienfaits les hommes pareils à celui-ci !

THÉSÉE. — Eh bien, quel est ton désir ? Est-ce de venir au palais avec moi ?

ŒDIPE. — Si les dieux y consentaient, volontiers. Mais c'est ici même...

THÉSÉE. — Parle : je ne m'opposerai pas à ton dessein.

ŒDIPE. — ... que je triompherai de ceux qui m'ont exilé.

THÉSÉE. — S'il en est ainsi, nous pourrons nous louer de ton séjour.

ŒDIPE. — A condition que tu sois fidèle à ta promesse.

THÉSÉE. — Tu peux avoir confiance en moi : je ne suis pas homme à te trahir.

ŒDIPE. — Je ne te lierai point par un serment, loyal comme tu es.

THÉSÉE. — En effet, ce serait n'obtenir qu'une parole de plus.

ŒDIPE. — Eh bien, qu'envisages-tu de faire ?

THÉSÉE. — Qu'est-ce au juste que tu redoutes ?

ŒDIPE. — Des gens viendront...

THÉSÉE. — Ce danger, c'est aux gens d'ici d'y faire face.

ŒDIPE. — Prends garde, en me laissant...

THÉSÉE. — Ne m'enseigne pas ce que j'ai à faire.

ŒDIPE. — C'est plus fort que moi, je suis toujours inquiet.

THÉSÉE. — Moi, je n'ai aucune inquiétude.

ŒDIPE. — Tu ne sais pas quelles menaces...

THÉSÉE. — Je sais que personne ne t'enlèvera d'ici contre ma volonté. Les menaces ne sont que des mots. Ces gens t'ont menacé dans leur colère, mais quand la raison reprend ses droits, il n'y a plus de menace qui tienne. Leur impudence a pu croître au point qu'ils parlent de retour forcé, mais tu peux m'en croire : avant qu'ils ne parviennent à leurs fins, la traversée sera longue et périlleuse. Je t'adjure d'avoir bon espoir : quand te manquerait mon appui, n'es-tu pas le protégé de Phœbos ? Va, je suis sûr que, même en mon absence, tu n'as rien à craindre : mon nom sera ta sauvegarde.

(Il sort.)

CHANT DU CHŒUR

C'est au pays des beaux chevaux,
étranger, que tu es venu,
dans la plus belle des campagnes,
l'éblouissant Colone [240]*, aimé des rossignols*
qui modulent à voix limpide
au creux vert de la ravine,
hôtes du lierre noir comme le vin,
sous la feuillée impénétrable, au dieu vouée,
protégeant ses berceaux de fruits
des feux du plein soleil, du souffle des tempêtes :
car c'est là qu'exultant du mystique délire
Dionysos revient toujours
mener le chœur des nymphes ses nourrices.

Là chaque jour s'épanouissent,
sous la sainte rosée, en grappes opulentes,
le narcisse, des deux déesses très augustes [241]
antique diadème,
et l'éclat doré du safran ; là, toujours vives,
d'un cours toujours égal, les sources du Céphise
s'épanchent, vagabondes ;
et, chaque jour, leurs eaux pures pénètrent
l'ample sein de la plaine aussitôt fécondé.
Là se plaisent les Muses

pour y danser en chœur, et là se plaît
Aphrodite menant son char aux rênes d'or.

Il est, dit-on, un arbre à l'Asie inconnu,
et qui ne croît point volontiers
dans la grande île dorienne de Pélops [242].
Il naît spontanément, redouté de la lance
pillarde, il est vraiment un arbre de chez nous :
c'est le glauque olivier, gardien de nos enfants.
Ni jeune conquérant ni chef sous le harnois
  blanchi n'en détruira la sève [243],
    car Zeus, patron de nos enclos,
veille sur lui d'un œil qui jamais n'a cillé
et le regard perçant d'Athéna le protège.

Mais une autre louange, et la plus haute, est due
  aux incomparables trésors
dont un autre grand dieu fit don à ma patrie :
nos chevaux, nos poulains et nos coursiers des mers !
  Fils de Cronos, ô roi Posidon [224], *c'est à toi*
    qu'elle doit ces titres de gloire,
puisque, pour la première fois, dans nos campagnes,
tu essayas le frein qui calme les chevaux.
Et, légère à la main, qu'il fait bon voir la rame
sur le flot rebondir, cent filles de Nérée
    plongeant, surgissant alentour !

TROISIÈME ÉPISODE

ANTIGONE. — O sol magnifiquement célébré, voici
pour toi le moment de justifier des louanges si brillantes.

ŒDIPE. — Quel danger survient, ma fille ?

ANTIGONE. — J'aperçois Créon qui s'approche suivi
d'une importante escorte, mon père.

ŒDIPE. — Chers vieillards, de votre seule protection
dépend désormais mon salut.

LE CORYPHÉE. — Rassure-toi : elle ne te manquera pas.
Si je suis vieux, notre terre est toujours riche en forces
jeunes.

(Entre Créon.)

CRÉON. — Nobles habitants de ce pays, je lis dans vos
yeux l'effroi où vous jette ma soudaine arrivée. Rassu-
rez-vous; ne me saluez point de paroles hostiles. Je ne
médite aucune violence, car je suis vieux et je sais que

j'arrive devant la plus puissante cité de la Grèce. J'ai
pour mission d'engager cet autre vieillard que voici à
reprendre avec moi le chemin de Thèbes, non certes sur
l'ordre d'un monarque, mais selon la volonté de tous.
Aussi bien les douleurs de cet infortuné me touchent de
plus près que quiconque, puisque je suis son parent.
Allons, toi qui as tant souffert, Œdipe, écoute-moi,
rentre au foyer. Le peuple entier des Cadméens te
réclame à bon droit, et moi plus que personne, car enfin
il faudrait que j'eusse perdu tout sentiment d'humanité,
vieillard, pour rester insensible à ta détresse, quand je te
vois misérable, errant sans repos sur la terre étrangère,
dans un dénuement complet, sans autre appui qu'un
bras de femme... Ah! je n'aurais jamais cru, la pauvre
enfant, qu'elle dût tomber à ce degré de misère! Sans cesse
prendre soin de toi, mendier le pain de l'aveugle, à son
âge! jeune fille sans défense contre le premier ravisseur
venu! Infortuné que je suis! Quel opprobre ces paroles
jettent sur moi, sur toute notre famille! Mais il serait vain
de vouloir cacher ce que tout le monde sait... Toi seul,
et je t'en prie au nom des dieux paternels, Œdipe, tu peux
cacher notre honte en revenant de toi-même habiter la
ville et le palais de tes pères. Prends amicalement congé
d'Athènes; tu le lui dois bien. Mais tu dois plus encore à la
cité qui t'a nourri.

ŒDIPE. — O roué capable de tout, habile à déguiser
n'importe quoi sous les dehors d'un honnête langage,
que me veux-tu? Pourquoi me tendre une seconde fois le
plus cruel des pièges? Autrefois, torturé de maux qui
étaient mon ouvrage, quand j'appelais de tous mes vœux
l'exil, tu me l'as refusé. Plus tard, enfin rassasié de mon
furieux remords, lorsque je souhaitai de goûter à nouveau
les douceurs du foyer, c'est alors que tu m'as chassé,
jeté hors des frontières! Tu te moquais bien de la parenté,
dans ce temps-là! Et voici que cette ville et tout un peuple
m'accueillent : aussitôt, tu entreprends de m'arracher à
leurs bontés, brutal en tes visées, mielleux en paroles!
Quel charme trouves-tu donc à aimer les gens malgré eux?
Suppose qu'à tes prières les plus pressantes on refusât
tout don, tout secours, pour t'en combler quand tu n'en
aurais plus besoin, de sorte que le service rendu ne te
rendît point service : en éprouverais-tu un réel plaisir?
Voilà pourtant ce que tu me proposes, dissimulant ta
perfidie sous des offres généreuses. Mais je parlerai,
perfide, et je te démasquerai devant ces vieillards. Tu

n'es pas venu me chercher pour me ramener dans mon palais; ton dessein est de m'établir à la frontière, afin que Thèbes échappe aux coups des Athéniens, dont le destin la menace. Or cela ne sera pas, mais ceci: là-bas, le génie de ma vengeance ne vous quittera plus, et mes fils n'auront de mon royaume que l'emplacement de leur tombe. Dis-moi, ne suis-je pas mieux renseigné que toi sur les affaires de Thèbes ? Aussi me fondé-je sur de plus solides autorités, car je tiens les choses de Phœbos et de Zeus lui-même, qui est le père de Phœbos ! Tu arrives la langue bien affilée pour mentir, mais ton éloquence te vaudra sans doute plus de désagréments que de profit. Comme je ne me flatte aucunement de te persuader, retire-toi et nous laisse vivre ici. Nous n'y serons pas malheureux dans notre misère, si c'est là le sort qui nous plaît.

CRÉON. — Dans ce débat qui te concerne, lequel de nous deux, à ton avis, a le plus à perdre, s'il n'a pas gain de cause ?

ŒDIPE. — Du moins serai-je satisfait si je vois nos hôtes aussi insensibles que moi à tes arguments.

CRÉON. — Malheureux ! le temps ne t'aura donc point assagi ? Feras-tu douter des vertus de la vieillesse ?

ŒDIPE. — Tu es un habile discoureur, mais je ne sache pas qu'un honnête homme s'entende à faire briller une mauvaise cause.

CRÉON. — Il y a loin de parler beaucoup à parler avec pertinence.

ŒDIPE. — Toi, bien sûr, si tu parles peu, ce n'est pas pour ne rien dire !

CRÉON. — Dommage que ce soit lettre morte pour les esprits faits comme le tien !

ŒDIPE. — Va-t'en ! Je ne crains pas de le dire au nom de nos hôtes : renonce à espionner le lieu fixé pour ma résidence.

CRÉON. — Nos hôtes ? Mais je ne veux pas d'autres témoins ! Quant à la façon dont tu réponds à tes proches, si jamais je me saisis de toi...

ŒDIPE. — Et qui le pourrait, si ceux-ci me prêtent main-forte ?

CRÉON. — D'une manière ou d'une autre, tu me l'auras payé.

ŒDIPE. — De quel acte appuieras-tu ces menaces ?

CRÉON. — J'ai déjà fait enlever une de tes filles tout à l'heure. L'autre la suivra bientôt.

ŒDIPE. — Malheur à moi!

CRÉON. — Bientôt, te dis-je, tu auras de quoi gémir davantage.

ŒDIPE. — Tu gardes mon enfant prisonnière?

CRÉON. — Et le même sort attend celle-ci.

ŒDIPE. — Etrangers, ne ferez-vous rien? Me livrerez-vous à lui? N'expulserez-vous point ce scélérat?

LE CORYPHÉE. — Va-t'en, étranger, quitte ce territoire sans délai. Tout à l'heure, déjà, tu as foulé aux pieds le bon droit, et voilà que tu récidives.

CRÉON (aux hommes de sa suite). — Vous autres, c'est le moment d'emmener celle-ci de gré ou de force.

ANTIGONE. — Malheur à moi! Où fuir? Quel dieu ou quel mortel me défendra?

LE CORYPHÉE. — Holà! que fais-tu, étranger?

CRÉON. — Je ne toucherai pas à cet homme, mais sa fille m'appartient.

ŒDIPE. — O magistrats de ce pays...

LE CORYPHÉE. — Etranger, tu violes le droit.

CRÉON. — Je suis dans mon droit.

LE CORYPHÉE. — Dans ton droit? Comment cela?

CRÉON. — Ce sont les miens que j'emmène.

ŒDIPE.
   A moi, ô cité!

LE CHŒUR.
   Etranger, que fais-tu? Si tu ne lâches prise,
   tu vas faire bientôt l'épreuve de nos bras!

CRÉON.
   Au large!

LE CHŒUR. — Jamais, tant que tu nous braveras.

CRÉON. — Mon pays te fera la guerre, si je suis molesté par vous.

ŒDIPE. — Ne l'ai-je pas annoncé?

LE CORYPHÉE. — Allons, remets l'enfant en liberté, et plus vite!

CRÉON. — Ne commande pas sans pouvoir.

LE CORYPHÉE. — Lâche-la, te dis-je.

CRÉON (à l'homme de sa suite qui a la garde d'Antigone). — Eh bien, toi! je t'ai dit : en route!

LE CHŒUR.
   Main-forte! A l'aide! Accourez, citoyens!
   On nous attaque. La patrie est en danger!
   Main-forte! Accourez! A moi, tous!

ANTIGONE. — Malheureuse! on m'entraîne... O étrangers, étrangers!

ŒDIPE. — Mon enfant, où es-tu ?

ANTIGONE. — Ils me poussent sur la route.

ŒDIPE. — Tends-moi les bras, ma fille !

ANTIGONE. — Hélas ! je n'en ai plus la force.

CRÉON. — Qu'attendez-vous pour l'emmener, vous autres ?

ŒDIPE. — Infortuné que je suis ! Infortuné !

CRÉON. — Tu ne les auras plus pour cheminer, tes deux bâtons de vieillesse ! Puisque tu veux triompher de ta patrie et de ceux qui t'aiment — j'exécute bien leurs ordres, moi qui suis le roi ! — triomphe. Le temps, j'en suis sûr, te fera comprendre que tu nuis à tes intérêts, une fois de plus, en contrariant tes vrais amis pour suivre les caprices de cette humeur violente, qui toujours te perd.

LE CORYPHÉE. — Halte-là ! étranger !

CRÉON. — Je t'interdis de me toucher.

LE CORYPHÉE. — Je ne te lâcherai pas si tu n'abandonnes tes prisonnières.

CRÉON. — Tu vas bientôt aggraver les charges de ton pays. Car je ne me saisirai pas seulement des deux jeunes filles.

LE CORYPHÉE. — Qu'est-ce que tu feras donc de plus ?

CRÉON. — J'emmènerai aussi leur père.

LE CORYPHÉE. — Voilà une grave menace.

CRÉON. — Bientôt suivie d'effet, si votre roi ne m'en empêche.

ŒDIPE. — Oh ! l'impudent langage ! Quoi ! tu porterais la main sur moi ?

CRÉON. — Je t'ordonne de te taire.

ŒDIPE. — Vraiment ? Et moi, je prie les déesses qui gardent ce lieu de laisser éclater ma voix pour te maudire ! O le plus lâche des traîtres, tu arraches à l'aveugle sans défense les yeux qui le guidaient et tu t'enfuis avec ta proie ! Veuille le dieu qui voit tout, Hélios, t'affliger, et tes enfants après toi, d'une vieillesse pareille à la mienne.

CRÉON. — Voyez-vous comme il me traite, habitants de ce bourg ?

ŒDIPE. — Ils nous voient l'un et l'autre et constatent qu'à tes voies de fait je ne réponds que par des paroles.

CRÉON. — Tant pis ! Je ne veux plus me contenir. Oui, je l'emmènerai de force, quand je n'aurais personne pour m'y aider, bien que je ne sois plus agile comme autrefois.

ŒDIPE.
Malheureux que je suis !

LE CHŒUR.   *Quelle présomption,*
   étranger, si tu crois réussir !

CRÉON.   *Je m'en flatte !*

LE CHŒUR.

   C'est qu'alors mon pays se serait renié !

CRÉON. — Avec l'appui du droit, le faible triomphe du plus fort.

ŒDIPE. — Entendez-vous ce qu'il ose dire ?

LE CORYPHÉE. — Il ne parviendra pas à ses fins. [...]

CRÉON. — Zeus le sait peut-être ; mais toi, tu n'en sais rien du tout.

LE CORYPHÉE. — Voilà que tu nous insultes, à présent ?

CRÉON. — Je vous insulte. Il faut en prendre votre parti.

LE CHŒUR.

   Alerte ! à moi le peuple ! A moi, chefs du pays !
   Accourez vite ! Ils vont forcer notre barrage !

(*Survient Thésée, suivi d'une escorte.*)

THÉSÉE — Que signifient ces cris ? Que se passe-t-il ? D'où viennent vos alarmes ? Devant un autel du voisinage, j'immolais un bœuf au dieu marin qui protège ce pays de Colone, lorsque vous m'avez interrompu. Expliquez-moi donc cette affaire qui m'a forcé d'accourir plus vite qu'il ne plaît à mes vieilles jambes.

ŒDIPE. — Cher prince — j'ai reconnu ta voix — cet homme vient de me brutaliser odieusement.

THÉSÉE. — Qu'est-ce à dire ? Où est l'agresseur ? Parle.

ŒDIPE. — Créon, car c'est lui que tu vois ici, m'enlève les deux seuls enfants qui me restaient.

THÉSÉE. — Que dis-tu ?

ŒDIPE. — Oui, ce sont là des voies de fait à mon égard.

THÉSÉE. — Vite, une estafette, pour courir jusqu'à l'autel qu'on aperçoit là-bas : ordre à tout ce qu'il y a de gens à pied ou à cheval de laisser là le sacrifice et de se porter à toutes brides jusqu'à la bifurcation, avant que les jeunes filles ne l'aient dépassée. L'étranger rirait trop de moi, si son coup de main réussissait ! Cours, et suis bien mes ordres. Quant à ce personnage, si je cédais à ma colère comme il le mérite, il ne sortirait pas indemne de mes mains. Contentons-nous de lui appliquer les usages qu'il prétend introduire chez nous. (*A Créon.*) Tu ne franchiras pas la frontière tant que tu n'auras pas ramené devant moi, ici même, les jeunes filles. Ce que tu as fait là n'est digne ni de moi, ni de tes parents, ni de ta patrie. Eh quoi! faisant irruption chez un peuple qui pratique la justice, où la loi décide en toutes choses, toi, sans le moindre égard aux principes qui le régissent, tu te jettes sur la proie qui te plaît et tu t'enfuis avec! T'imagines-tu mes Etats déserts ou peuplés d'esclaves? M'as-tu compté pour rien? Ce n'est pas Thèbes, pourtant, qui t'a donné le mauvais exemple : elle n'a point coutume de nourrir des contempteurs du droit. Je ne crois pas qu'elle te féliciterait si elle apprenait que, voleur de mon bien et du bien des dieux, tu emmènes de vive force de pauvres suppliants! S'il m'arrivait d'entrer sur ton territoire, et quand j'en aurais tous les droits du monde, jamais, sans l'aveu du prince — quel qu'il fût — je ne voudrais emmener personne par la violence; je sais trop ce que doit un étranger au pays qui l'accueille. Le tien ne méritait certes pas la honte que tu lui infliges. Le temps, je le vois bien, t'a fait plus riche d'années que de sagesse! En bref, ce que j'ai dit tout à l'heure, je le répète : que les filles d'Œdipe nous soient au plus tôt rendues, si tu veux t'épargner parmi nous la disgrâce d'un séjour forcé. Lorsque je parle ainsi, crois bien que je pèse mes mots.

LE CORYPHÉE. — Te voilà bien avancé, étranger! Ton origine faisait présager un homme droit, et tes actes dévoilent une âme basse.

CRÉON. — Je le sais bien, que ce pays est peuplé d'hommes libres, fils d'Egée; mais tu as tort de dire que j'ai agi légèrement. Je n'aurais jamais cru que tes concitoyens s'attacheraient à ma famille au point de la prendre en charge malgré ma volonté. Et puis, j'étais persuadé que vous n'accueilleriez jamais un parricide, un impur, un fils dont l'inceste a souillé le mariage. Elle m'est aussi familière qu'à vous-même, cette sagesse qui siège ici sur la colline d'Arès [245] et qui n'admet point que de pareils vagabonds trouvent asile dans la cité. Je ne croyais pas l'offenser en voulant reprendre mon bien. J'ajoute que je ne serais pas allé jusque-là si Œdipe n'avait jeté sur moi et sur ma race d'amères malédictions. Je n'ai fait que rendre coup pour coup. L'ardeur d'un sang un peu vif ne s'éteint pas avec l'âge; il n'y a que les morts qui ne se passionnent plus. Cela dit, tu es le maître : bien que fort de mon bon droit, je suis faible, étant isolé; mais, tout vieux que je suis, j'essaierai de faire front.

ŒDIPE. — O monstre d'impudence, crois-tu pouvoir

insulter mon grand âge sans te salir toi-même ? Tu me
reproches mon parricide, mon mariage et mes malheurs.
Mais tout cela, je l'ai subi, je ne l'ai pas voulu. Tel était
le bon plaisir des dieux ; sans doute poursuivaient-ils
ma race d'une haine ancienne. Car tu ne trouverais rien
qui me dût être imputé personnellement à crime contre
moi-même ou contre les miens. Si un oracle a prédit à mon
père qu'il mourrait de la main de ses enfants, par quel
biais, dis-moi, pourrais-tu me le reprocher, puisque mon
père, dans ce temps-là, ne m'avait pas engendré, puisque
ma mère ne m'avait pas enfanté, puisque je n'avais pas
encore été conçu ? Et s'il est trop vrai, hélas ! que j'ai
échangé des coups avec mon père et l'ai tué, mais sans
préméditation, sans savoir à qui je m'en prenais, de quel
droit blâmerais-tu un forfait involontaire ? Ma mère, enfin,
misérable ! ma mère qui était ta sœur, tu me contrains
sans pudeur à rappeler que je l'ai épousée ! Eh bien ! je ne
m'en tairai pas, puisque tu n'as pas reculé devant l'allusion sacrilège. Elle m'a mis au monde — malheur, oui,
malheur à moi ! — elle m'a mis au monde, mais elle ne
savait pas plus que moi ce qu'elle faisait lorsque, dans le
sein qui m'avait porté, elle conçut de mes œuvres, pour
son opprobre, des enfants ! Ce que je sais bien, c'est que
tu prends plaisir à nous outrager ainsi, elle et moi — moi
qui voudrais ne jamais parler de cette union que je n'ai
pas voulue ! Mais on ne pourra me faire un crime ni de
l'inceste ni de ce parricide, que tu ne cesses de me reprocher aigrement. Une simple question : qu'ici, à l'instant,
quelqu'un s'approche de toi, l'homme vertueux, et fasse
mine de t'assommer, t'enquerrais-tu si ton assaillant est
ton père ou lui ferais-tu payer aussitôt son audace ? Pour
peu que tu aimes la vie, je crois que tu châtierais l'agresseur sans t'inquiéter du droit. Or ce fut là tout mon crime,
et les dieux me poussaient. Si mon père revenait au monde,
je ne pense pas qu'il eût rien à redire contre moi. Au vrai,
tu n'as nul souci de la justice ; tu trouves que tout est bon
à dire, même les choses les plus intimes, lorsque c'est
pour m'outrager publiquement. Tu juges habile de chanter les louanges de Thésée et des institutions athéniennes ;
l'éloge est fort beau, mais prends garde : s'il est une cité
qui sait honorer les dieux, n'est-ce pas celle-ci ? Et tu
viens lui ravir son suppliant — un vieillard ! — tu portes
la main sur moi, tu emmènes mes filles prisonnières !
En recours contre ces violences, moi, j'invoque les déesses
d'ici près ; d'une prière instante, je les appelle à mon aide.

Tu apprendras ce que valent dans ce pays les défenseurs de l'ordre.

Le Coryphée. — Cet étranger, ô roi, qu'il montre de dignité en un malheur si profond! Il mérite qu'on lui vienne en aide.

Thésée. — Trêve de discours : les ravisseurs se hâtent et nous les laissons faire.

Créon. — Dicte tes conditions à un homme sans défense.

Thésée. — Tu vas prendre avec moi la route qui est là-bas et me servir de guide. Si tu as fait cacher les jeunes filles dans le voisinage, tu me montreras toi-même la cachette. Si tes gens sont en fuite avec leur proie, il n'est pas besoin de nous tourmenter : j'ai mis d'autres hommes à leurs trousses qui les rattraperont à coup sûr avant qu'ils n'aient rendu grâces aux dieux d'avoir passé notre frontière. Allons, conduis-moi et reconnais, chasseur chassé, que la fortune t'a pris à ton propre piège. Tant il est vrai qu'un bien acquis par fraude ne profite jamais longtemps. Et tu ne trouveras personne pour soutenir ton action. Oh! je me doute que tu ne t'es pas lancé dans une équipée aussi téméraire, en dépit de ton fol orgueil, sans troupes de couverture; tu comptes certainement sur quelque auxiliaire... Il me faut y veiller, si je ne veux pas qu'on dise que mon pays s'est laissé surprendre par un coup de main d'aventurier. Mesures-tu la portée de mes paroles? Te semblent-elles aussi vaines qu'au moment où tu combinais ton plan d'attaque?

Créon. — Ici, tu auras toujours le dernier mot. Quand nous serons chez nous, à notre tour, nous aviserons.

Thésée. — Menace, mais avance. Et toi, cher Œdipe, demeure ici en paix, confiant dans ma promesse. Si la mort ne vient pas m'arrêter, je n'aurai de cesse que je ne t'aie rendu tes enfants.

Œdipe. — Sois béni, Thésée, pour ton noble caractère et pour ton dévouement à une cause juste!

CHANT DU CHŒUR

Que je voudrais être sur le terrain,
au moment où, ces bandits faisant soudain volte-face,
va s'engager la mêlée à la dure voix de bronze!
soit près des flots baignant Apollon Pythien
ou le long du rivage illuminé, le soir [246],

où deux graves déesses veillent
à la pureté des Mystères
pour les mortels à qui les prêtres Eumolpides [247]
sur la langue ont posé la clef d'or du secret.
  C'est là, je crois, dans la campagne proche,
  que Thésée, âme ardente du combat,
      rejoindra les voyageuses,
      les deux sœurs vierges encore,
parmi les cris de guerre — et, bientôt, de victoire !

Mais peut-être, vers le couchant, les ravisseurs
comme aux courses de char nous disputant leur fuite,
    atteindront-ils les rocs neigeux
qui du pays d'Œa ferment les pâturages...
    N'importe : ils seront pris. Terrible
    est Arès, chez nous, et terrible
la force, dans sa fleur, des enfants de Thésée !
    Tous les freins lançant des éclairs,
    toute la ligne s'ébranle,
    chargeant à bride abattue,
des cavaliers dévots d'Athéna Cavalière
et du dieu dont le bras marin étreint la Terre,
    le fils bien-aimé de Rhéa [248].

Sont-ils en action ? Dans l'attente ? En croirai-je
    le pressentiment qui me vient ?
    Il me dit que va s'adoucir
    le sort de ces deux malheureuses,
victimes de leur propre sang terriblement.
Zeus va conclure, il va tout conclure aujourd'hui.
Je présage une lutte heureuse. Ah ! que ne puis-je,
comme un ramier au vol orageux, m'établir
    plus haut que la nue et, de là,
    laisser planer mes regards sur la lutte !

        Iô, Zeus, souverain des dieux,
        toi qui vois tout, procure
        aux chefs de notre sol
        bonne embuscade et bonne chasse
    et la vigueur qui force la victoire !
Et que Pallas, ta fille auguste, nous protège !
    Et j'invoque Apollon chasseur,
    et Artémis encor, qui peut suivre à la course
    la fuite du cerf moucheté :

Qu'ils viennent, conjuguant leurs efforts tutélaires,
     pour mon pays, pour mes concitoyens!

LE CORYPHÉE. — Étranger errant, si tu en crois mes yeux, tu ne m'accuseras pas d'être mauvais prophète: j'aperçois nos deux jeunes filles. Les voici donc revenues. Elles s'approchent, escortées d'une troupe nombreuse.

QUATRIÈME ÉPISODE

ŒDIPE. — Où sont-elles? Que dis-tu? Ai-je bien compris?

ANTIGONE. — O père, père, quel dieu te donnera de contempler notre bienfaiteur qui nous a ramenées près de toi?

ŒDIPE. — Mon enfant, êtes-vous là toutes les deux?

ANTIGONE. — Oui, grâce au bras de Thésée et de ses fidèles compagnons. Ce sont nos sauveurs.

ŒDIPE. — Mes deux enfants, approchez-vous de votre père et donnez-lui ce qu'il n'espérait plus, donnez-lui de vous serrer dans ses bras.

ANTIGONE. — Ce souhait sera vite exaucé: c'est notre plus cher désir.

ŒDIPE. — Où donc êtes-vous?

ANTIGONE. — Ici, tout près de toi l'une et l'autre.

ŒDIPE. — Chers rejets de ma race!

ANTIGONE. — Tout semble doux à un père.

ŒDIPE. — Mes bâtons de vieillesse!

ANTIGONE. — Infortunés appuis de l'infortune...

ŒDIPE. — Le plus cher me reste, et je ne serai pas mort tout à fait misérable, puisque j'aurai eu mes deux filles près de moi. Appuyez votre sein, mes enfants, sur le sein paternel; reposez-vous dans les bras du pauvre vagabond qui vous avait perdues. Et puis vous me conterez votre aventure, mais en quelques mots, comme il sied à votre âge.

(Rentre Thésée.)

ANTIGONE. — Voici notre sauveur. C'est lui, père, qu'il faut entendre: je n'ai pas besoin d'en dire davantage.

ŒDIPE. — Mon hôte, ne sois pas choqué si je m'attarde à ces effusions: je n'espérais plus revoir mes enfants, et elles me sont rendues! Le bonheur qu'elles me donnent, je n'oublie pas que je t'en suis redevable plus qu'à nul autre, puisque c'est toi leur sauveur. Si les dieux m'en-

tendent, ils te combleront de prospérités, toi et ton pays !
Il n'y a que chez vous que j'ai rencontré la piété, l'honneur,
la sincérité. Crois-moi, je parle à bon escient, lorsque
je te dis, dans ma gratitude : tout ce que je possède, je
le tiens de toi, de toi seul entre les mortels. Cher prince,
tends vers moi ta droite, que je touche ton front, que
j'y pose mes lèvres, s'il m'est permis... Hélas ! qu'osé-je
dire ? Comment, dans ma déchéance, prétendrais-je que
ta main touche un homme à qui je me demande quelle
souillure n'est pas attachée ? Non, je ne te laisserai pas
me toucher, même si tu m'en pressais. A ceux-là seuls
qui en portent leur part il appartient de fraterniser avec
ma misère. Ne m'approche pas ; je te bénis de loin.
Conserve-moi toujours ta juste protection.

THÉSÉE. — Que tu aies prolongé ce cher entretien
dans la joie du revoir, je ne m'en étonne pas, ni que tu
aies désiré entendre tes enfants avant moi. Il n'y a rien
là dont je doive prendre ombrage. Ce n'est point à des
mots que nous confions le soin d'illustrer notre vie,
c'est à nos actions mêmes. Tu peux constater que je
n'ai point manqué à mes promesses, vieillard : je te
ramène tes filles vivantes, sauves des menaces qui ont
pesé sur elles. Quant à notre heureux combat, à quoi
bon t'en retracer le détail avec emphase ? Vous aurez
tout loisir d'en deviser entre vous. Cependant, tout à
l'heure, sur le chemin du retour, j'ai recueilli par hasard
un bruit que je livre à tes réflexions. Bien qu'il tienne en
deux mots, le fait ne laisse pas de surprendre, et il n'est
pas bon de négliger quelque incident que ce soit.

ŒDIPE. — De quoi s'agit-il, fils d'Égée ? Instruis-moi,
car je ne sais rien de ce dont tu veux me parler.

THÉSÉE. — On nous rapporte qu'un homme qui vit
loin de Thèbes, mais qui serait ton parent, s'est jeté
au pied des autels de Posidon, là même où j'étais en
train de sacrifier lorsque votre appel m'a pressé d'accourir.

ŒDIPE. — Un homme de quel pays ? Et qu'attend-il
de sa supplication ?

THÉSÉE. — Tout ce qu'on m'a dit, c'est qu'il sollicite
de ta part une simple réponse. C'est bien peu de chose.

ŒDIPE. — Quelle sorte de réponse ? Venant d'un
suppliant, il doit s'agir d'une affaire grave.

THÉSÉE. — Il demanderait que tu lui accordes un
entretien et qu'ensuite on le laisse partir sans l'inquiéter.

ŒDIPE. — Qui peut bien être ce suppliant ?

THÉSÉE. — Vois si dans Argos vous n'avez pas un parent susceptible de t'adresser cette prière.

ŒDIPE. — Ah! cher ami, arrête!

THÉSÉE. — Qu'as-tu?

ŒDIPE. — Ne me demande rien.

THÉSÉE. — A quel sujet? Parle.

ŒDIPE. — Je ne sais que trop par mes filles qui est ce suppliant.

THÉSÉE. — Qui est-ce? Encourrait-il quelque blâme de ma part?

ŒDIPE. — C'est mon fils, prince. Je le hais. Il n'est pas d'homme que j'aurais plus de répugnance à entendre.

THÉSÉE. — Eh quoi! ne peux-tu l'écouter? Cela ne t'engage à rien. Qu'aurait une simple audience de si pénible pour toi?

ŒDIPE. — Odieuse, prince, la voix de mon fils m'est devenue odieuse. Ne me contrains pas à céder là-dessus.

THÉSÉE. — Examine pourtant si cette supplication ne t'oblige pas. Garde-toi du dieu qui le protège.

ANTIGONE. — Père, je suis bien jeune pour donner des avis; cependant, si tu veux m'en croire, tu respecteras les scrupules de Thésée. Laisse-le satisfaire au dieu comme il l'entend et accorde à tes deux filles la grâce de laisser venir leur frère. Ne crains rien : quoi qu'il puisse dire contre ton intérêt, tu resteras seul maître de tes décisions. Qu'est-ce que cela peut te faire de l'écouter? Après tout, les mauvais desseins se trahissent dans les paroles. Et puis, il te doit le jour : manquât-il à la piété filiale autant que le dernier des scélérats, ô mon père, il n'est pas juste que tu lui rendes le mal pour le mal. Va, laisse-le venir. D'autres pères ont des enfants ingrats à qui ils tiennent rigueur, mais ils se laissent adoucir par les prières de ceux qu'ils aiment. Fais un retour en arrière : rappelle-toi les maux que tu as hérités de tes parents. Si tu y réfléchis, j'en suis sûre, tu t'aviseras que, d'un fâcheux emportement, rien ne peut naître que de fâcheux. N'en as-tu pas une preuve terrible dans tes yeux privés de regard? Cède à notre requête. Il ne serait pas à ton honneur de repousser obstinément une prière juste ni de payer d'un refus ton bienfaiteur.

ŒDIPE. — Mon enfant, bien qu'il m'en coûte de vous accorder cette concession, qu'il soit fait selon votre désir. J'espère seulement, mon hôte, que la venue de mon fils ne mettra pas ma personne en danger.

THÉSÉE. — De telles recommandations, il ne faut pas me les répéter, vieillard. Sans me vanter, tant qu'un dieu me gardera sain et sauf, tu es à l'abri du péril.

CHANT DU CHŒUR

Celui qui, dédaignant la part commune, aspire
à reculer sans fin les bornes de sa vie,
          qu'il ait fait un mauvais calcul,
je tiens que, tôt ou tard, on s'en apercevra.
Que nous apportent les vieux jours ? Plus de chagrins
     que de bonheur... On ne sait même plus
ce que c'est que la joie, hélas ! quand la malice
du sort nous fait franchir les bornes raisonnables.
          Égal pour tous et fatal, le salut
nous vient d'en bas lorsque, du destin messagère,
          sans éclat de chants d'hyménée
          ni lyres ni chœurs, a surgi
               la Mort, qui conclut tout.

     Mieux vaut cent fois n'être pas né ;
          mais s'il nous faut voir la lumière,
le moindre mal encore est de s'en retourner
là d'où l'on vient, et le plus tôt sera le mieux !
La jeunesse passée, entraînant son cortège
          d'inconséquences, de folies,
qui ne chancelle sous les maux, qui leur échappe ?
          Quel chagrin nous est épargné ?
     Rixes, factions, discordes, combats,
          l'envie aussi... Et puis lorsque survient
          la dernière épreuve, la pire :
l'odieuse, revêche et débile vieillesse,
          qui chasse les amis,
mais chez qui tous les maux se donnent rendez-vous !

Tel est (je ne suis pas le seul !) ce malheureux,
          pareil au rivage du nord
          qu'assiège la vague en furie :
c'est ainsi que sur lui les houles d'infortune,
          sans trêve, font rage, se brisent,
les unes du couchant du soleil accourues,
          les autres du levant,
          les autres du midi,
les autres du septentrion plein de rafales et de nuit !

CINQUIÈME ÉPISODE

ANTIGONE. — Voici l'étranger, ce me semble. Personne ne l'escorte, père, et il s'avance les yeux baignés de larmes.

ŒDIPE. — L'étranger ?

ANTIGONE. — C'est bien celui que nous avions pensé : tu as devant toi Polynice.

(Entre Polynice.)

POLYNICE. — Hélas ! je ne sais sur quoi je dois pleurer d'abord, ô mes sœurs : sur mes malheurs, ou sur la détresse où je vois notre vieux père ? Je le retrouve comme une épave rejetée avec vous sur ce sol étranger, vêtu de quelles loques ! dont l'affreuse et sordide vétusté s'attache à son corps usé par les ans, tandis que sur son front sans regard la brise mêle et agite ses cheveux... Dignes du vêtement, sans doute, les vivres qu'il porte avec lui ! Ah ! je suis bien criminel de comprendre tout cela si tard et je m'avoue le plus coupable des hommes pour t'avoir tant négligé. Je m'en accuse moi-même devant toi. Mais la Miséricorde siège auprès du trône de Zeus, n'est-il pas vrai ? et elle l'assiste dans tous ses jugements ! Ainsi veuille-t-elle se pencher sur toi, mon père ! Je peux encore réparer mes fautes ; je ne saurais plus y ajouter !

Tu ne veux pas me parler ?

Romps ce silence, ô mon père, ne te détourne pas de moi ! Tu ne me réponds rien ? Dans ton mépris, me renverras-tu sans un mot, sans m'expliquer seulement de quoi tu me tiens rigueur ? Mais vous, qui êtes son sang, vous mes sœurs, essayez d'émouvoir, vous, cette bouche hautaine et implacable, faites qu'elle ne me laisse pas partir, moi suppliant du dieu, sans m'honorer d'un mot de réponse.

ANTIGONE. — Expose-lui toi-même, infortuné, le besoin qui t'amène devant lui. A force de parler, qu'on plaise ou déplaise, ou qu'on fasse pitié, on force le silence le plus résolu.

POLYNICE. — Tu as raison, je vais m'expliquer complètement. Pour commencer, je me mets sous la protection du dieu devant lequel j'étais prosterné lorsque le roi de ce pays m'a engagé à venir ici, en m'assurant que je parlerais, écouterais et m'en irais sans être inquiété. Promesse, étrangers, que j'entends que vous teniez pour votre part,

au même titre que mes sœurs et que mon père. Le but
de ma démarche, père, je veux maintenant te l'exposer.
J'ai fui ma patrie, frappé de bannissement pour avoir,
comme l'âge m'en donnait le privilège, prétendu à ton
trône souverain. Oui, bien qu'il soit mon cadet, Étéocle
m'a contraint à l'exil, non qu'il m'ait vaincu par de
beaux discours, ni qu'il ait prouvé la supériorité de son
bras ou de sa tête; non : il a séduit le peuple. Or je tiens
que mes malheurs ont pour cause première ta malédiction, et, par ailleurs, les devins me l'ont confirmé. J'ai
donc gagné Argos, en pays dorien. Là, devenu le gendre
d'Adraste, j'ai recruté sous la foi du serment l'élite des
guerriers dont s'illustre la terre d'Apis [249], et j'ai constitué
un corps de sept armées, afin de marcher sur Thèbes et,
si je n'en chasse l'usurpateur, d'y périr pour mon droit.
Cela dit, pourquoi suis-je venu jusqu'ici? O mon père,
c'est pour t'adresser mes prières et celles de mes alliés.
Sept armées viennent d'envahir la plaine de Thèbes [250];
sept capitaines les commandent : c'est d'abord le rude
jouteur Amphiaraos, sans rival la lance au poing, sans
rival pour lire dans le vol des oiseaux; le second, c'est
l'Étolien Tydée, fils d'Œnée; le troisième, Étéocle l'Argien; le quatrième Hippomédon, que délégua son père
Talaos; le cinquième se vante — c'est Capanée — de
faire crouler dans l'incendie la citadelle de Thèbes; le
sixième, Parthénopée l'Arcadien, se rue au combat en
digne fils d'Atalante, lui dont le nom rappelle la jeune
fille farouche que fut longtemps sa mère. Enfin moi,
ton fils — ou du moins l'enfant de ta mauvaise fortune,
mais quoi! l'on m'appelle ton fils... — je mène à l'assaut
de Thèbes l'intrépide armée d'Argos. Père, au nom de
tes filles, au nom de ta vie, nous te supplions tous d'un
même cœur, nous t'en adjurons, épargne-nous le poids
de ta colère, au moment où je m'élance pour châtier ce
frère qui m'a expulsé, spolié de ma patrie! S'il faut se
fier aux oracles, un oracle a prédit que la victoire resterait
aux mains de tes protégés. Par nos fontaines et par nos
dieux familiaux, je t'en prie, ne demeure pas insensible
à mes raisons. Des mendiants, des bannis, n'est-ce pas
ce que nous sommes tous les deux? Le génie commun
qui préside à notre sort nous oblige à flatter les autres
pour vivre. Et pendant ce temps-là, chez nous, ô rage!
le roi régnant prend ses grands airs et se moque de ses
deux victimes! Ah! si tu veux m'aider, j'aurai tôt fait
de rabattre ses prétentions; ce sera un jeu pour moi!

Alors je te rétablirai dans ta maison; alors j'y reprendrai ma place après l'en avoir chassé. Si tu soutiens ma cause, je me fais fort de réussir; sans toi, je n'ai pas même la force de sauver ma vie.

LE CORYPHÉE. — Par égard pour le roi qui te l'adresse, Œdipe, ne renvoie pas cet homme sans lui répondre ce que tu jugeras convenable.

ŒDIPE. — Sachez-le, citoyens, s'il n'était venu de la part de votre roi, si Thésée n'avait trouvé bon qu'il reçût de moi réponse, jamais cet homme n'aurait entendu le son de ma voix. Il s'en ira satisfait, bien qu'ayant appris des choses qui ne sont pas faites pour le réjouir. Dis-moi, misérable, quand tu étais en possession du trône et du sceptre par lesquels ton frère règne aujourd'hui dans Thèbes, n'as-tu pas chassé ton propre père? N'est-ce pas toi qui as fait de moi ce sans-patrie dont les haillons te tirent des larmes, à présent que tu connais, toi aussi, l'adversité? Il est trop tard pour pleurer sur mes maux. Je n'ai plus qu'à les supporter, moi, ma vie durant, en souvenir de mon fils parricide! Tu m'as voué à la misère, tu m'as jeté dehors; c'est ta faute, s'il me faut mendier ma nourriture au jour le jour. Si je n'avais celles-ci pour me nourrir, s'il n'eût tenu qu'à toi, je ne serais plus. Les soutiens de mes jours, ce sont elles; elles pourvoient à ma subsistance; ce sont elles les hommes pour peiner à mes côtés. Vous, les deux garçons, non, vous n'êtes pas mes fils! Mais patience : le ciel te voit et bientôt... Gare à toi si tes bataillons s'ébranlent vers le rempart thébain! Ne te flatte point d'emporter la place : auparavant tu tomberas immolé par ton frère, et ton frère tombera sous tes coups. Les imprécations que j'ai lancées sur vos deux têtes, naguère, je les appelle encore une fois à mon aide pour vous apprendre à honorer vos parents et ce qu'il en coûte de mépriser un père aveugle. Ah! vos sœurs n'ont pas agi de la sorte... Mais va, suppliant ou régnant, tu es au pouvoir de ma colère, s'il est vrai qu'auprès de Zeus siège la Justice éternelle, gardienne des lois antiques. Va-t'en, je te recrache et te renie, ô toi lâche entre les lâches! Emporte les imprécations que j'appelle sur toi : que tu ne reconquières jamais la terre de tes aïeux et que, sans revoir le val d'Argos, tu meures de la main de ton frère l'usurpateur expirant lui-même sous ta main! Voilà mes vœux pour toi. Je requiers les ténèbres détestées du Tartare, vengeur des pères, afin qu'elles se saisissent de toi; j'invoque les divinités d'ici

près, j'invoque Arès qui a jeté dans vos cœurs l'inex-
piable haine! Maintenant que tu m'as entendu, je ne
te retiens pas : cours annoncer au peuple de Cadmos et
à tes fidèles alliés les beaux présents qu'Œdipe a partagés
entre ses fils.

LE CORYPHÉE. — Polynice, m'est avis que tu n'as
guère à te louer d'avoir ainsi couru les routes. Maintenant, il faut t'en retourner au plus vite.

POLYNICE. — Hélas! malheureuse démarche! Hélas!
mes pauvres compagnons d'armes! C'est donc là, misère!
qu'aboutit tant de chemin parcouru depuis Argos : je
ne puis ni leur découvrir la vérité ni les ramener en
arrière; il me faut marcher vers mon destin en silence.
O mes sœurs, vous qui avez entendu ces cruelles malédictions paternelles, je vous en prie l'une et l'autre au
nom des dieux, si ses imprécations s'accomplissent, et
pour peu qu'il vous soit donné de revoir notre maison,
ne me jugez pas indigne d'un tombeau et d'offrandes
funéraires. A l'honneur qui vous est dû pour votre
dévouement filial s'ajoutera, non moins beau, le renom
de votre piété pour moi.

ANTIGONE. — Polynice, je te supplie d'entendre ma
prière.

POLYNICE. — Quelle prière, mon Antigone bien-aimée?
Parle.

ANTIGONE. — Sans plus attendre, ramène tes troupes
en Argos. Ne ruine pas la patrie pour courir à ta
perte.

POLYNICE. — C'est impossible. Quoi! sur un coup
de panique, je ramènerais mes troupes à leurs bases sans
avoir combattu?

ANTIGONE. — A quoi bon, mon enfant, t'obstiner dans
ta rancune? Ta patrie détruite, seras-tu bien avancé?

POLYNICE. — Quelle honte ce serait de fuir pour devenir la risée de mon cadet!

ANTIGONE. — Ne vois-tu pas que tu l'accomplis, la
prédiction paternelle qui vous annonce votre mort fratricide?

POLYNICE. — Il prédit ce qu'il désire; à nous de ne
pas céder.

ANTIGONE. — Hélas! et qui osera te suivre, connaissant ce qu'il a prédit?

POLYNICE. — Nous n'annoncerons rien qui risque
d'alarmer : un chef avisé montre sa force et dissimule
ses points faibles.

ANTIGONE. — Mon enfant, est-ce bien là ton dernier mot?

POLYNICE. — N'essaie plus de me retenir; mon destin me regarde seul : si cette route me conduit à ma perte, mon père l'aura voulu, et les déesses de sa vengeance. Que Zeus vous protège, ô mes deux sœurs, si vous veilliez sur moi quand je serai mort, puisqu'aussi bien vous ne pouvez plus rien pour moi vivant. Laissez-moi partir, adieu : vous ne me reverrez plus qu'inanimé.

ANTIGONE. — Ah! malheureuse!

POLYNICE. — Ne me plains pas.

ANTIGONE. — En te voyant courir à une mort certaine, qui ne gémirait, mon petit frère?

POLYNICE. — Je mourrai s'il le faut.

ANTIGONE. — Ne cherche pas la mort : écoute...

POLYNICE. — Ne me conseille pas ce qu'il ne faut pas.

ANTIGONE. — Que deviendrai-je, malheureuse! si je ne t'ai plus?

POLYNICE. — L'avenir est dans la main des dieux, bon ou mauvais. Puissent-ils éloigner tous les maux de votre chemin! Qui trouverait juste que vous soyez malheureuses?

(Il sort. On entend un coup de tonnerre.)

LE CHŒUR.

Quel est encor ce malheur qui sur moi
s'appesantit, du fait de l'étranger aveugle,
— ou si c'est le destin qui lui fait signe?
Car d'un décret divin demeuré sans effet
je ne sais point d'exemple.
Le temps tient son regard fixé sur eux,
qui exalte aujourd'hui ceci, demain cela.
...Encore un grondement au fond du ciel, ô Zeus!

ŒDIPE. — O mes enfants, mes enfants, si quelqu'un du pays pouvait m'amener Thésée, le meilleur des princes?

ANTIGONE. — Père, quelle est ta pensée en le faisant venir?

ŒDIPE. — Le tonnerre ailé de Zeus — l'entendez-vous? — déjà m'appelle chez Hadès : hâtez-vous d'aller quérir le roi.

LE CHŒUR.

Écoute, écoute, comme il croule, cet énorme,
extraordinaire grondement que Zeus a déchaîné! Jusqu'à
la pointe des cheveux la terreur me pénètre
et mon cœur en moi se blottit...

De nouveau l'éclair enflamme le ciel.
Quel événement va-t-il émettre ? J'ai peur.
Jamais en vain il ne jaillit, jamais sans qu'un malheur
            O profondeurs du ciel, ô Zeus !   [*éclate !*

ŒDIPE. — Mes filles, elle est venue, la fin assignée
aux jours de votre père ; rien ne peut plus la détourner.

ANTIGONE. — Tu le sais donc ? A quels signes, père ?

ŒDIPE. — Je le sais. Mais qu'on se hâte, je vous prie,
qu'on se hâte d'appeler le roi.

LE CHŒUR.
Encore... Autour de nous, partout, le grondement
            roule et se prolonge.
        Pitié pour moi, ô dieu, pitié !
quel que soit le don qu'à ma terre maternelle
tu apportes au sein de cette obscurité...
Ah ! puisses-tu me bien juger, et s'il est vrai
        que j'ai regardé un maudit,
puissé-je n'en point recevoir une funeste récompense !
        Zeus souverain, vers toi ma voix s'élève.

ŒDIPE. — Eh bien, le roi vient-il ? Hélas ! mes enfants,
me trouvera-t-il encore en vie et maître de ma pensée ?

ANTIGONE. — Quel secret veux-tu déposer dans sa
mémoire ?

ŒDIPE. — En échange de ses bienfaits, je veux, fidèle
à ma promesse, l'honorer d'une grâce qui ne sera point
vaine.

LE CHŒUR.
Accours, mon fils, accours ! Au fond de la vallée,

. . . .
        à Posidon, le dieu des mers,
tu sacrifiais un taureau ? — N'importe, viens !
L'étranger veut nous faire hommage, à la cité,
à nos amis, à toi, d'une grâce bien digne
        de ta bonté. Presse le pas, seigneur !

SIXIÈME ÉPISODE

THÉSÉE. — Que signifie à nouveau de ce côté ce bruit
de voix, où j'ai distingué parmi les vôtres celle de l'étranger ? Craigniez-vous un coup de la foudre céleste, ou
qu'une averse de grêle fondît sur nos campagnes ? Quand
on voit le dieu se charger ainsi d'orages, il n'est rien à
quoi il ne faille s'attendre.

ŒDIPE. — Cher prince, je désirais ta venue : tu as été
bien inspiré de prendre ce chemin.

THÉSÉE. — Fils de Laïos, que s'est-il produit de nouveau ?

ŒDIPE. — Ma vie touche à son terme. Avant de mourir je veux tenir les promesses qui m'engagent envers toi et envers ce pays.

THÉSÉE. — A quels signes connais-tu que la mort s'approche ?

ŒDIPE. — Les dieux s'en font eux-mêmes les annonciateurs : ils ne me font tort d'aucun des signes fixés d'avance.

THÉSÉE. — Quels signes, vieillard, devaient donc se manifester ?

ŒDIPE. — Ces grondements de tonnerre, coup sur coup, et ces flèches de feu que la main invincible lance.

THÉSÉE. — J'ai foi en tes paroles. De tes nombreuses prophéties je n'ai surpris aucune en défaut. Dis-moi donc ce qu'il me faut faire.

ŒDIPE. — Fils d'Egée, je te découvrirai un trésor pour ce pays, un trésor inépuisable. Bientôt, sans que nul me conduise, je te conduirai jusqu'au lieu de mon trépas. Mais n'en dévoile jamais à âme qui vive l'accès ni la situation, afin que son voisinage te protège mieux que ne feraient une forêt de piques et les boucliers de tes alliés. Il est des décrets interdits aux lèvres humaines que je te révélerai seul à seul quand nous serons arrivés là-bas. Je ne dois les confier à aucun des hommes de ce bourg ni à mes enfants mêmes, en dépit de ma tendresse pour elles. Garde-les dans ta mémoire fidèlement. Quand tu seras parvenu au terme de ta vie, tu ne les livreras qu'à ton successeur, et c'est par cette voie qu'ils devront toujours se transmettre. Ainsi faisant, tu écarteras de la patrie toute incursion des Thébains, semence du Dragon [251]. Chez trop de peuples, même sous un bon roi, l'esprit de violence aisément se réveille. Mais les dieux ont le regard perçant : tôt ou tard, ils découvrent celui qui oublie la piété pour suivre ses instincts furieux. Ne te mets point dans ce cas, fils d'Egée. Mais voilà que je prêche un homme de longue expérience... Marchons plutôt vers le lieu que j'ai dit; l'appel du dieu me presse, il n'y a plus de temps à perdre. Mes filles, vous pouvez me suivre jusque-là. Vous voyez, c'est à mon tour de vous guider. Avancez, ne me touchez point; laissez-moi me diriger seul vers le tombeau sacré que mon destin m'assigne en ce pays. Par ici, oui, prenez par ici; c'est la route que m'indiquent Hermès, conducteur des âmes,

et la déesse souterraine. O clarté du jour qui ne m'es
que ténèbres, mes regards ont joui de toi, jadis. Aujour-
d'hui tu baignes mon corps pour la dernière fois. Voici
pour moi l'étape finale avant de disparaître chez Hadès.
Allons, mon hôte, mon cher hôte, sois heureux, et ton
peuple autour de toi; puisse votre pays prospérer! Souvenez-vous de moi après ma mort et que la fortune vous
soit fidèle!

(Il sort, suivi de ses filles et de Thésée.)

CHANT DU CHŒUR

S'il n'est pas sacrilège, ô déesse invisible [252],
    de t'honorer par mes prières,
        et toi, prince des ombres,
        Aïdonée, Aïdonée [253]!
    faites que sans fatigue et sans souffrance
    notre hôte arrive au bout de son destin,
    là-bas, dans le pays mystérieux,
    sur la plage des morts, au stygien séjour.
    Tant l'ont humilié les caprices du sort,
    qu'il est juste, enfin, qu'un dieu le relève!

    O vous, divinités des profondeurs,
        et toi, le chien monstrueux, l'intraitable [254],
    qui couches sur le seuil usé par tant de pas,
    toi qu'on dépeint toujours aboyant à l'entrée
        des antres infernaux, gardien féroce...
    Mais toi, Mort, fille de la Terre et du Tartare,
    fais que ce chien laisse libre passage
    à l'étranger, sur la grève des ombres.
    Oui, c'est toi que j'invoque, ô toi, du grand sommeil,
        toi, la dispensatrice!

DERNIER ÉPISODE

UN MESSAGER. — Citoyens, deux mots me suffiront
pour vous annoncer qu'Œdipe n'est plus. Mais les circonstances de cette mort sont telles qu'il est impossible
de retracer brièvement ce qui s'est passé là-bas.

LE CORYPHÉE. — Il ne vit plus, le malheureux?

LE MESSAGER. — Sache qu'il a enfin quitté l'existence
qu'il traînait sans repos.

LE CORYPHÉE. — De quelle façon? S'est-il, avec l'aide
d'un dieu, éteint doucement, l'infortuné?

LE MESSAGER. — C'est ici qu'il convient de s'émerveiller. Tu l'as vu qui s'est mis en marche sans que nulle main amie le guidât; au contraire, c'est lui qui nous conduisait tous. Lorsqu'il atteignit le seuil abrupt, enraciné dans la terre par des degrés d'airain, il se tint debout à l'entrée d'une des nombreuses routes qui se coupent en cet endroit, près d'un vase dont le flanc porte gravée l'éternelle alliance que se jurèrent Thésée et Pirithoos [255]. S'étant placé à égale distance de ce vase, du poirier creux, de la roche Thoricienne et du Tombeau de pierre [256], il s'assit, puis se dépouilla de ses pauvres vêtements. Quand ce fut fait, il enjoignit à ses filles, d'une voix forte, d'aller puiser de l'eau vive pour le bain et les libations. Les jeunes filles gravirent la colline de Démèter printanière [257] qu'on aperçoit de là. Bientôt revenues, elles baignèrent et vêtirent leur père selon le rite. Il reçut tous ces soins avec plaisir et l'on n'omit rien de ce qu'il recommandait. Tout à coup, Zeus souterrain gronda. Les jeunes filles, frissonnantes à ce bruit, se blottirent tout en larmes contre les genoux de leur père, et elles ne cessaient de gémir en se frappant la poitrine. Mais lui, dès qu'il entend le cruel signal : « Mes enfants, leur dit-il en les entourant de ses bras, c'en est fait : vous n'avez plus de père; c'en est fait de tout ce que je fus. Vous n'aurez plus le souci de nourrir ma vieillesse; dur souci, je le sais, mais un mot effacera tant de peines : personne au monde ne vous a aimées comme ce père que vous n'aurez plus près de vous dans la vie. » C'est ainsi qu'ils se tenaient embrassés tous les trois et sanglotaient. Mais peu à peu leurs gémissements cessèrent; aucun cri ne troublait plus le silence, lorsqu'une voix si puissante fit résonner le nom d'Œdipe, que, d'épouvante, nos cheveux se dressèrent sur nos têtes. Un dieu l'appelle, le presse : « Eh bien, eh bien, Œdipe ? Qu'attendons-nous ? C'est trop tarder à te mettre en route. » Dès qu'il eut entendu l'injonction divine, il pria Thésée de s'approcher. Le roi s'avança : « Cher ami, donne la main à mes enfants, en gage de l'antique lien; prenez sa main, mes enfants. Promets que jamais tu ne les abandonneras et que ta sollicitude ne négligera rien de ce qui pourra leur être utile. » Ce prince généreux s'y engagea aussitôt par un serment. Le pacte conclu, Œdipe posa sur ses filles ses mains aveugles. « Mes filles, rassemblez tout votre courage : il faut vous retirer sans chercher à voir ni à entendre les secrets

interdits. Hâtez-vous de partir. Que Thésée seul reste
près de moi, car il a qualité pour connaître ce qui va
s'accomplir. » Il dit, et nous obéîmes tous. Gémissants,
les yeux pleins de larmes, nous accompagnâmes les
jeunes filles. Au bout de quelques pas, lorsque nous
tournâmes la tête, le vieillard avait disparu. Nous aperçûmes seulement le roi, le visage caché par son bras levé
devant ses yeux, comme à la vue d'une chose effrayante
que le regard ne peut soutenir. Quelques instants se
passent. Nous le voyons alors qui s'agenouille et invoque
d'une même prière la Terre et l'Olympe, séjour des
dieux. Comment Œdipe est mort, il n'y a que Thésée qui
saurait le dire. Ni le feu céleste n'a mis fin à ses jours, ni
une tempête venue de la mer en cet instant ; mais peut-
être quelque divin guide lui fut-il dépêché, ou bien le
souterrain séjour, s'entr'ouvrant doucement, l'a englouti...
Car il n'a pas souffert ; il a quitté la vie sans une plainte,
exempt des affres de l'agonie, c'est le cas ou jamais de
dire : par un miracle. Loisible à vous de penser que j'ai
l'esprit troublé ; peu m'importe, je ne chercherai pas à
convaincre les incrédules.

Le Coryphée. — Où sont ses filles et nos amis qui les
ont accompagnées ?

Le messager. — Non loin d'ici. Les gémissements
plus distincts nous annoncent leur approche.

(Reviennent Antigone et Ismène.)

ANTIGONE.

   Hélas ! il n'y a plus désormais, pour nous deux,
   toujours, partout, qu'à gémir sur ce sang maudit
      que notre père, hélas ! nous a légué !
       Nous deux de qui la vie,
   déjà, n'avait rien d'assuré que la souffrance,
   de quelle catastrophe encore il a fallu
   que nous fussions les deux témoins, les deux victimes !

LE CHŒUR.

   Qu'as-tu donc ?

ANTIGONE.

      Vous pouvez, amis, le deviner.

LE CHŒUR.

   Il est donc mort ?

ANTIGONE.

        Oui, mort, de la mort la plus belle :
   contre lui ne s'est point dressée
   la fureur d'Arès ou des vagues :

le seuil mystérieux devant lui s'est ouvert ;
            l'ombre sur lui s'est refermée.
            Hélas ! mais nous deux ? une nuit
            mortelle descend sur nos yeux...
            Comment, soit en lointain pays,
            ou sur les flots sans trêve errantes,
gagnerons-nous le pain amer des orphelines ?
ISMÈNE.
Je n'en sais rien. Mais veuille Hadès, de sang avide,
            m'emporter auprès de mon père,
plutôt... A quoi bon vivre encore, et le pourrai-je ?
LE CHŒUR.
O sœurs au cœur très noble, il faut, avec constance,
            Subir ce qui vous vient des dieux.
Pourquoi vous consumer d'un chagrin sans mesure ?
N'avez-vous donc à faire au sort que des reproches ?
ANTIGONE.
            Regretterons-nous même nos misères ?
Ce qui n'est bonheur pour personne était pour moi
bonheur quand je serrais mon père entre mes bras !
            O mon père, père chéri,
ô toi revêtu d'ombre à jamais sous la terre,
            la tendresse de tes deux filles
même au sein de la mort ne te manquera pas.
LE CHŒUR.
            Il a eu...
ANTIGONE.
                    Oui, la fin qu'il avait souhaitée.
LE CHŒUR.
            Et quelle ?
ANTIGONE.
                        Au lieu marqué, sur la terre étrangère,
            il est mort ; il repose
            dans l'ombre souterraine pour toujours,
            nous laissant le deuil et les larmes.
Les vois-tu sourdre, ô père, dans mes yeux,
            ces plaintives larmes ? Que faire,
            — malheureuse ! je ne sais plus... —
pour dissiper cette peine épuisante ?
Tu as voulu mourir sur la terre étrangère,
            Hélas ! et tu es mort seul, loin de moi !
ISMÈNE.
            Quel destin nous attend, ma sœur chérie,
            sans lui, seules au monde, hélas !
                . . . .

LE CHŒUR.
Allons, puisqu'une fin paisible, mes amies,
              a dénoué ses jours,
laissez votre chagrin s'adoucir. A personne
il n'est donné de fuir l'atteinte du malheur.
ANTIGONE.
Sœur chérie, oh! courons là-bas encor ...
ISMÈNE.

                                   Là-bas ?
   Qu'y ferons-nous ?
ANTIGONE.
                    Il me vient le désir...
ISMÈNE.
De quoi faire ?
ANTIGONE.

              ...de voir le foyer [258] *sous la terre...*
ISMÈNE.
   Le foyer ?
ANTIGONE.
              Le tombeau de notre père, hélas !
ISMÈNE.
      Les dieux le voudront-ils ? Comment ne vois-tu pas...
ANTIGONE.
   Ah! toujours des objections !
ISMÈNE.
      Songe encore...
ANTIGONE.
                    A quoi, je te prie ?
ISMÈNE.
...qu'il a disparu, sans tombeau, seul, loin de tous...
ANTIGONE.
Mène-moi sur la place et tranche-moi la gorge !
ISMÈNE.
         Malheureuse ! où irai-je, moi,
              deux fois abandonnée,
         traîner ma douleur et mes jours ?
LE CHŒUR.
Ne tremblez plus, enfants.
ANTIGONE.
                    Où nous réfugier ?
LE CHŒUR.
Vous avez un refuge...
ANTIGONE.
                    Un refuge, dis-tu ?

LE CHŒUR.

   ...contre les menaces du sort.

ANTIGONE.

   Je pense...

LE CHŒUR.

       Quelle idée encore te tourmente ?

ANTIGONE.

     ...que nous n'avons aucun moyen
de retourner chez nous.

LE CHŒUR.

       Ne t'en mets pas en peine.

ANTIGONE.

Le malheur nous tient bien.

LE CHŒUR.

      Il vous tenait déjà...

ANTIGONE.

   Hier sans remède ; aujourd'hui, pire !

LE CHŒUR.

Oui, des maux infinis furent votre partage.

ANTIGONE.

   Il n'est que trop vrai.

LE CHŒUR.

       J'en conviens

ANTIGONE.

  Hélas ! où nous en irons-nous,
ô Zeus ? Qui sait, qui sait vers quelle épreuve encore
   le sort en ce moment nous pousse ?

           (Paraît Thésée.)

THÉSÉE. — *Mes filles, c'est assez gémir : ceux dont la tombe est source de bienfaits pour notre terre, il n'est pas permis de porter leur deuil.*

ANTIGONE. — *Fils d'Egée, nous tombons à tes genoux.*

THÉSÉE. — *Comment puis-je vous servir, mes enfants ?*

ANTIGONE. — *Nous voudrions contempler la tombe de notre père.*

THÉSÉE. — *Hélas ! les dieux s'y opposent.*

ANTIGONE. — *Dis-tu vrai, roi d'Athènes ?*

THÉSÉE. — *Mes chères filles, votre père me l'a recommandé : personne ne doit visiter le lieu sacré de son repos ni même en révéler le nom. Tant que j'observerais cette loi, il m'a assuré que le malheur épargnerait mon pays. Tandis qu'il parlait, un dieu nous écoutait, et le serviteur de Zeus, le Serment* [259]*, qui entend tout.*

ANTIGONE. — *Si telles furent les volontés de mon père, il suffit. Aide-nous seulement à rentrer dans notre antique Thèbes : peut-être empêcherons-nous nos frères de s'entre-tuer.*

THÉSÉE. — *Je vous y aiderai ; et tout ce qui pourra vous être agréable, à vous, comme à celui qui vient là-bas de disparaître, je m'en acquitterai toujours sans me lasser, n'étant point un ingrat.*

LE CORYPHÉE. — *Ne pleurez plus ; laissez vos plaintes s'assoupir ; reposez-vous de tout sur la foi de Thésée.*

LES LIMIERS

LES LIMIERS [260]

PERSONNAGES

APOLLON, SILÈNE,
CHŒUR DES SATYRES [261],
CYLLÈNE, HERMÈS.

Sur le mont Cyllène [262]. Paysage de rochers et d'arbres.
Au fond une grotte, dont l'entrée est bouchée.

APOLLON. — Avis à tous, dieux et mortels! Je promets
bonne récompense en or sonnant à qui me ramènera
mes vaches égarées. Ce mystère m'irrite; j'aimerais à
en avoir le cœur net. Mes vaches à lait, mes veaux, la
jeune troupe de mes génisses, tout s'est évanoui, j'en
cherche vainement les traces! Sans que j'y aie vu que
du feu, elles ont déserté l'étable et la mangeoire! Il faut
qu'un sortilège les ait rendues invisibles... Non, je n'aurais
jamais cru que ni dieu ni homme se fût risqué à entreprendre ce coup d'audace. D'abord étourdi de stupeur à
cette nouvelle, je me mets bientôt en campagne, non sans
alerter par mes proclamations, afin que nul n'en ignore,
toute la gent divine et humaine. Me voilà lancé comme
un fou dans cette poursuite. J'ai parcouru déjà, tribu
par tribu, tout le peuple Thrace : mais personne .

. . . .

Après quoi, d'un bond, j'atteins les riches plaines de
Thessalie, puis la terre béotienne et ses villes opulentes.

. . . .

de là, traversant le pays dorien, toujours courant, j'arrive
en ces bois, séjour de Cyllène, d'un accès si malaisé.
Or donc, pour tout ce qui se trouve à portée de m'entendre, bergers, laboureurs, charbonniers, et les petits
sauvageons des nymphes de la montagne, je proclame

que celui qui attrapera mon voleur recevra aussitôt, foi d'Apollon Médecin [263], la prime que voici.

(Entre Silène.)

SILÈNE. — Tueur de loups [264], à peine ai-je entendu résonner ton appel que, de toute la force de mes vieilles jambes — tant j'ai à cœur, cher Phœbos-Apollon, de t'obliger — j'accours, prêt à me mettre en chasse pour ton service. Quant à l'or qui doit couronner mes efforts, c'est le complément obligé de tes instructions. Tu vois mes enfants : ils ont l'œil exercé. Je les emploierai à travailler pour toi, mais il faudra tenir ta promesse !

APOLLON. — Je donnerai le salaire. Confirme seulement ta proposition.

SILÈNE. — Je ramènerai les vaches. Confirme seulement ton offre.

APOLLON. — Qui trouvera les vaches touchera l'or : il est prêt.

. . . .

(manquent quatre vers)

SILÈNE. — Qu'est-ce à dire ? Quelle autre récompense ?

APOLLON. — La liberté pour toi et pour tes enfants.

. . . .

LE CHŒUR DES SATYRES

En avant !
Bon pied, bon pas...
Hop ! hop ! hop ! hop !
Oh ! Oh !... Toi, par exemple !...
Sus au voleur !
En secret...
aboutissant...
à la voix de notre père...
Mais comment ? Par où ? La nuit a couvert
le rapt. Courons...
Qui sait ? Réussir,
pour nous, pour notre père, c'est la liberté.
Que le dieu, notre ami, efface nos fatigues
par la vertu de cet or
dont il vient de nous donner un si brillant aperçu !

SILÈNE. — O dieux, ô Fortune, et toi, Bon Génie des chercheurs, accordez-moi de toucher ce but fuyant que presse ma course, de traquer mon butin, mon gibier, les vaches enlevées à Phœbos. *(Au public.)*

Holà! N'y a-t-il pas dans vos rangs une paire d'yeux ou d'oreilles qui aurait eu vent de quelque chose? Ami qui me renseignera; je dirai même : mon associé pour le service du roi Phœbos. Toute révélation utile sera récompensée.

(Ici, brève intervention du Chœur.)

. . . .

SILÈNE. — Quoi! personne ne dit rien? personne ne sait rien? Ah! je vois bien qu'il faut que je m'y mette *(Aux Satyres.)* Au travail, tout le monde! flairant la brise, à crouppetons, pliés en deux, le nez subtil, l'œil à l'affût : tout peut servir, conduire au but!

LE CHŒUR *(divisé en deux demi-chœurs).*

— Un dieu! Un dieu! Un dieu! Un dieu! Laisse faire, nous le tenons! Halte! Ne bougeons plus.

— Ces traces-là proviennent de nos vaches.

— Chut! un dieu mène notre colonie.

— Que faut-il faire, camarade? Sommes-nous en bonne voie? Et ceux-ci, dis, que leur en semble?

— Que tu as raison. Les traces l'indiquent nettement.

— Tiens, tiens... Ici encore, l'empreinte des sabots!...

— Regarde : c'est exactement la même mesure.

— Cours vite jusqu'à la grotte et prête l'oreille, au cas où une des vaches viendrait à mugir.

(Son grave et vibrant.)

— Le son que je perçois est douteux, mais pour les empreintes et les foulées, pas de doute : les vaches ont passé par là. Regarde.

— Allons, bon! Voilà, par Zeus, les pas qui font demi-tour et s'orientent en sens contraire : vois plutôt, je n'y comprends rien. Que veut dire cette volte-face?

— Tout est sens devant derrière; les traces s'enchevêtrent dans les deux sens. Le bouvier a dû perdre la tête.

SILÈNE. — Quelle est encore cette invention saugrenue? Voilà maintenant que vous jouez au chien de chasse, pliés en deux, le museau à ras de terre! Qu'est-ce que c'est que cette façon de travailler? Je n'y entends goutte. Pareil à un hérisson, tu t'aplatis dans un fourré, et tu n'en bouges plus; ou bien, comme un singe, le nez baissé, soufflant de rage, tu grognes après je ne sais qui! Qu'est-ce que cela? Où diable vous a-t-on appris ces façons? Dans quelle contrée de la terre? Tout cela est nouveau pour moi! *(Autre son.)*

Le chœur. — Ho!... Ho!... Ho!... Ho!...

Silène. — Des cris, à présent? De qui as-tu peur?
Qui aperçois-tu? Quel épouvantail? Et pourquoi ces
gambades affolées? Ah! tu cherches d'où vient ce bruit
sourd que nous venons d'entendre?

(Silence des Satyres.)

Bon! vous vous taisez, vous si loquaces tout à l'heure?

Le Coryphée. — Tais-toi donc!

Silène. — Qu'y a-t-il là qui vous fait fuir?

Le Coryphée. — Prête l'oreille.

Silène. — Que je prête l'oreille? Mais je n'entends
aucune voix.

Le Coryphée. — Je t'en prie!

Silène. — Adieu mon enquête : vous ne serez jamais
bons à rien.

Le Coryphée. — Tends l'oreille, encore un moment,
vers ce bruit étrange qui nous a bouleversés. Jamais
mortel n'a entendu un bruit comparable.

Silène. — Un bruit! Un bruit vous affole et vous épouvante, corps impurs, pétris de cire molle, bêtes couardes
entre toutes les bêtes; une ombre vous fait fuir, vous
avez peur de tout. Serviteurs fainéants, brouillons, cœurs
esclaves, dénués d'esprit, dispos seulement de la langue
et de la braguette. Lorsqu'on demande votre aide, vous
promettez tout ce que l'on veut; mais au moment d'agir,
plus personne! Quand je songe, vile et bestiale engeance,
que vous êtes nés d'un père tel que moi, d'un père
dont la jeunesse suspendit aux demeures des nymphes
maint trophée de sa valeur; d'un père, dis-je, que rien
n'a jamais fait fuir ni même trembler, et qui ne va pas,
au moindre beuglement d'un troupeau dans la montagne,
se blottir de peur, non! mais qui, la lance au poing, s'est
couvert d'une gloire que vous souillez aujourd'hui,
lorsque, pour un bruit insolite — quelque farce de berger, sans doute — vous perdez la tête comme des enfants
avant d'avoir vu de quoi il retourne! Phœbos vous annonce
une fortune, étale devant vous un tas d'or, il nous promet
à tous la liberté, et vous envoyez promener tout cela,
et vous dormez sur vos deux oreilles! Voulez-vous bien
vous remettre sur la piste des bêtes et du bouvier, ou je
vous ferai piailler d'importance, poltrons, et cette fois
le bruit viendra de vous.

Le Coryphée. — Père, viens donc à côté de nous et
prends le commandement : tu verras si c'est de la pol-

tronnerie. Tu reconnaîtras toi-même, en y regardant de
plus près, que tu as parlé pour ne rien dire.

SILÈNE. — C'est bon, je rythmerai moi-même ta
marche en avant, de la voix et du sifflet, comme on
fait avec les chiens. Allons, en position à la croisée des
trois routes; me voilà sur les lieux pour diriger l'opération.

LE CHŒUR. — *Hop! Hop! Psst! Psst! Ah! Ah!*

SILÈNE.

Dis-moi un peu à quoi tu t'évertues?
A quoi riment ces grognements? Ce sifflotis?
Ces regards en dessous, de mon côté?
Ho! le premier, là-bas, voyez comme il s'y prend!

LE CHŒUR.

Tu es pris!... Là!... là!... il est allé là!
Je te tiens!... Reviens par ici!

SILÈNE. — *Et le second, voyez comme il s'y prend!*
Ils vont de l'avant, eux, Dracis et Grapis. Mais
     toi, Ourias, tu t'égares, tu n'y es
          plus du tout! Parbleu! un ivrogne...

. . . .

          Tiens, tiens! de nouvelles empreintes.
               Stratios, Stratios,
          suis-les par ici. Que fais-tu?
Elles sont là-dedans, les vaches; là doit tendre
     l'effort. Tiens bon, Crocias, Crocias!
          qu'as-tu découvert de beau?
          Notre brave Tréchis, lui,
il suit sa piste, consciencieusement.
          Suis-la, suis-la, c'est bien.
          Ah! là là!... Propre à rien!
Je ne te donne pas longtemps, quand tu seras
     libre, pour te casser le nez!
          Allons, assez tournicoté!
Poursuis. Tiens bon la route. Avance, va!
     Nous tenons l'ennemi de flanc!

                              (Nouveau son.

LE CORYPHÉE. — Eh bien, père, tu restes muet?
Disions-nous vrai, oui ou non? Tu l'as entendu, ce bruit?
Ou es-tu sourd?

SILÈNE. — Tais-toi.

LE CORYPHÉE. — Qu'y a-t-il?

SILÈNE. — Je veux m'en aller.

LE CORYPHÉE. — Reste, si tu en as la force.

SILÈNE. — Jamais. Cherche à ta guise, suis la piste, retrouve les vaches et deviens riche de tout l'or promis. Moi, je ne tiens pas à demeurer plus longtemps.

LE CORYPHÉE. — Jamais de la vie. Je ne te permettrai pas de filer en me laissant la besogne sur les bras ! Pas avant que nous sachions au juste ce qui se cache là-dedans. (*Sourd aux objurgations du chœur et insensible à l'appât de la récompense promise, Silène se retire de la lutte — et de la scène* [265].)

Nous aurons beau l'appeler, il ne se montrera pas. Mais nous ferons un tel vacarme à force de piétiner, de cavalcader et de ruer, qu'il faudra bien qu'il entende, fût-il sourd comme un pot.

(*Paraît Cyllène, à l'entrée de la grotte.*)

CYLLÈNE. — Brutes, que vient faire sur ma verte montagne cette ruée criarde qui trouble la paix du feuillage et des bêtes ? Quelle est cette invention ? Auriez-vous renoncé à servir votre maître, d'un cœur dévoué comme naguère, lorsque, sa peau de faon sur son dos par vos soins attachée, en brandissant allégrement son thyrse [266], il marchait aux cris d'évohé sur les pas de son patron divin, escorté des nymphes ses filles et d'une foule de ses garçons ? Je ne vous comprends plus : que signifient cette danse d'un nouveau genre, ces pirouettes affolées ? Quelle bizarre fantaisie ? A mes oreilles parvient comme l'ordre bref que le chasseur donne à ses chiens quand ils pressent au gîte une bête couchée avec ses petits ; puis ce sont des cris : au voleur ! — et je ne sais quelle proclamation et des bruits confus et des ruades contre la porte : bref, à entendre un tel tapage, je vous aurais cru la cervelle dérangée. Eh bien, que me voulez-vous ? Quel mal vous ai-je fait ?

LE CHŒUR.

O nymphe à l'imposant corsage [267], *calme-toi :*
    je ne viens pas te chercher noise
et tu n'as nullement à craindre de ma part
un mot désobligeant ou inconsidéré.
    Aussi bien ne me gronde pas,
mais d'un ton radouci découvre-moi l'affaire :
sous terre, ici, qui donc si puissamment
fait résonner la voix prodigieuse ?

CYLLÈNE. — A la bonne heure. En modérant votre langage, vous apprendrez plus de choses utiles à votre chasse qu'en essayant d'effrayer par un coup de force une nymphe timide. J'ai horreur du bruit des disputes. Expose-moi tranquillement ce que tu es en peine de savoir.

LE CORYPHÉE. — Maîtresse de ces lieux, puissante Cyllène, je t'expliquerai tout à l'heure la raison de ma visite. Dis-nous d'abord d'où vient cette voix qui se fait entendre et de quel mortel elle est l'empreinte sonore.

CYLLÈNE. — Avant tout, sachez qu'il vous en cuira si vous ébruitez mes révélations. Il s'agit d'une affaire sur laquelle on garde le secret chez les dieux, pour que nul écho n'en parvienne jusqu'à Héra. Un jour, Zeus s'introduisit en cachette dans cet antre où demeure la fille d'Atlas [268] et se passa sa fantaisie, oubliant son imposante épouse. C'est ainsi qu'il engendra dans cette caverne un garçon que j'élève de mes mains, car les forces de sa mère se sont trouvées fort ébranlées à la suite de ses couches. J'ai donc été préposée au soin de le nourrir, de le faire boire, de le coucher, de changer ses langes et de veiller près du berceau nuit et jour. Or il grandit à vue d'œil, d'une manière surnaturelle, au point que j'en éprouve un étonnement mêlé d'effroi. Ce bambin qui n'a pas encore six jours s'appuie déjà sur des membres de jeune homme : où s'arrêtera-t-il ? Tel est l'enfant précieux que recèle cette caverne, abri sûr où son père le tient encore caché. Quant à la sonorité mystérieuse dont tu es en peine et qui t'épouvantait si fort, c'est lui tout seul, en un jour, qui a fabriqué au creux d'une carapace un instrument de musique. Son art ingénieux a tiré d'une bête morte une caisse pour lui pleine de délices et il la fait résonner dans le souterrain.

LE CHŒUR. (*Texte très mutilé*). — *Étrange... Inexplicable... Cet enfant, cette voix, cette bête... Comment, d'une dépouille morte, faire sortir pareil son ?*

CYLLÈNE. — Ne sois pas incrédule : tu peux t'en fier à une déesse qui ne cherche qu'à te faire plaisir.

LE CORYPHÉE. — Le moyen de croire qu'une bête morte puisse produire un grondement pareil ?

CYLLÈNE. — N'en doute pas : morte, la bête parle, qui de son vivant était muette.

LE CORYPHÉE. — Quelle était à peu près sa forme ? Allongée, bombée, courtaude ?

CYLLÈNE. — Courtaude, en forme de marmite ou de calotte, et la peau marquetée.

LE CORYPHÉE. — Dois-je me la figurer comme un chat, comme une panthère ?

CYLLÈNE. — Il s'en faut : elle est ronde et courte sur pattes.

LE CORYPHÉE. — Comparable à un ichneumon[269], peut-être, ou à un crabe ?

CYLLÈNE. — Non plus. Trouve autre chose.

LE CORYPHÉE. — N'a-t-elle pas l'aspect du scarabée à cornes[270] de l'Etna ?

CYLLÈNE. — Tu brûles. C'est à cet animal-là que le nôtre ressemble le plus.

LE CORYPHÉE. — Mais ce qui produit le son, dis-moi, est-ce le dedans ou le dehors ?

CYLLÈNE. — C'est cette espèce de calotte, qui rappelle l'écaille des huîtres.

LE CORYPHÉE. — Et quel nom lui donnes-tu ? Tout ce que tu sais encore, il faut nous le communiquer.

CYLLÈNE. — L'enfant nomme l'animal tortue, et lyre l'instrument de musique.

(Suit un passage très mutilé, où la nymphe décrivait la structure de la lyre, la peau tendue sur la caisse de résonance où s'emboîtaient des montants pareils aux montants de bois d'un lit, puis les cordes tressées, les chevilles en cuir très dur pris sur le cou des bœufs, etc...)

S'il a du chagrin, il ne faut pas d'autre remède pour le calmer : ivre de joie, il chante quelque mélodie en s'accompagnant sur la lyre, dont les souples accords exaltent son cœur. C'est ainsi que cet enfant a su tirer d'une bête morte une musique.

LE CHŒUR.
Une voix se répand, prodigieuse,
qui, au gré des cordes tendues,
fait fleurir en ces lieux mainte image charmante !
Cependant, pas à pas, mon enquête s'approche
de son terme, car mon voleur
n'était autre que le divin ingénieur !
Oui, femme, c'est ainsi. N'en conçois nulle peine;
ce que j'en dis n'est nullement
pour te fâcher.

CYLLÈNE. — Où ton esprit s'égare-t-il ? De quel vol oses-tu accuser le dieu ?

LE CORYPHÉE. — Par Zeus, ma respectable amie, je ne voudrais pas te mettre dans tous tes états.

CYLLÈNE. — Traiter de filou le fils de Zeus !

LE CORYPHÉE. — Mais puisque le vol...

CYLLÈNE. — Prouve-le-moi que tu dis vrai !

LE CORYPHÉE. — *(Texte très mutilé.)*
Oui, je dis vrai! Oui, c'est lui le voleur! Sûr et certain
que le morceau de peau ajusté sur la carapace provient
d'une des vaches volées!...

. . . .

(Lacune.)

CYLLÈNE. — Je suis folle de t'écouter! Tu ne cherches
qu'à te moquer de moi, je m'en aperçois un peu tard.
C'est bon : à l'avenir, amuse-toi à mes dépens, si tu y
trouves du plaisir ou du profit; tu as le droit de prendre du
bon temps, après tout! Mais pour le fils de Zeus, entends-
tu? je te défends de le ridiculiser en chargeant ce nouveau-né de griefs pour le moins nouveaux! Ce n'est pas de
son père qu'il tiendrait le goût de voler; quant à sa
famille maternelle, cette pratique n'y est pas davantage
en honneur. Si un vol a été commis, cherche le coupable
parmi les indigents : chez ce garçon-là, vois-tu, on mange
à sa faim. Par égard pour sa naissance, réserve tes soupçons infamants à qui les mérite : ils ne sauraient aucunement s'appliquer à lui. Seras-tu donc toujours un enfant?
A l'âge d'un jeune homme, la barbe en fleur, tu as l'air
d'un bouc se pavanant parmi les chardons! Cesse d'épa-
nouir d'aise ton crâne chauve et luisant. N'est-il pas écrit
là-haut que celui qui bée aux sottises et aux farces, demain
il s'en mordra les doigts? Voilà, moi, ce que je te dis.
LE CHŒUR.
Fais faire à ta faconde mille tours
et trouve toutes les raisons qu'il te plaira
pour l'excuser, jamais tu ne me convaincras
que, pour fabriquer son chef-d'œuvre
avec du cuir qu'il ajusta,
il prit ses peaux à d'autres bêtes
qu'aux vaches qu'il avait à Loxias [271] *volées!*
Je ne sortirai pas de là.
LE CORYPHÉE. — Je dis que Zeus... [...]
CYLLÈNE. — Cet enfant, un voleur! [...]
LE CORYPHÉE. — S'il se conduit mal, c'est un mauvais
sujet.
CYLLÈNE. — Il est inconvenant de mal parler d'un
fils de Zeus.
LE CORYPHÉE. — La vérité avant tout.
CYLLÈNE. — Comment oses-tu dire... [...]

. . . .

(Nouvelle lacune.)

CYLLÈNE. — Mais, vilain drôle, qui s'en est emparé, de ce troupeau ?

LE CORYPHÉE. — L'enfant qui est enfermé là-dedans.

CYLLÈNE. — Cesse de calomnier le fils de Zeus.

LE CORYPHÉE. — Oui bien, si l'on consent à relâcher les vaches.

CYLLÈNE. — Oh! toi et tes vaches, vous me rompez la tête!

. . . .

*(Le reste est perdu presque complètement sauf
quelques tronçons de vers.)*

[On peut supposer qu'un accord était conclu entre les deux frères : Hermès gardait les vaches et faisait cadeau de la lyre à Apollon. Celui-ci essayait l'instrument en exécutant un magnifique solo. Bien entendu, les Satyres et leur père recevaient la récompense promise.]

NOTES

NOTES

1. Voici quelques références concernant les sources généralement utilisées pour la vie de Sophocle :

a) La *Vie anonyme*, au tome VIII de la grande édition Dindorf, *Commentatio de vita Sophoclis* (Oxford, 1860).

b) Le marbre de Paros, *Inscriptiones graecae*, XII, v. 444.

c) Sur Sophocle *hellénotame* : *Inscr. gr.* I, 237.

d) Sur Sophocle stratège à Samos : Athénée XIII 603 e et 604 d.

e) Sur ses amours : Plutarque (*Périclès*, VIII, 15). Athénée XII 510 b (cite Platon *Rép.* I, 329 c.), XIII 557 e, 603 a, etc.

f) Sur Sophocle stratège en Sicile : Plutarque, *Vie de Nicias*, XV. Le Sophocle dont parle ici Plutarque ne doit pas être le général, fils de Sostratidès, dont Thucydide mentionne l'envoi en Sicile lors d'une première expédition, en 426. Du moins la réflexion prêtée au personnage : « Je suis le plus vieux, mais tu es le plus vénérable », s'accorde-t-elle avec les quatre-vingts ans que Sophocle avait en 415.

g) Sur Sophocle *proboule* : Aristote, *Rhétorique*, III, 18.

P. Foucart (*Sophocle « proboulos » et l'oligarchie des Quatre-Cents*, Rev. Philol., 1893) tient que le Sophocle en question est bien le nôtre.

h) Sur sa vie domestique, cf. Plut. (*An seni sit gerenda respublica*) et Cicéron (*De Senectute*, VII, 22), sans oublier la *Vie anonyme*.

2. Cf. notamment *Antigone*, v. 781 sqq. *Trachiniennes* (passim), le fragment 549 (*Phèdre*) et le fragment 409 (*Les Femmes de Colchide*, tragédie des amours de Médée et de Jason). Il faut faire la part du lieu commun dans tous ces morceaux.

3. Cf. dans la *Vie*, l'histoire de la couronne d'or dérobée au trésor d'Athéna. Héraclès apparaît en songe à
Sophocle, lui révèle le vol et la cachette : dans la maison
à main droite de la sienne. Or c'est bien là qu'on retrouve
la couronne. Avec le talent d'or qu'il reçoit en récompense,
Sophocle dédie un sanctuaire à Héraclès révélateur. —
On sait qu'il était prêtre d'Alcon, un héros médecin
disciple du centaure Chiron. En 421, lorsqu'on transféra
d'Epidaure à Athènes l'effigie d'Asclépios, en attendant
que le fils d'Apollon eût son temple en ville, Sophocle
l'abrita sous son toit. Ce geste lui aurait valu d'être honoré
lui-même après sa mort sous le nom de Dexion : l'hospitalier. P. Foucart (*Le Culte des héros chez les Grecs*, Paris,
Klincksieck, 1918) a démontré qu'il ne faut pas voir
dans cet hommage un geste de vénération nationale, mais
l'œuvre d'une fondation privée, due sans doute à Iophon,
fils aîné du poète.

4. Cf. n. 92, 105, 106.

5. Plutarque (*De profectibus in virtute*).
Phrynichos (*Com. attic. fragmenta*, frg. I, p. 879).

AJAX

6. Ajax joue un rôle important dans les batailles de
l'Iliade (VII, 92-313; XI, 459-488, 540-596; XII, 330,
sqq; XV, 676 sqq; XVII, 113-140, 628-655, 705-735, 748-
756) : le plus souvent, il accourt à la rescousse, là où le
combat plie, et il protège la retraite. Il porte un bouclier
fameux; il est lui-même un vivant bouclier, le guerrier le
plus valeureux après Achille; il a plus de carrure et de
masse, mais il n'a pas cette promptitude foudroyante
qui fait l'autre incomparable dans l'attaque. Soldat par
vocation, c'est l'honneur qui le guide, sentiment qui se
nuance d'une sagesse un peu sombre : il sait que Zeus
protège les Troyens... Il entretient de bons rapports avec
Achille, aussi bien qu'avec les Atrides et avec Ulysse.

Autour du cadavre d'Achille, Ajax et Ulysse luttent
côte à côte *(Poèmes Cycliques)*; chaude journée, dont
Ulysse se souviendra longtemps *(Od.* V. 309 sq.). Mais
au chant XI du même poème, l'ombre d'Ajax repousse
Ulysse : l'affaire des armes d'Achille les a brouillés
(Ethiopide. Cf. aussi Pindare, *Isthm.* IV et *Ném.* VIII).
Après le jugement rendu en présence d'Athéna, Ajax
déshonoré, désespéré, se tue.

Lucide et volontaire dans sa détresse, le héros de
Sophocle mûrit lentement sa vengeance. Il l'exécuterait
si Pallas, troublant son esprit, ne le poussait dans une
équipée ridicule. Ce second affront, qui occupe tout le
champ de sa conscience, l'accule à un désespoir sans issue.
Pourquoi la déesse l'a-t-elle ainsi persécuté? C'est qu'elle
protège les Atrides et Ulysse et défend l'honneur des
dieux en châtiant la démesure. Cette conception est étrangère à Homère et même à Pindare; elle est spécifiquement
eschylienne. Des *Femmes de Thrace*, tragédie perdue
d'Eschyle sur le même sujet, on sait seulement que la mort

du protagoniste n'y était pas exposée sur la scène, mais
narrée par un messager, et que le chœur y était formé de
captives. Par un procédé qui lui est habituel, Sophocle
place en regard du héros surhumain la mesure commune
de l'humanité : ce sont ici les matelots, c'est surtout
Tecmesse, figure peut-être entièrement originale.

Le conflit surgi à propos de la sépulture est-il une invention de Sophocle ? On ne sait. Déjà les anciens jugeaient
froide cette seconde moitié du drame. Il paraît toutefois
excessif de voir (avec Bergk et Blaydes), à partir du vers
974, une addition d'une autre main. Dalmeyda (*Revue
des Etudes Grecques*, 1933) fait valoir, outre l'unité de ton,
le fait qu'Ajax mourant ne maudit pas Ulysse en même
temps que les Atrides : omission qui prépare le spectateur au revirement final d'Ulysse. D'autre part, le thème
de la réhabilitation qui apparaît ici a retenu plus d'une
fois la pensée de Sophocle. Et non moins le thème de la
sépulture refusée *(Antigone)*.

On a longtemps regardé l'*Ajax* comme la plus ancienne
des tragédies conservées. Cette hypothèse se fondait
sur les considérations suivantes : 1º la structure archaïque
de la *parodos* (récit anapestique suivi d'une triade); 2º le
rôle *actif* du chœur; 3º l'emploi encore timide du troisième
acteur (cf. v. 90-117 et 1318 sqq.); 4º le manque de souplesse dans le développement; 5º des traces de couleur
épique dans le style. A l'opposé, dans leur récente édition
du théâtre de Sophocle, Mazon et M. Dain jugent que,
dans *Ajax*, les « ensembles lyriques sont plus importants
et plus complexes » que dans *Antigone*, et que « dans le
dialogue iambique même on constate plus de souplesse ».
Ils inclinent à placer la composition d'*Ajax* après la
représentation d'*Antigone* et la campagne de Samos, au
cours de laquelle Sophocle s'initia à la stratégie et... aux
rivalités d'état-major.

Aucune allusion à un fait contemporain ne permet de
proposer une date probable. Athènes rendait un culte fidèle
au héros salaminien, descendant des Erechthéides et ancêtre
de plusieurs grandes familles athéniennes. Il avait sa statue
comme éponyme dans la salle du Conseil. Invoqué avant
Salamine, il fut honoré d'une trière phénicienne après la
victoire. Les anciens de Marathon, les combattants de
l'indépendance, le vénéraient, de préférence au subtil
Ulysse, d'un hommage plus profond, plus près du cœur
(Aristoph. *Acharn.* 180).

Dalmeyda a fait remarquer que Ménélas incarne le

despote spartiate, qui règne par la peur, et que, dans la joute oratoire qui l'affronte à Teucer, est évoquée une question qui était d'actualité vers le milieu du siècle : quel degré d'obéissance doit un allié libre et autonome à l'Etat chef de la Confédération. A cette époque se pose pour Athènes la difficulté de concilier les institutions démocratiques et les ambitions d'hégémonie non plus seulement maritime, mais continentale. Ambitions auxquelles mettra bientôt fin la trêve de trente ans, en établissant une sorte de partage d'influence entre Athènes et Sparte. Périclès ne fut sans doute pas étranger à l'élaboration de ce compromis. L'apparition d'une œuvre comme l'*Ajax* se conçoit assez bien dans le climat politique des années 50. (A consulter : G. Méautis, *L'Ame hellénique d'après les vases grecs.*)

7. Le camp formait une véritable ville en bois avec une place centrale et des rues. Cf. 719 sqq.

8. Les anciens attribuaient l'invention de la trompette d'airain aux Tyrsènes, peuple de Lydie.

9. Cf. *Iliade*, VII, 220 sqq. « Ajax s'approcha, portant un bouclier comme un rempart — du bronze sur sept peaux de bœuf... »

10. Cf. n. 6.

11. Dans l'épopée homérique, les Argiens, les Danaens, les Achéens, ce sont les Grecs. Les Phrygiens, les Dardaniens, ce sont les Troyens.

12. Le texte dit « aux deux portes ». Agamemnon et Ménélas, fils d'Atrée, sont les commandants en chef de l'expédition.

13. Artémis Tauropole, honorée par des sacrifices de taureaux. Divinité pastorale, souvent identifiée avec l'Artémis Taurique adorée en Thrace, en Scythie et sur les bords de la mer Noire. Des monnaies représentaient Artémis montée sur un taureau sauvage. L'Artémis Brauronia de l'Acropole passait pour être l'Artémis Taurique. L'Artémis champêtre avait son temple à Salamine.

14. Un des noms d'Arès, évoquant à la fois Enyo, divinité guerrière — mère, fille, ou nourrice d'Arès — et le cri de guerre : *alalé!* — Il avait un temple à Salamine.

15. Anticlée, mère d'Ulysse, était déjà enceinte des œuvres de Sisyphe quand elle épousa Laërte. Sisyphe,

fils d'Eole, était un roi brigand de l'isthme de Corinthe qui détroussait les voyageurs et lançait sur eux des éboulis de rocs. Dans Homère, c'est surtout un homme très rusé, très fertile en expédients.

16. Dieu fils de la Terre (qu'il brise, ou déchire, comme l'indique son nom) : souvent représenté sous la forme d'un serpent adoré sur l'Acropole. C'est une des plus anciennes divinités de l'Attique. Sa légende se trouve bientôt liée à celles de Posidon et d'Athéna. Le serpent qui se love aux pieds de la déesse dans la statue de Phidias, c'est Erechthée. L'Erechthéion est consacré par moitié à Athéna et à Posidon.

17. Ajax a pour père Télamon, qui a pour père Eaque, fils de Zeus.

18. Nous traduisons par Ajax le nom grec Aïas. Les tragiques offrent plusieurs exemples de ces jeux de mots, le plus souvent intraduisibles Tournier signale : *Œd. R.*, 73 et *Ant.* 111. Le nom d'Ajax prête dans Pindare (*Isthm.* VI, 41-55) à un jeu sur le mot *aietos*, aigle : Héraclès a prié Zeus d'accorder à Télamon un fils hardi, et Zeus, comme un présage, lui envoie son aigle. Alors Héraclès à Télamon : « Tu as vu cet oiseau ; donnes-en le nom à ton fils ».

19. Zeus est souvent vénéré comme gardien du bonheur familial, de la maison, de l'enclos, de la propriété ou des richesses de la famille.

20. Imitation d'Homère : *Il.* VI, 455 sqq. C'est Hector qui dit à Andromaque : « En Argolide, sous les ordres d'une autre, tu tisseras la toile, tu porteras l'eau... Et l'on dira en voyant couler tes larmes : « Voilà la femme d'Hector, qui excellait au combat parmi les Troyens, dompteurs de chevaux, quand on se battait autour d'Ilion. » Ainsi l'on dira, et ta douleur sera renouvelée de manquer d'un homme comme moi pour écarter de toi le jour du servage. »

21. Ce nom signifie : au large bouclier. Cf. n. 18.

22. Allusion à la victoire de 480. Ce genre d'anachronisme se rencontre plus d'une fois dans les tragiques Cf. *Œd. R.*, v. 883 sqq., où le poète aurait en vue Alcibiade.

23. Montagne de Phrygie et de Mysie.

24. Cf. *Il.* VII, 299 sqq. Hector à Ajax, après un long combat sans résultat : « Mais donnons-nous l'un à l'autre des présents glorieux ; afin que chacun dise, chez les Achéens et chez les Troyens : certes, ils se sont battus pour

la discorde qui dévore le cœur, mais ils se sont séparés d'accord et amis. » Ayant dit, il donna son épée à clous d'argent avec le fourreau et le baudrier bien coupé; Ajax donna son ceinturon brillant de pourpre. »

25. Dieu rustique, montagnard et pastoral. Un hymne homérique en fait le fils d'Hermès et de la nymphe Dryope. C'est un dieu d'Arcadie, d'un caractère strictement local jusqu'au Vᵉ siècle. Chasseur et musicien, il fait partie du cortège de Dionysos. Il est gai, bruyant, libertin, enclin à faire des farces.

26. Le mont Cyllène se trouve au nord-est de l'Arcadie. Cf. *Les Limiers.*

27. Nom d'une montagne légendaire dont les nymphes avaient reçu Dionysos enfant. Etait-elle située en Thrace, en Thessalie, sur le Parnasse ou en Eubée? Une vigne miraculeuse y croissait qui, chaque jour, donnait des grappes naissantes à l'aurore, vertes à midi et, le soir, bonnes à cueillir. C'est dans l'une de ces Nysa que Silène fut élevé.

28. Ville de Crète, où Dionysos était honoré. Il se peut que Sophocle ait songé aux danses bruyantes que les Curètes, prêtres de Zeus, exécutaient autour de leur dieu-enfant pour couvrir ses vagissements et ainsi le dérober à son père, Cronos, qui l'aurait mangé.

29. La mer Egée, entre les Cyclades et la Carie.

30. Sur la naissance d'Apollon et d'Artémis à Délos, cf. l'hymne homérique à Apollon.

31. Ce devin jouissait d'une grande autorité dans le camp des Grecs. Il s'entend généralement fort bien avec Ulysse.

32. Un simple échange de présents crée entre deux personnes un lien assimilé au lien d'hospitalité. Cf. n. 24.

33. Il s'agit des Erinyes, divinités qui poursuivent les crimes commis contre le sang (parricides, suicides etc.).

34. Cf. *Il.*, XI, 385. Diomède à Pâris, qui d'une flèche vient de l'atteindre au pied : « Archer, être injurieux... si c'était le combat face à face, les armes à la main, que tu tentais, ils ne te serviraient de rien, ton arc et tes flèches nombreuses. » Le dédain pour l'archer s'augmente ici du fait que Diomède s'adresse à un ennemi, et à un lâche. Par contre, au chant VIII (263 sqq.), on voit Teucer faire grand massacre de Troyens, et Agamemnon l'encou-

rager. Seulement, après chaque flèche lancée, « il revient, comme un enfant sous la robe de sa mère, se jeter dans les jambes d'Ajax, qui le cache de son bouclier brillant ». Cette arme fut moins employée et les archers moins en honneur aux époques suivantes. Ils se recrutaient parmi les étrangers.

35. Toujours dans le vote pour l'attribution des armes d'Achille. Cf. Pindare, *Ném.* VIII, 26 sq. : « Les Danaens, dans un vote secret, favorisèrent Ulysse. »

36. L'acte de la supplication crée un lien religieux entre le supplié et le suppliant; il confère à ce dernier un caractère sacré. On peut se constituer le suppliant d'un dieu, d'un mortel ou d'un mort. Le suppliant demande le plus souvent asile ou protection pour sa personne. Sur les rites de la supplication, cf. *Œd. R.*, prologue; Eschyle, *Suppliantes* (v. 327-333, 345-6 sqq.).

37. Le cap Sounion, pointe extrême de l'Attique, au sud-est.

38. Cf. n. 34. Teucer, (« le Troyen ») est un demi-barbare par sa mère, Hésione, sœur de Priam. Télamon l'avait reçue, captive, de la main d'Héraclès, pour prix de sa vaillance, lors de la première destruction de Troie. cf. v. 435, 464 sq. 1299 sqq. et n.224.

39. A Athènes, le droit de plaider devant les tribunaux n'est accordé qu'aux citoyens nés de parents athéniens.

40. Cf. *Il.*, VII, v. 161 sqq., où l'on voit Ajax désigné par le sort pour se mesurer avec Hector en combat singulier. Neuf volontaires, parmi lesquels Agamemnon, s'étaient présentés à l'appel de Nestor. On croit que Sophocle a combiné le récit homérique avec l'histoire d'une supercherie qui rendit célèbre l'héraclide Cresphonte. Après l'invasion du Péloponnèse par les Doriens, le territoire devait être partagé entre trois prétendants dont chacun déposerait dans un vase plein d'eau un caillou marqué d'un signe distinctif. Dans l'ordre des cailloux sortants seraient attribuées d'abord l'Argolide, puis la Laconie, enfin la Messénie. Cresphonte, qui convoitait la Messénie, jeta dans l'urne, en guise de caillou, une boulette de terre, bientôt dissoute, et, de la sorte, il fut loti le dernier.

41. Sur Pélops, cf. n. 114. Aéropé, surprise par son père entre les bras d'un serviteur, ne fut pas jetée à la mer. Chargé de l'exécution, le roi d'Eubée eut pitié d'elle. Elle épousa Plisthène, et plus tard Atrée.

42. Héraclès.

43. « Le commentaire (scholie) dit que ces trois, ce sont Teucer, Agamemnon et Ménélas, mais je crois que c'est Teucer, Eurysace et Tecmesse » (Note manuscrite de Racine dans son exemplaire de Sophocle conservé à la Bibliothèque Nationale). C'est vraisemblable, en effet.

ANTIGONE

44. L'argument d'Aristophane de Byzance mentionne que le succès d'*Antigone* valut à Sophocle d'être un des dix stratèges désignés en 440 pour l'expédition contre Samos. La pièce triompha donc aux Grandes Dionysies de 441, selon toute vraisemblance. Il est vrai qu'Euripide obtint, cette année-là, sa première victoire. Rien ne dit que l'un des deux poètes ne fût pas couronné aux Lénéennes. Il n'est pas impossible non plus que Sophocle ait remporté le prix l'année précédente.

Quant aux sources, les débris des épopées cycliques (*Œdipodie*, *Thébaïde*) sont d'un secours infime. Une trilogie d'Eschyle portait ce nom de *Thébaïde*. On y voyait se former l'alliance des Sept et se rassembler les armées à Némée. Mais il est fort douteux que la troisième action se déroulât autour du cadavre de Polynice. Une tradition suivie par l'*Antigone* d'Euripide (tragédie perdue) représente Hémon complice de sa fiancée et condamné avec elle, lorsque Dionysos intervenant apaisait la colère de Créon, si bien que la tragédie finissait par un mariage. Un résumé d'Hygin (fab. 72), qui ne suit pas Euripide, mais des tragiques du IVe siècle, et le poème de Stace font voir le sujet envahi par les fioritures. On devine à l'origine une multitude de légendes, toutes d'époque et de localité différentes. L'*Œdipodie* faisait d'Hémon une des victimes de la Sphinx. Sophocle est-il le premier qui ait fiancé Hémon à Antigone ? Son héroïne elle-même, l'a-t-il ou ne l'a-t-il pas de toutes pièces inventée ? Il n'a pas imité, cela est certain, l'*Antigone* d'Euripide, laquelle fut jouée en 428. Quant à Eschyle, on ne doute plus que les derniers vers des *Sept contre Thèbes* ne soient un dénouement postiche ajouté après coup par la piété des Athéniens, afin d'unir les deux chefs-d'œuvre dans une même pompe scénique. D'ailleurs dans ce dénouement, l'édit émane des proboules, représentants de la Cité, et non de Créon; et la peine de mort n'est pas brandie contre le coupable éventuel. Une autre tragédie d'Eschyle, les *Eleusiniens*, évoquait la question de la sépulture des Argiens tombés sous les murs de Thèbes, mais sans poser, semble-t-il, le cas particulier de Polynice.

Sophocle a dégagé de données pour le moins confuses un conflit riche de signification. L'œuvre nous passionne comme si elle était faite pour nous, mais les contemporains y retrouvaient le reflet de leurs préoccupations. En 443, Protagoras d'Abdère, appelé par Périclès pour donner une constitution à la nouvelle colonie de Thurii, attire un public enthousiaste. On discute à perte de vue sur la valeur de la culture rationnelle, sur les fondements de la législation, sur le caractère des lois humaines et des lois naturelles. Dans ces controverses s'affrontent l'ancienne génération, celle d'Eschyle, et la nouvelle, que représentent Anaxagore et Euripide, et dont la liberté d'esprit et l'indifférence religieuse choquent les Athéniens de la vieille école. Sa position d'artiste maintient Sophocle en dehors de l'un et de l'autre camp. Il n'évolue pas dans le plan des idées, où l'on peut toujours trouver conciliation. Chez lui, le conflit tragique est exposé dans sa rigueur : il n'est soluble que par la mort.

45. Dircé : seconde femme du roi thébain Lycos, lequel, pour l'épouser, avait répudié et chassé Antiope. Les deux fils d'Antiope, voulant venger leur mère, attachèrent Dircé aux cornes d'un taureau sauvage qu'ils lâchèrent dans les champs. Mais Dionysos, qu'elle honorait entre tous les dieux, la métamorphosa en fontaine.

46. Adraste, roi d'Argos (cf. *Œd. Col.* v. 377 sqq. et 1301 sqq.)

47. Les forces thébaines sont symbolisées par le dragon et les forces argiennes, par l'aigle. Le combat de l'aigle et du serpent est un thème souvent traité par les poètes anciens (*Il.*, XII, 200 sqq. où le vainqueur est l'aigle). Ici triomphe le dragon, ancêtre des Thébains. Le héros phénicien Cadmos, petit-fils de Posidon, étant parti à la recherche de sa sœur Europe, enlevée par Zeus, arriva en Béotie, où Arès fit surgir devant lui un dragon qui gardait la source de Dircé. Il le tua et, sur le conseil d'Athéna, en sema les dents. Du sillon sortirent des géants qui s'en-tr'égorgèrent. Il en resta cinq avec l'aide desquels Cadmos fonda Thèbes.

48. Il s'agit de Capanée. Cf. *Œd. Col.*, v. 1319 et Eschyle, *Sept.* v. 421-451.

49. Tantale, fils de Zeus, et père de Pélops, qu'il fit bouillir et servit à la table des dieux. Zeus, indigné, le précipita foudroyé dans le Tartare, où commença son fameux supplice.

50. Il s'agit de chars de guerre.

51. Bacchos, autre nom de Dionysos. Enfant de Thèbes par sa mère Sémélé, fille de Cadmos.

52. La justice (Dicé) infernale, distincte de celle qui est assise auprès du trône de Zeus (Cf. *Œd. Col.* v. 1382). Souvent assimilée aux Erinyes (Cf. n. 33).

53. Nous suivons le texte donné par les manuscrits. On a corrigé κόνις poussière, en κοπίς couteau, mais la leçon κόνις rend mieux compte du grief allégué pour condamner Antigone.

54. Le dieu Erôs, inconnu dans Homère, apparaît chez Hésiode, puis chez les lyriques et les tragiques. Son action se confond avec celle d'Aphrodite, et il est souvent nommé en même temps que cette déesse, mais non comme son fils — du moins chez les tragiques. On le rencontre parfois dans le cortège de Dionysos.

55. Niobé, fille de Tantale (cf. n. 48) et épouse d'Amphion, un des fondateurs de Thèbes. Mère orgueilleuse de cinq garçons et de cinq filles, elle osa railler Latone, parce que cette déesse n'avait que deux enfants. Les siens tombèrent sous les flèches d'Apollon et d'Artémis. Quand elle les eut pleurés sans arrêt neuf jours et neuf nuits, Zeus eut pitié d'elle : il la changea en rocher d'où s'égouttait une source perpétuelle. Le mont Sipyle se trouve en Lydie.

56. Cf. *Œd. Col.* v. 1302. Polynice était devenu le gendre d'Adraste, roi d'Argos, qui lui fournit des troupes.

57. Etrange raisonnement, et dont Gœthe s'étonne (Eckermann, *Conversations de Gœthe*, 28 mars 1827). Beaucoup de critiques ont vu dans ce passage une interpolation. Aristote en cite deux vers dans sa *Rhétorique*. Il peut s'agir d'une interpolation d'acteur, de peu postérieure à la mort du poète. Il peut y avoir aussi, de la part de Sophocle, imitation inopportune d'un passage d'Hérodote (III, 119) : une femme dont tous les proches sont prisonniers est mise en demeure de désigner un seul d'entre eux qui sera sauvé. Elle n'hésite pas et choisit son frère, en usant du même raisonnement qu'Antigone.

58. Le père de Danaé, craignant d'être tué par son petit-fils, enferma sa fille dans un souterrain. Zeus se fit pluie d'or pour visiter la prisonnière, et celle-ci donna le jour à Persée. Le grand-père jeta à la mer la jeune femme avec son nouveau-né, tous deux enfermés dans un coffre, mais ils furent sauvés. Plus tard, Persée tua involontairement le vieillard : les oracles s'accomplissent toujours. On reconnaît l'histoire de l'enfant voué à la mort, mais sauvé par miracle et promis à une haute fortune — conte qui se retrouve dans tous les folklores (par ex. Moïse, Œdipe, Romulus).

59. Les Edoniens sont un peuple de Thrace. Homère conte l'histoire de Lycourgos dans un passage peut-être interpolé (*Il.* VI, 130 sqq.) Ce jeune homme, ayant poursuivi à coups d'aiguillon les nourrices de Dionysos, est rendu aveugle par Zeus.

60. Les Ménades ou Bacchantes (cf. n. 124).

61. Les roches Cyanées entre le Pont-Euxin (mer Noire) et le Bosphore de Thrace. Arès est souvent donné pour un Dieu d'origine thrace, comme Dionysos.

62. Plexippe et Pandion, fils du roi de Salmydesse, Phinée, furent non seulement aveuglés par la seconde femme de leur père, mais enfermés dans un tombeau. Leur mère était une Cléopâtre, petite-fille d'Erechthée (n. 16) par sa mère Orithyie. L'enlèvement d'Orithyie par Borée, dieu-vent soufflant de Thrace, est rappelé par Platon, dans le prologue du *Phèdre*. Sophocle avait écrit une tragédie intitulée *Phinée*. (Sur les Μοῖραι cf. Hésiode, *Théogonie* 217 sqq., 904 sqq.).

63. L'expression se trouve dans *les Choéphores* d'Eschyle, v. 883, et dans *Ajax*, v. 786.

64. Cet alliage se compose de quatre parties d'or pour une d'argent. Hérodote (1,50) distingue l'or « blanc » et l'or affiné.

65. La nymphe Sémélé, fille de Cadmos et de la déesse Harmonie. Zeus s'étant changé en pluie pour la pénétrer, elle désira voir le dieu dans l'éclat de sa puissance, environné d'éclairs ; mais elle tomba alors foudroyée, mettant au monde un enfant.

66. Particulièrement l'Italie du Sud, dont le littoral était riche en vignobles et où le dieu était honoré dans de nombreux sanctuaires.

67. Deô, ou Démèter. Ce dernier nom serait la contraction de Dèmô Mèter, la mère de Dèmos, c'est-à-dire du pays, de la terre.

68. Torrent voisin de la Cadmée. à Thèbes. A une source voisine, Œdipe se serait lavé du sang de son père. Apollon rendait des oracles dans un temple situé en amont. Le torrent doit son nom à un devin, fils d'Apollon, dont le sanctuaire conservait les cendres. Sur le Dragon et sa semence, cf. n. 46.

69. Sur le Parnasse se trouve une grotte, « l'antre en besace », consacrée à Pan et aux nymphes, comme le rappelle une inscription qu'on déchiffre encore au-dessus de l'entrée.

70. Cf. n. 25, 27.

71. Cri rituel qu'on poussait aux fêtes de Dionysos.

72. Cf. n. 65.

73. Prêtresses de Dionysos. Tous les deux ans, en novembre, elles réveillaient le dieu endormi, puis « montaient avec lui sur le Parnasse pour se livrer à l'enthousiasme bacchique... Trois mois plus tard, elles célébraient la mort du Dieu. Ce collège delphique, d'institution très ancienne, semble n'avoir compris qu'un nombre limité de membres » (P. Lavedan *Dictionnaire illustré de la Mythologie et des Antiquités grecques et romaines*). Tous les cinq ans, des femmes d'Attique et de Béotie (cf. Eschyle, *Euménides*, v. 22) venaient s'associer à ces fêtes. — Iacchos est un dieu d'origine attique, confondu plus tard avec Bacchos. C'est lui qui conduisait, lors de la grande procession, le cortège nocturne des Athéniens jusqu'à Eleusis.

74. Cadmos et Amphion, descendant l'un de Zeus, l'autre de Posidon, sont tenus pour les fondateurs de Thèbes : le premier avait bâti la Cadmée, le second (les pierres venant se ranger d'elles-mêmes au son de sa lyre) la ville basse.

75. La gardienne des routes est Hécate, divinité lunaire et chthonienne, souvent confondue avec Artémis. Bienfaisante, elle guide les voyageurs et les navigateurs dans l'orage ; elle rend le sol fertile et facilite les accouchements. Mais l'imagination populaire a fait aussi d'Hécate la déesse magicienne qui envoie les spectres et les frayeurs nocturnes. Elle préside aux incantations, aux maléfices. Médée l'invoque, dans une pièce de Sophocle, *Les Coupeuses de racines*, au moment où, hurlante et nue, elle va

cueillir, en détournant la tête, les plantes dont elle fera dégoutter le lait vénéneux pour composer ses philtres. Couronnée de serpents, Hécate parcourt le ciel, et l'on voit, au-dessus des carrefours, briller sa torche. — Pluton : autre nom de Hadès. Souvent confondu avec Ploutos, dieu de la richesse. Cf. *Œd. R.*, v. 30.

76. La porte du fond s'ouvre; une plate-forme montée sur des rouleaux s'avance, portant le cadavre couché. (C'est la machine appelée *eccyclème*. Cf. *Electre*, 1466 sqq.)

77. D'après Euripide *(Phéniciennes)*, les oracles avaient prédit que la mort de Mégarée (qu'il appelle Ménécée) devrait acheter la victoire de Thèbes. Créon refuse obstinément ce sacrifice. Mais le jeune homme, trompant la tendresse paternelle, se tue. L'accusation d'Eurydice, dans ce cas, ne serait pas fondée. Sophocle fait sans doute état, ici, d'une autre version, qui nous est inconnue.

ŒDIPE ROI

78. La légende s'est constituée à partir de traditions locales et de thèmes folkloriques communs aux bio-graphies de héros conquérants dans les littératures pri-mitives. Les anciens poètes épiques se sont appliqués à les amalgamer. Mais, soit par ignorance, soit par l'effet de préoccupations morales, ils en méconnaissaient l'an-cienne signification religieuse ou magique. C'est ainsi que, faute d'apercevoir dans le parricide un meurtre rituel habilitant le prétendant à la succession royale, ils l'ont représenté comme un accident; et qu'ils n'ont pas vu dans l'union avec la mère l'antique hiérogamie, le mariage avec la Terre, qui équivaut à une prise de possession du sol.

Il n'est pas exclu que la personnalité d'Œdipe se soit dégagée d'un type de divinité chthonienne, par exemple d'un dieu-serpent, comme paraît le suggérer son nom même : *pied-enflé*, figuration anthropomorphique de la queue du dragon (ainsi le héros Mélampous, « pied-noir »). Et la Sphinx fut identifiée avec « Phix la pernicieuse », génie du mont Phikion, en Béotie (Hésiode, *Théog.*, v. 326). Les heurts de races et de peuples et les migrations dont il semble qu'ait été faite l'histoire de ces régions entre l'établissement des Minyens et l'invasion dorienne ont pu favoriser le précipité épique des traditions. Aux jeux funèbres donnés en l'honneur de Patrocle, figure un des-cendant de l'Argien Talaos, lequel avait assisté autrefois aux funérailles d'Œdipe. Le passage de *l'Iliade* qui relate le fait (XXIII, 675, sq.) est assez récent. Néanmoins il évoque un Œdipe non parricide et incestueux, un roi « qui a péri dans le fracas guerrier ». La première men-tion des crimes apparaît au chant XI de *l'Odyssée* (271, sqq.), dans un passage du type *catalogue*, interpolation

des plus récentes, attribuable soit à Hésiode soit à un
poète de l'école béotienne. Là, Œdipe tue, sans le reconnaître, son père ; il épouse sa mère ; les dieux aussitôt
lui révèlent son crime ; cependant, il continue à régner
dans Thèbes, mais « torturé de maux par les dieux ennemis ». Epicasté (Jocaste) se pend. Après elle, « son fils
hérita tous les maux que peuvent déchaîner les furies
d'une mère ». Quels maux ? Il n'est question ni des yeux
crevés ni des enfants incestueux.

Dans la seconde moitié du VIIIe siècle, d'autres
ensembles épiques recueillirent les traditions qui n'avaient
pu trouver place dans les deux grands poèmes. La *Thébaïde*
fut très populaire dans l'antiquité. Homère a même passé
pour en être l'auteur. Un résumé dû à Pausanias permet
d'en reconstituer la trame. Elle a pour motif central la
lutte mortelle des frères ennemis. Les aventures mêmes
d'Œdipe étaient sans doute rappelées plus ou moins
brièvement dans les premiers vers, mais elles furent
développées à part dans l'*Œdipodie*, qui semble avoir été
à la *Thébaïde* ce que les *Cypriaques* sont à l'*Iliade* : une
introduction. Et peut-être le cycle thébain avait-il sa
place précisément dans les *Cypriaques*. Sur l'*Œdipodie*,
il faut se contenter d'une scolie au vers 1760 des *Phéniciennes* d'Euripide. On est parvenu toutefois à démêler
entre les deux poèmes une différence d'esprit : le premier
était plus favorable aux Argiens, le second aux Thébains.
L'écart apparaît notamment sur deux points : 1° d'après
la *Thébaïde*, Laïos encourt la colère d'Héra, gardienne du
mariage, pour avoir fait enlever un fils de Pélops, le jeune
et beau Chrysippe. Or l'oracle lui signifie de n'avoir point
d'enfant. Quel est le lien entre le ressentiment d'Héra et
l'oracle ? Sans doute la plainte de Pélops, entendue par
Zeus. Toujours est-il que Laïos est assassiné à Potnies,
entre Thèbes et le Cithéron. Or il y avait dans la région
un sanctuaire d'Héra. C'est là aussi qu'Eschyle (*Œdipe*,
frgt. 187) situe la scène du meurtre et que, au moment
de la peste, son Œdipe et sa Jocaste iront implorer la
déesse. Il suivait donc la tradition la plus ancienne, celle
qui charge Laïos d'un double crime : violer la chasteté
conjugale, désobéir à l'interdiction que par trois fois lui
a intimée Apollon. L'*Œdipodie*, au contraire, semble avoir
tu le rapt de Chrysippe. L'oracle tombant dès lors comme
une défense arbitraire, la faute de Laïos ne consistait
plus que dans sa désobéissance. Sophocle s'en tient à cette
version. Il évite même, à propos de l'oracle, de parler

d'une faute de Laïos (*Œd. R.*, 711 sqq.). Alors que, pour Eschyle, la malédiction divine est motivée, Sophocle fait de son héros le jouet du sort. — 2° Sur les enfants de l'inceste, l'*Œdipodie* semble avoir eu le même souci que l'*Odyssée* d'atténuer l'horreur de la légende. Le mythographe Phérécyde rapporte une tradition suivant laquelle Œdipe avait eu d'Epicasté deux enfants, lesquels étaient tués bientôt après par des Minyens d'Orchomène; plus tard, sa seconde femme Euryganée lui donnait Etéocle et Polynice, Antigone et Ismène. Mais tous les tragiques — on en a recensé jusqu'à dix qui ont traité la légende — ont suivi l'autre version. Sur l'exposition de l'enfant, sur sa jeunesse passée à Corinthe, sur son inquiétude touchant sa naissance, sur les circonstances du parricide, sur la rencontre de la Sphinx, sur l'arrivée à Thèbes, sur la peste, sur l'enquête, sur la révélation de la vérité, sur le châtiment enfin, il est vain de vouloir dresser le compte de ce que Sophocle doit à ses devanciers. Dans l'*Œdipe* d'Euripide, que nous n'avons pas, ce sont les serviteurs de Laïos qui arrachent les yeux au meurtrier de leur ancien maître, et c'est Créon, par jalousie, qui accuse Œdipe d'incurie, mène l'enquête, soupçonne bientôt le criminel et peut-être excite contre lui la révolte des serviteurs. On croit la pièce postérieure à celle de Sophocle.

Ce qu'il importerait de savoir, c'est si ce dernier a eu un initiateur pour la conduite même de son drame. Elle nous paraît d'une nouveauté saisissante. Or on ne voit pas que les contemporains s'y soient montrés autrement sensibles, puisqu'ils n'ont pas couronné *Œdipe roi*. Même en admettant qu'ils aient eu une politesse à faire à un neveu d'Eschyle, un accueil si réservé s'explique malaisément. Est-ce la nouveauté même de la formule qui a choqué le public? Ou les trop sombres couleurs de la peinture?

Et pourtant la tonalité de ce drame s'harmonisait avec les inquiétudes de l'heure, si l'on admet comme vraisemblable qu'il fut représenté entre 430 et 420. Athènes ne s'était pas jetée dans la guerre de gaieté de cœur. Thucydide (II, 54) déplore l'abus que l'on faisait alors des oracles et des prophéties. Masqueray, à qui nous empruntons cette remarque, relève aussi, dans la comédie des *Acharniens*, jouée en 425, une exclamation parodiée d'*Œdipe roi* (V. 629). Enfin l'épidémie de 430 a pu suggérer au poète l'idée de son pathétique prologue et de son chant d'entrée du chœur.

Sur les légendes du cycle thébain, on consultera :

L. Legras *Les Légendes thébaines* (Paris, 1905), C. Robert, *Oidipous* (Berlin, 1917), G. Méautis, *Eschyle et la trilogie* (Paris, 1936), Marie Delcourt, *Légendes et Cultes de héros en Grèce* (Paris, 1942).

79. Sur les suppliants, cf. n. 36. Les bandelettes qui entourent les rameaux sont le signe de l'inviolabilité du suppliant. Prosternés ou assis à même le sol, les suppliants se livrent à la Terre, juridiction redoutable parce que son intervention signifie ou le succès ou la mort.

80. A l'origine, le péan est un chœur chanté et dansé avec accompagnement de lyre ou de flûte, en l'honneur des dieux guérisseurs : Apollon, Asclépios, etc., pour les adjurer de détourner un fléau ou une maladie. La peste ou tout autre fléau est souvent envoyé par les dieux aux cités qui ont laissé vivre des enfants mal venus ou difformes.

81. Cf. n. 68.

82. Cf. n. 75 (fin).

83. La Sphinx s'apparente aux démons personnifiant les âmes en peine qui, avides d'amour et de sang, hantent le sommeil des vivants. Telles sont les Kères, les Erinyes, les Harpyies, les Sirènes; chez les Latins, Pan, Faunus, Incubus, etc. (cf. n. 110).

84. Cf. n. 118.

85. Létô, fuyant devant Python, s'était jetée à la mer et Posidon avait fait surgir pour elle l'île flottante de Délos, où elle donna le jour à Apollon et à Artémis (cf. l'Hymne homérique à Apollon). Apollon, dieu de la médecine, envoie et guérit les maladies. Thucydide relate que, pendant la peste de 430, les Athéniens se souvinrent d'un oracle rendu par Apollon aux Lacédémoniens : « S'ils faisaient la guerre à outrance, ils auraient la victoire et lui-même les seconderait. »

86. Pausanias (IX, XVII, 1 et 2) nous apprend qu'à Thèbes Artémis Eucléia (Glorieuse) avait son temple dans la ville basse, sur la place du marché; non loin, se trouvaient des statues d'Apollon Secourable et d'Athéna Combattante (ceinte pour le combat).

87. La fille de Zeus est Pallas. Arès (v. 190) personnifie la Peste.

88. Fille du dieu marin Nérée, épouse de Posidon, Amphitrite a pour palais l'Océan Atlantique, une des extrémités du monde connu des anciens. Le Pont Euxin

en est une autre. Arès est d'ailleurs révéré sur les côtes de Thrace. Cf. *Ant.* v. 969 sqq.

89. Cf. n. 80. La Lycie est située au sud de l'Asie Mineure. Suivant une tradition, Létô, déesse-louve, aussitôt après la naissance d'Apollon et d'Artémis à Délos, aurait été conduite en Lycie par des loups, auprès du fleuve Xanthos.

90. Cf. n. 51.

91. Un crime, même involontaire, même légitime, entraîne pour son auteur une souillure, et par conséquent la nécessité d'une purification. Il en est de même pour le sacrilège. Toute personne ayant eu contact avec un objet impur doit être également purifiée. Les agents principaux de purification sont l'eau, le feu, le sang. L'être impur souillant ce qu'il touche, nul ne peut se purifier soi-même. Ici, le coupable maudit par Œdipe est donc condamné à porter à jamais sa souillure.

92. Les vers 241-48 ne s'accordent pas très bien avec l'indulgence manifestée en 227 sq. De même, il est étrange qu'Œdipe oublie d'annoncer qu'il a mandé Tirésias; de même, au vers 118, il avait été question d'un survivant du drame dont le témoignage pourrait être décisif, mais aussi couperait court à l'enquête : c'est sans doute pourquoi Œdipe a omis de le convoquer. Ici même, tout ce discours, où Œdipe s'accable d'avance, ne produit son plein effet que si le spectateur connaît ou du moins soupçonne la suite de l'histoire (cf. n. 106).

93. Loxias : l'oblique. —à cause, sans doute, de l'ambiguïté de ses oracles.

94. La loi athénienne oblige les étrangers qui veulent avoir un domicile légal et jouir de la protection de l'Etat à se faire inscrire sur les registres du dème : un membre du dème les présente et répond de leur honorabilité.

95. L'Imprécation (Ara) est ici distincte des Vengeances (Erinyes). Eschyle les confond, faisant dire aux Euménides (les *Bienveillantes*, nom propitiatoire donné aux Erinyes) : « Nous sommes les tristes enfants de la Nuit; dans les demeures souterraines on nous nomme les Imprécations. » Les Imprécations vengent plus spécialement les crimes commis contre une divinité, un hôte ou un parent.

96. Montagne de Béotie, sur laquelle Œdipe fut exposé.

97. C'est, ici, le contrefort rocheux du Parnasse.

98. « Connu particulièrement à Delphes, mais attesté ailleurs, l'omphalos, qualifié « de Gê », a un rapport certain avec la Terre : c'est une éminence conique, qui est imaginée par les anciens tantôt comme un tombeau, tantôt comme le centre de la Terre. » (Gernet et Boulanger, *op. cit.* p. 59). Cf. Eschyle : *Euménides*, v. 40, et *Choéphores*, v. 1036.

99. Région située au nord du golfe de Corinthe, entre l'Etolie et la Phocide.

100. L'émulation pour rechercher le coupable, comme Œdipe l'a recommandé.

101. Cf. n. 98.

102. Abae, en Phocide : sanctuaire et oracle d'Apollon. Olympie est le grand sanctuaire de Zeus, en Elide. Dorien à l'origine, il finit par devenir un sanctuaire panhellénique.

103. Premiers fruits de la terre ou du bétail. Sur Apollon Lycien, cf. n. 112.

104. Le foyer est ici la demeure du dieu, son temple. Ailleurs le mot désignera la demeure du mort : son tombeau (cf. *Œd. Col.* v. 1726); ailleurs, un autel, par ex., au prologue d'*Œd. R.*, v. 32, l'autel domestique.

105. Il est assez naturel que l'ancien berger qui avait remis l'enfant à Polybe ait reçu mission d'annoncer à Œdipe la mort de son père adoptif. Que le serviteur de Laïos (cf. v. 118 et 1123 sqq.), le seul témoin survivant du meurtre, soit le même que son maître avait chargé d'exposer l'enfant, c'est une coïncidence plus surprenante.

106. Οἰδίπους : au pied enflé (cf. n. 78). Il est d'autant plus singulier que Jocaste n'ait jamais remarqué l'infirmité de son mari qu'elle a rappelé elle-même (v. 718) comment Laïos avait lié les pieds à l'enfant avant de l'abandonner dans la montagne.

107. Hermès. Sur le Mont Cyllène, cf. n. 261. Sur Pan, cf. n. 25. Sur Apollon guérisseur, cf. n. 80, sur Loxias, n. 93.

108. Le culte de Dionysos et celui d'Apollon se partageaient l' « année delphique ». L'Hélicon est une montagne de Béotie.

109. Cf. n. 226.

ÉLECTRE

110. La source la plus ancienne est *l'Odyssée* (I, 35-43, 298 sq. III, 263-275 et 306-310; IV, 519-537; XI, 409-426, 438, 444, 453). A travers un amalgame de traditions, Paul Mazon, dans son édition de *l'Orestie* d'Eschyle (*Les Belles Lettres*, Paris), démêle un groupe d'éléments achéen-mycénien (l'histoire d'Egisthe l'usurpateur) et un élément dorien (Clytemnestre meurtrière de son mari). Nulle part il n'est dit en clair qu'Oreste ait tué sa mère, mais le fait se déduit de certains indices, Mazon va plus loin : il suppose que, venu d'Athènes, le jeune parricide s'en retournera, le crime perpétré, aux lieux où il l'a prémédité. Il y sera jugé sur la colline d'Arès... Au vrai, la justification du parricide par le commandement de l'oracle et celle du meurtre de l'époux par le ressentiment de la mère meurtrie sont deux thèmes qui n'apparaissent pas dans *l'Odyssée*, mais dans les poèmes cycliques (*Retours*, *Chants Cypriaques*) et dans les *Catalogues hésiodiques* : traditions d'origine dorienne auxquelles la lyrique fera un sort. De *l'Orestie* de Stésichore, deux vers cités par Plutarque joints à quelques points de repère, tels que des scolies à des vers des *Choéphores* ou bien de *l'Electre* d'Euripide, permettent d'entrevoir le développement de la légende antérieurement aux tragiques. Les principaux épisodes en sont déjà constitués et s'enchaînent : le songe de Clytemnestre, Electre envoyée au tombeau porteuse de libations expiatoires, la reconnaissance du frère et de la sœur (dans cette version, l'Atride a son tombeau en Laconie), Egisthe égorgé sur son trône, puis — scène que nous a conservée une peinture de vase — Clytemnestre accourant derrière Oreste, la hache haute, un cri tardif d'Electre, et le laconien Talthybios, l'ami d'Oreste, surgissant pour arrêter le bras de la tueuse au

moment où il va s'abattre sur la tête du fils, selon le geste
d'autrefois devenu réflexe, la vieille criminelle frappée
enfin à son tour, les Furies se levant de son cadavre et
le fugitif tenant en respect la meute grâce aux flèches
qu'Apollon lui a prêtées... Pindare (*Pyth.* XI) se demande
quelle passion a pu armer le bras de l'épouse, mais il ne
fait allusion ni à l'oracle ni au châtiment du parricide.
Quant à l'idée maîtresse de l'hérédité du crime, elle s'est
ébauchée sans doute dès les poèmes cycliques, confusément d'abord, sans intention morale précise, par l'entraînement naturel qui fait ajouter aux légendes des suites ou
des antécédents.

Il appartenait à Eschyle d'orchestrer tous les autres
thèmes autour de celui-là. Au centre de son *Orestie*, la
scène capitale des *Choéphores* montre les enfants s'exaltant
dans le désir de la vengeance, grisés par l'émanation mystérieuse du sépulcre. A cet instant, ils ne font qu'un : « Vois
ta couvée blottie sur ce tombeau »... Quand viendra l'heure
d'agir, toute la lumière tombera sur Oreste, exécuteur
du châtiment et proie désignée des Furies. Les souffrances d'Electre, sa longue attente, ses humiliations, sa
haine, ne fournissent à la flamme de la vengeance qu'un
aliment de plus. L'épisode de la reconnaissance couronne
l'exposition. Après l'invocation au mort, le rôle de la sœur
est terminé.

On ne sait d'où est venue à Sophocle l'idée de mettre
le personnage au centre de son drame. Ceci dans l'hypothèse infiniment probable où son *Electre* est antérieure
à celle d'Euripide. Une allusion à la campagne de 413
permet de dater cette dernière presque à coup sûr. Or
elle paraît chargée d'intentions critiques allant jusqu'à la
parodie, et dont, si les unes atteignent Eschyle, les autres
semblent bien viser Sophocle. Il a forcé jusqu'à l'odieux
les traits de l'héroïne, quitte à lui prêter, son crime commis,
une crise de remords, tandis qu'il adoucissait avec beaucoup d'art la figure de Clytemnestre. En somme tout se
passe comme s'il avait tenté une synthèse des deux conceptions du sujet. Par une surcharge de touches réalistes, il
rapprochait de l'humanité moyenne et contemporaine des
héros surgis des âges barbares, en même temps qu'il
traduisait un problème religieux en termes de morale.

Quelques similitudes de détail qu'on a relevées entre le
récit du précepteur et le récit de la mort d'Hippolyte —
dans la tragédie d'Euripide qui porte ce nom — autorisent à placer la composition d'*Electre* entre 425 et 415

sensiblement, et sans doute plus près de cette seconde date.

(Sur l'évolution de la légende, cf. Georges Méautis, (*op. cit.*, n. 78), *Eschyle et la trilogie* (Paris, 1936) et Marie Delcourt, (*op. cit.*, ibid.).

111. Iô, fille du fleuve Inachos. Aimée de Zeus, qui la changea en génisse au moment où Héra allait les surprendre. D'abord surveillée par Argos aux cent yeux, puis, après la mort de son gardien, rendue furieuse par les piqûres d'un taon, elle s'enfuit d'Europe en Asie (Cf. Eschyle, *Prométhée enchaîné*). Son fils Epaphos s'établit au bord du Nil. Son arrière-petit-fils Danaos conduisit aux rivages de l'Argolide ses cinquante filles fuyant la poursuite de leurs cousins (Cf. Eschyle, *les Suppliantes*).

112. Très anciennement Apollon apparaît comme un dieu chasseur (archer), dieu des pays vivant de la chasse. A cet aspect primitif se rapporte le souvenir d'Apollon dieu-loup : Lykeios. On lui sacrifie des loups.

113. A trois lieues au nord d'Argos. Agamemnon est roi de Mycènes, comme dans Homère. L'épithète *riche en or* est homérique.

114. Fils de Tantale, Pélops, venu de Phrygie en Elide, passe pour avoir chassé du Péloponnèse (territoire qui depuis porta son nom), les Héraclides ou descendants d'Héraclès venus de Thessalie. Il a pour fils Atrée et Thyeste; Atrée a pour fils Agamemnon et Ménélas, Egisthe est un fils de Thyeste.

115. C'est chez son père que fut élevé Oreste. Le Phocidien Pylade joue dans Eschyle (*Choéphores*, v. 900 sqq.) le rôle d'agent de l'oracle delphique.

116. Note de Racine : « Sophocle a un soin merveilleux d'établir d'abord le lieu de la scène. » Et il rapproche cette « ouverture » de celles du *Philoctète* et de l'*Œdipe à Colone*.

117. Le nom de Pythô, qui désigne Delphes et le pays environnant, rappelle la victoire remportée par Apollon enfant sur le serpent à cent têtes qui gardait l'oracle de la Terre, près de la source Castalie. Le nom de Delphes rappelle le *dauphin*, dieu aquatique des Crétois et emblème de leurs navires. Dès le xve siècle, les marins crétois pénètrent dans le golfe de Crisa.

118. Dans l'*Iliade* on voit parfois se nouer des amitiés entre adversaires. Ainsi Diomède et Glaucos (VI, 119-236),

découvrant que leurs pères étaient unis par l'hospitalité, échangent leurs armes au lieu de combattre. « Sautant à bas de leurs chars, ils se prennent la main et se jurent fidélité. » Cf. n. 24.

119. *Les Jeux Pythiques* passaient pour avoir été fondés soit par Diomède, soit par Apollon en mémoire de sa victoire sur le serpent Python. Nous savons qu'ils furent établis (ou rétablis ?) par un décret des Amphictions, en 585.

Ces jeux de Delphes, d'Olympie, de l'Isthme et de Némée avaient un caractère panhellénique : tout homme de race grecque pouvait y concourir. Il y avait aussi des jeux fédéraux et des jeux donnés par une cité.

120. C'est ainsi que Pythagore aurait fait annoncer sa mort et aurait reparu, comme par la grâce d'une seconde naissance, pour accréditer le dogme de la métempsycose.

121. Cf. n. 93.

122. Scolie : les dons d'hospitalité d'Arès sont les coups, qui blessent ou qui tuent.

123. Cf. n. 95.

124. Le rossignol, messager de Zeus, parce qu'il annonce l'aurore. Le roi de Thrace, Térée, séquestrait sa belle-sœur Philomèle, qu'il aimait. Sa femme Procné la délivra ; mais, en proie au délire, elle servit à son mari la tête et les membres de leur propre fils, Itys. Au moment où, brutalement dégrisé, Térée, la hache à la main, va atteindre Procné et Philomèle, les deux femmes sont changées, la première en rossignol, la seconde en hirondelle, tandis que Térée devient huppe. Cf. l'histoire de Lycourgos (*Antigone* v. 955 ssq.), celle d'Orphée déchiré par les Ménades et celle du roi Penthée, portée à la scène par Euripide dans les *Bacchantes*. Le culte du Dionysos thrace est empreint d'un caractère violent et sauvage. Sur Niobé, cf. n. 55.

125. Sophocle est le seul des tragiques à ne pas identifier Iphianassa et Iphigénie. Dans *l'Iliade*, il n'est pas question du sacrifice d'Iphigénie. La légende apparaît dans les *Chants Cypriaques*.

126. Eschyle suit la tradition selon laquelle Agamemnon est tué dans son bain.

127. Chez les Grecs, pour désigner un enfant libre, le nom du père joint au nom personnel a la même valeur que chez nous le nom de famille.

128. C'est-à-dire en plein air pour que l'effet en soit détourné. Le Soleil est un dieu purificateur. Ce n'est que dans le *Phaéton* d'Euripide qu'on le trouve identifié avec Apollon (cf. *Œd. R.*, v. 661, 1426, *Trachin*, v. 95 etc.).

129. Arrivant à Pise, près d'Olympie, en Elide, le fils de Tantale prétendit à la main d'Hippodamie, fille du roi Œnomaos. Ce dernier, ayant appris d'un oracle qu'il périrait par son gendre — d'autres disent amoureux de sa fille — proposait aux prétendants une course de chars. Il en sortait toujours vainqueur, grâce aux cavales ailées dont le dieu Arès, son père, lui avait fait présent. Et il tuait les concurrents malheureux. Pélops seul triompha, car non seulement il disposait des chevaux ailés de Posidon, mais il avait soudoyé Myrtile, le cocher du roi. Une roue du char royal s'étant détachée en pleine course, Œnomaos fut tué. Pélops, sur le chemin du retour, jeta le cocher à la mer. Les malédictions de Myrtile mourant pesèrent sur la maison de Pélops : Hippodamie eut pour fils Atrée et Thyeste. Cette histoire de joute meurtrière illustre vraisemblablement un rite d'habilitation à la succession royale (cf. n. 78).

130. Cf. n. 112.

131. Ce récit s'inspire par endroits d'Homère : *Il.*, XXIII, notamment : 327-348 et 362-372 : les conseils de Nestor pour le virage autour de la borne et le tableau du départ. — Les cinq joutes ou *pentathle* (v. 692) comprennent 1) la course, 2) la lutte, 3) le pugilat (plus tard le lancer du javelot), 4) le saut, 5) le lancement du disque.

132. Un habitant de l'Achaïe (au nord du Péloponnèse).

133. « Pour les attelages à quatre chevaux, dit Hérodote (IV, 189), les Grecs sont les disciples des Libyens. » Barcé se trouve au sud-ouest de Cyrène. Magnésie : presqu'île (et ville) de Thessalie. Enia : en Etolie, au nord du golfe de Corinthe.

134. L'épreuve se court autour d'un axe terminé par deux bornes, l'une à la hauteur de laquelle se donne le départ, l'autre placée un peu avant le bout de la carrière, pour laisser la place de tourner. Un tour de piste comprend donc un trajet d'aller et un trajet de retour. Pour que se produisît la rencontre entre le Libyen et l'homme d'Enia, il a fallu que l'attelage de ce dernier, s'emportant comme il est dit dans le texte, franchît l'axe, lequel n'était marqué

vraisemblablement que par une simple levée de terre, et passât de la piste réservée à l'aller sur la piste de retour où se trouvaient ses concurrents.

135. Crisa, dans la plaine de Phocide, entre la mer (v. 180) et les contreforts du Parnasse, où Delphes est suspendue à flanc de montagne.

136. Personnification de la justice distributive et plus spécialement de la jalousie des dieux à l'égard des mortels trop prospères.

137. Amphiaraos, roi-devin, beau-frère du roi d'Argos Adraste. Il se cacha pour ne pas prendre part à l'expédition contre Thèbes, dont il avait prédit l'échec. Mais sa femme Eriphile, séduite par les présents de Polynice, révéla la cachette de son époux. Il dut partir. Il allait être tué d'un coup de lance quand, sur l'ordre de Zeus, la terre s'entr'ouvrit et l'engloutit avec son char.

138. Nauck considère comme interpolés les deux vers 1007-1008, — allusion soit à des supplices soit à une lente agonie dans le fond d'un cachot. Cf *Ant.* 773 sqq. *Electre* v. 379 sqq. L'idée essentielle semble être ici celle d'une mort ignominieuse.

139. Thémis, fille de la Terre et du Ciel. Comme sa mère, elle était une déesse nourricière et prophétique. A Delphes, avant l'arrivée d'Apollon, l'oracle appartenait aux deux déesses, ou à une déesse Terre qui aurait porté successivement les noms de Gê (la Terre) et de Thémis. Cf. n. 52.

140. Les Erinyes. Cf. n. 33.

141. Les chiens et les oiseaux.

LES TRACHINIENNES

142. Sophocle s'inspire d'une épopée perdue, la *Prise d'Œchalie*, attribuée par les anciens à Créophyle de Samos, un poète qu'on disait contemporain d'Homère. On ne sait quelle place y tenait le personnage de Déjanire, mais la jalousie funeste de cette épouse d'Héraclès a souvent inspiré les lyriques, d'Archiloque à Pindare. Bacchylide de Céos, en particulier, fournit par avance un excellent résumé des Trachiniennes (Cf. *les Poésies de Bacchylide de Céos*, traduites par A. M. Desrousseaux, fragment XVI).

La tradition la plus commune place le voyage d'Héraclès en Etolie et son mariage avec la fille d'Œnée après les grands travaux accomplis, mais le cycle des douze travaux ne fut guère fixé avant l'époque d'Alexandre. Sophocle était donc libre d'arranger à son gré l'ordre des faits sans contrarier les versions reçues. Seule la victoire sur l'hydre de Lerne est présentée par lui comme antérieure aux noces du héros et de Déjanire, car toute son affabulation reposait sur l'histoire du Centaure et de la flèche empoisonnée ; le reste, il le laisse dans l'ombre. Ce qui importait à son dessein, c'était d'accentuer le contraste entre la jeune maîtresse et l'épouse vieillissante.

Sur la date à assigner à la représentation, les critiques se divisent : les uns tiennent la pièce pour postérieure à *l'Héraclès* d'Euripide (cf. Masqueray, introduction aux *Trachiniennes*) ; les autres (cf. Parmentier, introduction à *l'Héraclès*) jugent que c'est, une fois de plus, Euripide qui a prétendu corriger les conceptions de son devancier. Des similitudes de détail, le style d'un prologue, l'emploi d'un personnage accessoire, un dispositif choral, ou même la reprise d'une situation exploitée comme un lieu commun de la scène grecque (en l'espèce l'arrivée d'un blessé en proie à un accès de son mal) n'autorisent aucune conclusion décisive. A s'en tenir aux vraisemblances, il est singulier

que Sophocle, s'il a voulu en remontrer à son rival, et
après avoir tracé cette fine étude de Déjanire, pastiche
supérieur de l'art euripidéen, ait en partie manqué son
demi-dieu supplicié, thème épique fait, semblait-il, exprès
pour lui. On dirait qu'il s'est ingénié à le peindre comme
une brute. Au contraire, le lent processus d'idéalisation
qui a humanisé depuis les conceptions primitives la
figure du tueur de monstres trouve sa plus haute expression dans l'*Héraclès furieux* d'Euripide. Ce drame expose
comment le héros, tous ses travaux accomplis, tombe dans
un piège que lui tend Héra; saisi d'un accès de folie, il
tue ses enfants et sa femme Mégara; après quoi, revenu
à la raison, accablé de remords, il surmonte encore la
tentation du désespoir, — donnant ainsi une leçon à
l'époux sans délicatesse de Déjanire. Il n'est pas jusqu'aux
affinités attiques de la légende qu'Euripide ne prenne
plaisir à souligner, plus athénien en l'occurrence que le
poète coloniate. Celui-ci mettra, dans sa dernière œuvre,
la leçon à profit. Une hypothèse toute différente, nous
l'avons indiqué dans notre introduction, est défendue,
dans leur édition récente, par Mazon et Dain : *Les Trachiniennes* seraient la première en date des pièces conservées de Sophocle.

143. Œnée, roi d'Etolie, père de Déjanire, de Méléagre
et de Tydée (ce dernier, père de Diomède).

144. Fleuve qui descend du Pinde et se jette dans la mer
Ionienne. Il sépare l'Etolie de l'Acarnanie. Fils de l'Océan
et de Téthys, c'est le plus grand et le plus fécond des
fleuves. La racine de son nom : *ach* (cf. *aqua* en latin), se
retrouve dans les noms d'autres rivières, et jusque dans
le nom des Achéens : le peuple des rivières.

145. Héraclès, c'est le héros dorien : ses voyages, ses
aventures, ses vertus, ses travaux, sont ceux d'une race.
Sa figure morale s'est dégagée lentement d'un folklore
abondant et divers où l'on démêle des traditions d'origine
argienne et d'autres du fond thébain. Dans les mythes
les plus anciens, il apparaît, comme divinité chthonienne,
associé à Déméter, à Coré, à Dionysos, dans les pratiques
funéraires et les rites de fécondité. De là les descentes aux
Enfers; de là les exploits burlesques du paillard et du
goinfre célébré dans les drames satyriques : dieu libérateur,
mais esclave lui-même de ses appétits. S'il est astreint à
d'incessantes épreuves, c'est qu'Héra poursuit en lui un
enfant de l'amour.

146. Iphitos, fils d'Eurytos. Cf. v. 260-273.

147. Ville de Phthiotide, voisine du golfe Maliaque. Héraclès y est l'hôte du roi Céyx.

148. Omphale, reine de Lydie. Selon les uns, Héraclès amoureux se serait laissé aller auprès d'elle à une mollesse tout orientale, vêtu d'une longue robe à la mode du pays, et filant aux pieds de sa maîtresse; selon d'autres, il accomplit pour elle de nouveaux exploits et reconquit ainsi sa liberté.

149. Le mot « île » n'est pas dans le texte. Mais l'expression « détroit marin » et, d'autre part, l'antithèse continent-îles rendent vraisemblable la suggestion du scoliaste, que nous suivons ici.

150. L'Afrique est jointe tantôt à l'Europe, tantôt à l'Asie, dans cette division des terres en deux continents.

151. Héraclès naquit à Thèbes et y fut élevé. Alcmène avait un sanctuaire à Thèbes. Son mari, Amphitryon, est roi de Thèbes.

152. Héraclès est descendu plusieurs fois aux Enfers : il y a capturé Cerbère et l'a traîné au grand jour; il en a ramené Alceste (cf. Euripide, *Alceste*), et aussi Thésée.

153. Racine note : « *Pascitur in suis campis*. Bonheur des jeunes filles bien exprimé. »

154. Cf. n. 185.

155. Cf. n. 103.

156. Prairies consacrées aux dieux, donc interdites à la culture.

157. Cf. n. 80.

158. Ortygie est l'ancien nom de Délos : l'île aux Cailles (*Od.* V. 123).

159. Aujourd'hui cap Lithada, au nord-ouest de l'Eubée.

160. Par son servage, explique le scoliaste. On peut aussi entendre : purifié de la souillure que constitue son servage.

161. Œchalie, en Eubée.

162. Avant l'arrivée en Argolide des princes Achéens, Tirynthe (la ville des tours) aurait appartenu à Amphitryon. Héraclès y serait né. Il y habitait encore, avec sa famille, à l'époque où il accomplissait ses travaux au service d'Eurysthée. Iphitos, fils d'Eurytos, était son hôte (cf. *Od.* XXI, 27).

163. Cf. n. 54.

164. Note de Racine : « Cette injustice d'Hercule et son infidélité envers Déjanire sont cause de sa perte et l'en rendent digne. »

165. *Idem :* « Cet air froid qu'elle affecte et ses interrogations sont très belles. »

166. *Idem :* « Admirable discours d'une jalouse qui veut apprendre son malheur. »

167. *Idem :* « Elle feint d'avoir beaucoup de compassion pour sa rivale. » (Est-ce pure feinte ?)

168. *Idem :* « Cela est dit avec une raillerie amère. »

169. Ville d'Acarnanie, située sur une hauteur dominant le cours inférieur de l'Achelôos.

170. Cf. n. 51.

171. Littéralement : qui se tend en arrière.

172. Les juges des Jeux portent une baguette pour insigne.

173. Sur les Centaures, cf. *Il.* I, 268, II, 743, où ils sont dépeints comme des animaux sauvages, velus, hantant les montagnes de la Thessalie; *Od.* XXI, 295-304, où ils sont désignés par leur nom de centaures : « piqueurs de taureaux ». Peuple pasteur, aux instincts brutaux et sensuels; associés aux Satyres dans les pompes dionysiaques, la mythologie les fait fils d'Ixion et de la Nuée (cf. Pind. *Pyth.*, II, v. 35-70). Comme les Gandharvas de l'Inde, ils seraient une personnification des rayons solaires. Sur Nessos, on ne sait guère que ce que rapporte ici Sophocle. L'Evenos est un fleuve d'Etolie.

174. Serpent géant à sept têtes, qui vivait dans les marais, au bord du golfe d'Argolide.

175. Le nom de Thermopyles (Chaudes Portes) désignait un défilé où se trouvaient des sources chaudes, extrême prolongement de la chaîne de l'Œta vers le golfe Maliaque. Une bande alluvionnaire déposée par le Sperchios et où passe la route actuelle de Lamia à Atalanti a repoussé la côte à trois ou quatre kilomètres (Cf. Fougères, *Guide bleu* de la Grèce. Paris, 1911).

Au printemps et à l'automne, se tenaient à Anthéla des assemblées amphictyoniques. Les amphictyonies étaient des confédérations de plusieurs cités qui se groupaient autour d'un sanctuaire. La vierge aux flèches d'or est Artémis; toute la côte de Thessalie lui était consacrée.

176. Chiron, fils de Cronos et d'une nymphe océanide, est un centaure. Il doit cette complexion hybride au fait que son père, surpris par Rhéa auprès de la nymphe, se changea en cheval pour échapper à son épouse. Ami et conseiller de Pélée, éducateur d'Achille, médecin éminent, Chiron était immortel par sa naissance. Cependant il consentit à mourir, soit qu'il souffrît d'une blessure incurable que lui avait faite le venin de l'Hydre, soit qu'il se fût dévoué pour la délivrance de Prométhée, soit par dégoût de la vie (Lucien, *Dial. des morts*, 26).

177. En fait les cent victimes destinées à *l'hécatombe* pouvaient être de toute espèce : bœufs, chèvres, porcs, brebis; on n'immolait que celles qui présentaient les conditions requises, et l'on se contentait de montrer les autres au dieu.

178. Plaine qui s'étend au pied de l'Olympe et de l'Ossa.

179. Cf. n. 145.

180. Les Géants, fils de la Terre, reprennent contre Zeus la lutte d'abord entreprise par les Titans. Tous les dieux aident Zeus à défendre l'Olympe, et avec eux Héraclès, qui n'est pas le moins actif.

181. Vallée et ville de l'Argolide. Les jeux qu'on y célébrait passaient pour être de fondation très ancienne, antérieure même au séjour d'Héraclès dans la région. Sur l'Hydre. Cf. n. 174.

182. Erymanthe est situé en Arcadie. Le fauve est un sanglier qu'Héraclès ramena vivant à Eurysthée. Sur les Centaures, cf. n. 173. C'est au cours de son expédition en Arcadie qu'Héraclès, s'étant pris de querelle avec le Centaure Pholos, tua plusieurs des congénères de celui-ci, et en poursuivit d'autres jusqu'au Cap Malée. — Le chien à trois têtes est Cerbère (cf. n. 254); les pommes d'or sont celles du Jardin des Hespérides (les orangers du Maroc).

183. Les historiens modernes pensent que les travaux accomplis au service d'Eurysthée symboliseraient une première tentative malheureuse d'expédition dorienne, sous la conduite de Hyllos, contre l'Argolide. Les Doriens vaincus se seraient mis à la solde du prince Achéen Eurysthée. La seconde expédition, dite « retour des Héraclides », aurait eu lieu quatre-vingts ans après la guerre de Troie, vers 1100, en partant de la Doride (Cf. L. Halphen et Ph. Sagnac, *Peuples et Civilisations*. Paris, t. I, p. 296).

184. Cf. n. 162.

185. « Il y avait..., autour de Dodone et des forêts de
chênes du mont Tomaros, une sorte de sanctuaire quasi
druidique, très ancien, desservi par une confrérie de
Helloi, interprètes des oracles d'un dieu céleste, dont les
pensées s'exprimaient par la voix des tourterelles et le
bruissement des arbres. Ces prêtres-devins se recrutaient
sans doute dans la tribu presque voisine des *Hellopes*...
Ils avaient pour voisins, dans la vallée du fleuve Oropos,
le clan des *Graioi* ou *Graikoi*... » (Halphen et Sagnac,
op. cit., t. I, p. 294.) — Vers le début du XIIe siècle, eut
lieu l'émigration de ces deux peuplades en Thessalie,
vaste creuset où s'amalgamèrent les peuples nordiques
de l'ouest et de l'est.

PHILOCTÈTE

186. La pièce fut jouée sous l'archontat de Glaucippe, la 3ᵉ année de la 92ᵉ Olympiade, soit en 408. L'argument précise que Sophocle fut classé premier.

Le sujet est indiqué dans l'*Iliade*.

Philoctète commandait sept vaisseaux; quatre villes avaient placé sous ses ordres leur corps expéditionnaire. On disait aussi qu'il avait prétendu à la main d'Hélène et que la nymphe Chrysé s'était éprise de lui. Mais son titre de gloire, c'était d'avoir assisté Héraclès mourant et hérité de l'arc fameux dont les flèches avaient déjà une fois détruit Ilion. C'est au ressentiment d'Héra, acharnée contre Héraclès et protectrice des Troyens, qu'il devait son malheur.

Il gisait donc, « souffrant de rudes douleurs, dans la très sainte Lemnos où l'avaient laissé les fils d'Achéens, accablé par la mauvaise morsure d'une hydre funeste... Il gisait là, désolé, mais bientôt le souvenir allait revenir aux Achéens, près de leurs vaisseaux, du roi Philoctète... » (*Il.*, II, 716 sqq). En fait, sa relégation dura un an, d'après la *Petite Iliade*. Ce poème contait l'affaire des armes et aussi l'histoire de Philoctète, sa blessure, son abandon, l'oracle, et peut-être déjà l'orgueil buté du personnage. En tout cas les lyriques (Stésichore, croit-on, et Pindare, *Pyth.*, I) font allusion à ce trait de caractère. Quant à la tradition qui place son aventure lors du premier départ de l'expédition, elle n'est attestée que par les tragiques.

Eschyle et Euripide (celui-ci en 432) avaient déjà traité le sujet. Une analyse due au rhéteur Apollodore nous renseigne sur l'œuvre du premier. Est-ce Eschyle qui a imaginé de substituer Ulysse à Diomède comme ambassadeur auprès de Philoctète ? En tout cas, dans sa peinture de la Pinacothèque, Polygnote n'avait représenté que le seul Diomède. La grande affaire, pour Ulysse, étant de n'être pas reconnu de sa victime, Eschyle ne complique pas les choses : son Ulysse se présente sous un faux nom ; Philoctète a tant souffert que sa mémoire en est un peu troublée. L'autre le grise d'une joie illusoire en lui annonçant qu'Agamemnon est mort, puis il l'engage à se rendre aux champs troyens pour tirer vengeance de Ménélas et d'Ulysse. Comment, par la suite, il laissait tomber son masque, à quels arguments Philoctète se rendait, comment s'exprimaient dans ce drame les conceptions religieuses et morales d'Eschyle, rien ne permet de l'établir. Le chœur était composé d'habitants de Lemnos.

Pour la version d'Euripide, nous avons aussi un résumé — de Dion Chrysostome, cette fois. Ulysse débarque, accompagné de Diomède. Athéna l'a rendu méconnaissable. Il se fait passer pour un fidèle serviteur de son vieil ennemi Palamède, raconte qu'il a été chassé de l'armée et propose une alliance à Philoctète. Mais l'exilé l'invite à couler des jours tranquilles auprès de lui : ses crises ne reviennent qu'à intervalles espacés ; il est alors soigné par les gens de Lemnos, qui sont ses amis... Là-dessus, arrivent des Phrygiens : vont-ils le séduire par leurs présents ? Non, car Ulysse offre à Philoctète de le ramener dans sa patrie. Les Phrygiens s'en retournent bredouilles. Paraît Actor, un des grands du pays, un ami fidèle du malheureux. Sa venue annonce les approches d'une crise. Celle-ci se produit en effet, suivie d'une chute brusque et profonde dans le sommeil. Mettre Actor au courant, le gagner à sa cause, faire main basse sur les armes, c'est un jeu pour Ulysse. Au réveil de Philoctète, il se présentera en compagnie de Diomède et se laissera reconnaître. Sa dupe est désarmée, mais non encore persuadée. Quels arguments le fin rhéteur faisait-il valoir ? Toujours est-il que Philoctète cédait, à la fin — Athéna aidant, peut-être, — et cédait, semble-t-il, entre autres mobiles, à l'attrait de l'aventure (cf. frgt. 792). Euripide aime trop à persuader pour peindre des obstinés à toute épreuve !

Ainsi l'apport personnel de Sophocle se dégage nettement (réserve faite, comme toujours, d'œuvres et d'auteurs inconnus de nous) :

1° Il fait de Lemnos une île déserte, afin de rendre plus complète la détresse de l'infirme.

2° Auprès d'Ulysse, il substitue Néoptolème à Diomède. Dans l'épopée, le fils d'Achille n'était appelé de Scyros

que pour les derniers combats, lorsque Philoctète était
déjà rendu à Troie, et Ulysse ne faisait point de difficulté
pour lui remettre les armes de son père. Il semble bien
que cette seconde dispute au sujet des armes soit de l'invention de Sophocle. Seulement, pour ingénieux qu'il soit,
l'artifice ne va pas sans inconvénients. En appelant
Néoptolème à Troie avant qu'on s'assurât de Philoctète,
Ulysse a caché au jeune homme qu'il n'aurait à jouer qu'un
rôle secondaire dans le dénouement victorieux de la
guerre, et il faudra bien, un peu plus tard (v. 114) lui
avouer cette tromperie. On s'étonne alors que le bouillant
fils d'Achille réagisse si faiblement : il se calme presque
aussitôt, séduit par l'appât d'une gloire qu'un instant plus
tôt il estimait d'un aloi douteux.

Cela dit, le choix d'une âme juvénile et pure comme
instrument de la louche entreprise suffit à consacrer l'originalité de Sophocle. Il y gagne :

1º Par le jeu contrasté des caractères, un enrichisse-
ment psychologique.

2º Une action mue exclusivement par des ressorts
moraux, mécanisme d'une simplicité et d'une souplesse
exemplaires.

187. Plus loin, c'est l'île entière que Philoctète dépeint
comme déserte (v. 221 sq., 300 sq.). Dans *l'Iliade* (VII,
v. 467, XXI, v. 40), Lemnos est donnée pour habitée.
Elle passe même pour avoir fourni de vin le corps expéditionnaire des Grecs devant Troie. L'île étant très étendue, le scoliaste suggère que Philoctète, abandonné sur
une côte déserte, pouvait n'avoir jamais rencontré d'habitants. En dix années, ce serait surprenant.

188. Nom appliqué à tous les peuples voisins du golfe
Maliaque, en Thessalie.

189. Cf. n. 11.

190. Dardanos, fils de Zeus, fonde la ville de Dardania,
à laquelle Tros, le petit-fils de Dardanos, laissera son
nom.

191. Qu'Ulysse n'ait marché que contraint, cela ne
l'excuse pas, au contraire (cf. 1025 sq.). La folie qu'il
simula pour donner le change à l'ambassadeur Palamède
est un des épisodes célèbres de la geste d'Ulysse. On en
trouvait le récit dans les *Cypriaques;* Sophocle l'avait porté
à la scène dans son *Ulysse furieux.* La troisième raison
alléguée ici est la plus forte du point de vue de Néopto-

lème : c'est au cours du premier voyage que les Atrides et Ulysse ont déposé Philoctète.

192. Chrysé (aujourd'hui Strati), petite île située au sud de Lemnos. Les Grecs devaient s'y arrêter pour faire un sacrifice. Elle portait le nom de la nymphe sa patronne.

193. Ile située à l'est de l'Eubée.

194. Roi de Scyros. Achille avait neuf ans, quand sa mère Thétis, pour le soustraire à l'accomplissement d'un oracle, l'envoya auprès de ce roi, qui l'éleva au milieu de ses filles. Achille aima Déïdamie, l'épousa secrètement et en eut un fils, Néoptolème.

195. Les Atrides : Agamemnon et Ménélas.

196. Céphalléniens sont tous les sujets d'Ulysse : gens d'Ithaque, de Céphallénie et même d'Acarnanie.

197. En réalité une flèche de Pâris, mais Apollon avait dirigé la main de l'archer (Cf. *Il.*, XXII, 359 sqq.).

198. Cette épithète homérique qualifie en Ulysse le rang et non l'homme.

199. Cf. *Il.*, IX, 481 sqq. Thessalien, élève du Centaure Chiron. Chassé par son père, il se réfugia en Phthiotide, chez Pélée, qui lui confia l'éducation d'Achille, dont s'occupait déjà Chiron

200. La citadelle de Troie.

201. Promontoire de Troade.

202. Sur l'affaire des armes d'Achille, cf. n. 6.

203. Gê (La Terre) et Rhéa sont une seule et même déesse, appelée aussi Cybèle, et honorée particulièrement en Phrygie et sur le mont Ida.

204. Fleuve de Lydie qui descend du mont Tmôlos.

205. Diomède, très brave, mais souvent brutal, orgueilleux et violent. Il agit souvent de concert avec Ulysse. (Cf. n. 186.)

206. Cf. n. 15.

207. Pylos de Triphylie, la Pylos des sables, dans *l'Odyssée*. Nestor est devenu le type du vieillard sage, prudent et discoureur.

208. Patrocle est le fils d'un roi de Locride. Contraint à s'exiler à la suite d'un meurtre involontaire, il vient à la cour de Pélée et se lie avec Achille, qu'il suit à la guerre, partageant sa tente et son ressentiment, jusqu'au jour où, s'étant décidé à retourner au combat, il est tué par Hector.

Achille le pleure et donne en son honneur des jeux
(*Il.* XXIII.)

209. Thersite (*Il.*, II, 212-278), laid et envieux, récri-
mine sans cesse contre les chefs.

210. Roi de Chalcis, en Eubée (Cf. *Il.*, II, 536). Il
avait été un allié d'Héraclès.

211. Aujourd'hui l'île de Skopelos, au N.-E. de l'Eubée.

212. Dans Homère, les Athéniens ne sont représentés
au siège de Troie que par un des fils de Thésée, Ménes-
thée, qui n'y joue qu'un rôle effacé. Ceux dont on parle ici
se nommeraient Acamas et Démophon.

213. Hélénos (*Il.*, VI, 76) a le don de prophétie, comme
sa sœur Cassandre (cf. Eschyle, *Agamemnon*). Dans Virgile
(*Enéide*, *V*) on le verra épouser sa belle-sœur Andromaque, captive de Néoptolème, après la mort de ce dernier, et accueillir Enée en Epire.

214. Cf. n. 15. On raconte que Sisyphe mourant recom-
manda à sa femme de ne point l'inhumer. Il arriva aux
Enfers, mais y fut laissé comme une âme en peine. Alors
feignant d'accuser sa femme, il obtint de remonter chez
les vivants pour la punir. Pour le faire redescendre ensuite,
il fallut employer la force.

215. Roi des Lapithes (peuple légendaire de Thessalie).
Une légende voulait qu'il se fût uni à une nuée à laquelle
Zeus aurait donné la forme d'Héra.

216. Cf. n. 188.

217. Héraclès, brûlé sur le bûcher de l'Œta.

218. L'envie, c'est surtout ici la jalousie des dieux
(cf. *Electre*, 1466 sq.) — notion voisine de celle de *némésis*
(cf. n. 135).

219. Le volcan de Lemnos, le Mosychlos, était sujet à
de fréquentes éruptions. Aussi l'expression : *feu lemnien*
était-elle passée dans l'usage pour désigner, au propre
et au figuré, un feu violent.

220. Cf. n. 11.

221. Aux nymphes et aux héros on consacre des enclos
à ciel ouvert, non des temples.

222. Machaon et Podalire ont reçu, ainsi que leur sœur
Hygie, le même pouvoir guérisseur que leur père.

223. Cf. la note précédente.

224. Une première fois Héraclès avait pris et détruit

Ilion pour se venger de Laomédon, père de Priam, qui l'avait trompé.

225. Avant de quitter son île, Philoctète salue les sources, comme Polynice cherchant à toucher son père (*Œd. Col.*, v. 1333), comme Ajax (*Aj.*, v. 862) et Antigone (*Ant.*, v. 844) au moment de mourir. En Grèce, où l'eau est rare, rivières et fontaines sont l'objet d'un culte d'appartenance dionysienne. Sur Apollon lycien (dieu-loup ou tueur de loups) cf. n. 112.

ŒDIPE A COLONE

226. La tradition d'Œdipe accueilli en Attique n'est pas attestée dans les textes littéraires avant les *Phéniciennes* d'Euripide (408). Au dénouement de cette pièce, Œdipe déclare que, selon l'oracle de Loxias, c'est en Attique qu'il doit mourir ; Antigone l'y conduira (v. 1703 sqq.). Y a-t-il lieu de croire le passage interpolé ? Cela n'éclaircit point le problème de la source où Sophocle a puisé. Mais on sait qu'un sanctuaire d'Œdipe s'élevait précisément à Colone, non loin de la colline sacrée où Posidon s'était uni à la Terre sa mère. « Le premier cheval était né de la semence que le Dieu endormi avait laissée couler sur le sol » (Cf. n. 78, fin : Mᵐᵉ M. Delcourt, *op. cit.*). Œdipe s'était, lui aussi, uni à sa mère. Il semble donc qu'il y eût une affinité préétablie entre le vieux roi incestueux et ce terroir nourricier de cavales, et que Sophocle, natif de Colone, et d'une piété si attentive, s'inspira, comme d'ailleurs Euripide, d'une tradition locale depuis longtemps reconnue. D'autre part, la grande figure d'Athènes hospitalière et arbitre a été souvent exaltée, spécialement en la personne de Thésée, par Eschyle dans les *Eleusiniens*, par Euripide dans *Héraclès*, dans les *Héraclides* et dans les *Suppliantes*.

Sur le sort qui attend Œdipe après la découverte de ses forfaits, Sophocle a varié suivant les besoins de l'affabulation :

1º Dans *Antigone* : Œdipe est mort à Thèbes, réprouvé. Il n'est pas dit au bout de combien de temps, et non plus comment a éclaté la querelle fratricide. Il n'est pas non plus question d'un exil errant.

2º *Œdipe roi* s'achève, non sans obscurité, par Œdipe disant adieu à ses filles, comme s'il partait pour l'exil, puis rentrant, sur l'ordre de Créon, cacher son opprobre au fond du palais. Comment Sophocle concevait-il la suite ? Les vers 1455-8 semblent bien indiquer qu'Œdipe a le pressentiment d'être réservé pour une mort extraordinaire.

Dans l'*Œdipodie*, Œdipe cédait (croit-on) le trône à ses fils devenus grands. Alors ils l'insultaient, et il les maudissait. Sous le coup de cette malédiction, ils se querellaient, et le plus jeune, Polynice, s'exilait en emportant une partie des richesses paternelles. Aux funérailles du père se rendait une délégation d'Argiens amis de Polynice (*Il.*, XXIII, 679). Mais les deux frères se brouillaient définitivement et la guerre éclatait.

Eschyle, dans les *Sept*, suivait la tradition de l'*Odyssée* : Œdipe s'est éteint longtemps après Jocaste, non sans avoir maudit ses fils, irrité de leurs outrages — ce qui prouve qu'il n'avait pas abdiqué (Cf. *Ep. Cycl.*, II, 336 et *Schol. ad Œd. Col.*, 1375). La querelle des frères n'éclatait donc qu'après la mort du père.

Euripide modifie sensiblement ces données :

a) Œdipe et Jocaste survivent à leurs fils.

b) Au dénouement, on voit Œdipe, avant de partir pour l'exil, tâter les cadavres de ses fils, comme pour les bénir, lui qui les avait maudits. Il est dépeint comme un vieillard débile.

c) Le pouvoir est partagé entre les fils : ils le détiennent à tour de rôle, un an chacun. Lequel des deux est l'aîné, cela n'est pas précisé.

d) Polynice est traité avec une faveur marquée (c'est la tradition pro-argienne de la *Thébaïde*). Ame sensible, il se montre ému en revoyant sa patrie et les siens.

Quant à Sophocle, sous l'influence d'Euripide, il est porté à rendre Polynice attachant, mais tenu de lui faire jouer un rôle odieux. De là quelque flottement dans le dessin de cette figure. Les anciens trouvaient les imprécations du vieillard trop violentes ; les Οἰδίποδος ἄραι étaient passées en proverbe.

Sophocle a-t-il voulu accuser l'antithèse entre cette explosion de fureur sénile et la gravité sereine du finale ? Il semble qu'après le départ du fils, tout conflit humain écarté, on pénètre dans le mystère même de la mort.

Œdipe à Colone fut représenté par les soins de Sophocle le jeune, petit-fils du poète, sous l'archontat de Micon, la 3e année de la 94e Olympiade, c'est-à-dire en 401.

227. Nous traduisons par Erèbe le mot σκότος, l'obscurité, spécialement l'obscurité infernale, que le poète per-

sonnifie dans ce vers comme l'époux de la terre (le mot grec est masculin). Dans la *Théogonie* (v. 125), Erébos est donné comme fils du Chaos. Pour les Erinyes, Hésiode n'en parle pas. Eschyle est peut-être le premier qui les ait dotées d'une généalogie.

228. Les « Bienveillantes » : nom donné par euphémisme aux Erinyes. (Cf. Eschyle, *Les Euménides*.)

229. Les manuscrits donnent ὁδός (le chemin). La plupart des éditeurs suivent la correction de Brunck en ὀδός (le seuil) — leçon autorisée par Homère (*Il.*, VIII, 15) et Hésiode (*Théogonie*, 811) qui parlent d'un « seuil de bronze » du Tartare. Ici, le mot semble désigner la butte de Colone, aux pieds de laquelle s'ouvrait un souterrain. Il y avait dans le sol de Colone des gisements de cuivre.

230. Le passant et Antigone sont censés apercevoir dans les environs la statue équestre du héros protecteur du dème.

231. Image empruntée aux courses de char. (Cf. *Electre*, 720 sq.).

232. On faisait à ces déesses des libations d'eau et de miel, sans vin (cf. v. 159-160 et Eschyle, *Eum.* v. 727 sq.).

233. Cf. n. 227.

234. Les affinités de ce genre, les suppliants ne manquent pas de s'en faire un titre auprès de celui qu'ils supplient. De plus, Antigone, en attirant sur elle-même l'attention des vieillards coloniates, en se comparant à leurs filles, non seulement émeut chez ces hommes le sentiment paternel, mais elle atténue l'impression d'horreur que leur cause la *souillure* dont les yeux mutilés du vieillard sont le signe visible.

235. Souvenir d'Hérodote, II, 35. Hérodote rapporte notamment que les garçons ne sont pas tenus de nourrir leurs parents, mais que les filles y sont tenues.

236. En épousant la fille du roi Adraste. Cf. plus loin, v. 1300-1309.

237. Les *théores* sont les délégués des Etats grecs aux Jeux. Ils consultent en même temps l'oracle. Les Athéniens envoyaient régulièrement une « théorie » à Delphes.

238. Cf. v. 130 sq., p. 234.

239. Cf. n. 118.

240. Il y avait dans la région des terrains crayeux.

241. Déméter et sa fille Coré (Perséphone). — C'est au moment où la jeune déesse se baisse pour cueillir un narcisse que la terre s'entr'ouvre et qu'Hadès, le ravisseur, surgit.

242. 1º Le Péloponnèse est « l'île de Pélops ». Sur ce dernier, cf. n. 114 et 129.

2º Les Lacédémoniens d'Archidamos ravagèrent l'Attique, mais ne touchèrent point, dit-on, aux oliviers sacrés. (Campagne de 430).

3º Chez les Athéniens, quand naissait un garçon, on suspendait à la porte une couronne d'olivier. (Suivant d'autres, il est fait allusion ici à l'huile dont se frottaient les lutteurs, dans les palestres).

243. Le vieux chef est le roi de Sparte Archidamos (Thucydide, I, 80). Le jeune conquérant est Xerxès (Hérodote, VIII, 55).

En 480, avant Salamine, une poignée de Perses ayant réussi à se hisser sur l'Acropole, que défendait une faible garnison, tous les temples furent incendiés. Or, dans celui d'Aglaure (fille du héros fondateur d'Athènes), se trouvait la source salée qui avait jailli sous le trident de Posidon et l'olivier surgi sous la lance d'Athéna, au cours de leur fameuse compétition pour la possession du pays. L'olivier brûla. Mais le lendemain, des transfuges Athéniens, chargés par Xerxès d'accomplir, suivant les rites, un sacrifice expiatoire, « constatèrent qu'un rameau avait poussé sur le tronc abattu, et déjà s'élevait à près d'une coudée ».

Sur Zeus des Enclos Cf. n. 19.

244. Cf. la note précédente, et, v. 1072 sqq., le chœur où Posidon est honoré, ainsi qu'Athéna, au titre de Cavalier.

245. *L'Aréopage* est le plus ancien conseil de la cité. Au pied de la colline, le sanctuaire des Euménides servait de lieu d'asile aux meurtriers. Les desservants en furent les premiers juges criminels.

246. Le rivage d'Eleusis. La grande procession qui ramenait d'Athènes à Eleusis les objets sacrés n'arrivait au rivage qu'à la nuit tombée. On chantait et on dansait à la lueur des torches. Cf. n. 73.

247. Les descendants d'Eumolpos, pontife et roi, qui avait fondé Eleusis et institué les Mystères, formaient un clergé qui en desservait le culte. Plus tard Eleusis fut intégrée dans l'Etat athénien, et un collège de prêtres Athéniens, les Céryces, partagea les fonctions sacerdotales avec les Eumolpides.

248. Rhéa, fille de Terre (Gê) et de Ciel Etoilé (Oura-nos) — cf. Hésiode, *Théogonie*, v. 135 — épouse et sœur de Cronos, est la mère de Zeus, de Hadès et de Posidon. C'est de ce dernier qu'il est question ici.

249. Ancien roi d'Argos. Cf. Eschyle, *Suppliantes*, 260 sqq : « Ce sol a reçu ce nom en mémoire d'un guérisseur des temps antiques, un fils d'Apollon, prophète médecin venu des rivages voisins de Naupacte pour nettoyer cette contrée de monstres homicides... Apis libéra tout le pays et, pour son salaire, vit son nom à jamais mêlé aux prières d'Argos. » (Trad. P. Mazon.)

250. Sur les Sept, cf. Eschyle, *les Sept contre Thèbes*, v. 375-682.

Amphiaraos, cf. n. 106.

Tydée, père de Diomède, demi-frère de Déjanire.

Etéocle, l'Argien : Etéoclos, et non Etéoclès comme le Thébain. Il est représenté par Euripide (*Suppliantes*, 872) comme une sorte de guerrier philosophe, pauvre et dédaignant l'argent; « Il haïssait l'erreur des hommes, non la ville. »

Hippomédon et Capanée sont des géants; ils font contraste avec Parthénopée (nom dérivé de πάρθενος, jeune fille). La mère de celui-ci, Atalante, fut mêlée à plusieurs légendes héroïques. On connaît l'histoire des pommes d'or grâce auxquelles le rusé Hippomène la vainquit à la course et put l'épouser.

251. Cf. n. 47.

252. Perséphone, épouse de Hadès (cf. n. 241).

253. Autre nom de Hadès.

254. Cerbère fils de Typhée (ou Typhon) et d'Echidna (la Vipère). Cf; *Trach.*, v. 1097 sqq.; Hésiode (*Théog.*, v. 822) fait naître Typhée des embrassements de « l'énorme Terre » et du Tartare « brumeux ». Mais ce monstre paraît distinct du dieu Mort (Thanatos), auquel Sophocle, quelques vers plus bas, attribue les mêmes parents. Dans Hésiode (*Théog.* v. 757), Thanatos est un enfant de la Nuit.

255. Thésée et Pirithoos avaient échangé un serment d'amitié avant de descendre de compagnie aux Enfers. Ils voulaient reprendre Perséphone, enlevée par Hadès.

256. Lieux d'une identification incertaine.

257. Il y avait près de l'Acropole un temple de Déméter *Euchloos* (verdoyante).

258. Cf. n. 104.

259. Cf. Hésiode, *Théog*. 231 sq. L'odieuse Eris (Lutte)
est mère d'une nombreuse progéniture : Oubli, Faim,
Meurtres, Querelles, « Serment enfin (Horcos), le pire des
fléaux pour tout mortel d'ici-bas qui, de propos délibéré,
aura commis un parjure ». (Trad. P. Mazon).

LES LIMIERS

260. Le manuscrit des *Limiers* a été découvert en Egypte, en 1912, parmi les papyrus d'Oxyrhinchos, par A. S. Hunt. Il est classé sous le nº 1174. Hunt en a le premier procuré une édition critique (*Tragicorum graecorum fragmenta papyracea nuper reperta*, Oxon. 1912, I). Presque en même temps, les travaux de T. de Wilamowitz-Möllendorf, de Carl Robert, de Otto Rossbach, de Henri Schenkl s'attaquaient aux difficultés dont est hérissé ce vestige mutilé. Prenant pour base le texte établi par E. Diehl (*Supplementum Sophocleum* Bonn 1913), nous avons adopté plusieurs des leçons suggérées soit par A. C. Pearson, soit par Masqueray.

Sophocle s'est inspiré de l'*Hymne à Hermès*. A quelques jours de sa naissance, l'enfant-dieu est doué d'une force miraculeuse. Il a fabriqué une lyre avec une carapace de tortue, des tiges de roseau et une peau de bœuf, puis il a volé cinquante vaches appartenant au Soleil, en a tué deux, les a dépecées, en a préparé les viandes ; enfin, revenu à sa grotte natale du Cyllène, il s'est recouché dans son berceau comme si de rien n'était, en serrant sous son bras son jouet merveilleux, sa chère tortue. Cependant Phœbos, ayant constaté le vol, ouvre une enquête. Un vieillard « qui travaillait à la haie d'un verger » lui rapporte avoir vu un enfant pousser devant lui des vaches à reculons. Soupçonnant aussitôt Hermès, il va le trouver dans son berceau. Mais le rusé joue l'innocence. Phœbos fouille partout. En vain. Que faire ? Il emporte l'enfant jusqu'au trône de Zeus. Déjà les balances sont prêtes. Mais Hermès a un air si comique, à demi emmailloté dans ses langes, il se défend avec une si gentille effronterie, que Zeus l'acquitte en riant, à charge qu'il montre la cachette. En effet, Phœbos reconnaît ses vaches, émerveillé que ce bambin ait pu en égorger deux. Pour faire diversion, Hermès joue un air de lyre; le grand frère est charmé. Un accord est alors conclu : le voleur gardera les vaches, mais fera don de l'instrument.

Sophocle conserve la couleur générale et quelques détails, tels que la croissance miraculeuse et les traces brouillées. Mais il noue les épisodes qui, dans l'hymne, étaient indépendants : la lyre sera fabriquée avec la peau d'une des vaches volées et c'est le son de l'instrument qui conduira au but les Satyres « détectives ». Il obtient de la sorte un intérêt de curiosité et une progression dramatique. Où est le voleur ? Qui est-ce ? Organisation des recherches, hypothèses, indices, découvertes amenant la péripétie capitale, — c'est, *mutatis mutandis*, le même procédé qui crée le tragique dans *Œdipe roi*. F. Allègre, qui fait cette remarque, observe également que cette économie du sujet ménage un double divertissement : chorégraphique dans la première partie, musical dans la seconde. Mettant l'indication à profit, Abel Hermant a tiré du drame satyrique le livret d'un ballet : *La Naissance de la Lyre* (musique d'Albert Roussel).

Sophocle a ordonné son action autour d'une idée grandiose : la rencontre d'Apollon et de la Musique. Malheureusement les scènes où cette rencontre avait lieu sont perdues.

Carl Robert suggère que *les Limiers* ont pu être représentés aux environs de 460. Ce qui incline à rapporter l'œuvre à la première partie de la carrière du poète, c'est, outre quelques raisons d'ordre technique assez incertaines dans l'état du texte, l'hypothèse que Sophocle, excellent instrumentiste, a pu y tenir lui-même le rôle d'Hermès. Les Grecs ne regardaient pas de si près que nous à la vraisemblance scénique, et le port du masque facilitait les choses.

261. Génies des bois et des monts, mi-hommes mi-bêtes, entrés assez tard au service de Dionysos, ils se sont confondus bientôt avec les Silènes, esprits des torrents et des sources, pourvus d'oreilles, de pattes et d'une queue de cheval, et qui étaient venus de Thrace dans le cortège du dieu. Les Satyres leur empruntèrent ces particularités, tout en gardant leurs propres caractères : profil camus, lasciveté de bouc. Des Silènes, il ne resta plus que Silène, le vieux Silène ventru et chauve, dont on fit le père des Satyres. (Cf. Virgile, Ve *Bucolique*).

262. Cette montagne située entre l'Arcadie, le pays de Corinthe et l'Achaïe, porte le nom de la déesse qui joue un rôle dans le drame.

263. Cf. n. 80 et 85.

264. Cf. 112.

265. Salomon Reinach suggère que ce devait être le même acteur qui jouait les rôles de Silène et de la nymphe.

266. Longue tige de roseau ou de pin surmontée soit d'une pomme de pin, soit de feuilles de vigne ou de lierre et à laquelle on nouait un ruban ou des bandelettes. Le thyrse dionysiaque est un symbole de fécondité.

La peau de faon *(nebris)* était portée par Dionysos et ses adeptes.

267. Cf. *Il.*, IX, v. 594, etc. Epithète donnée aux femmes troyennes et orientales. La ceinture, placée à la hauteur des hanches et non sous les seins, laisse la robe former d'amples plis sur la poitrine.

268. La nymphe Maïa, fille du titan Atlas et de la nymphe Pléioné. Zeus métamorphosa en constellations (Pléiades) Maïa et ses sœurs, poursuivies par le chasseur Orion. Cette Maïa semble n'avoir rien de commun avec la Maïa romaine, personnification de l'éveil printanier, et souvent assimilée à la Terre.

269. Rat d'Egypte qui suit à la piste les crocodiles. (Cf. le mot grec *ichneutès*, limier).

270. Les escarbots de l'Etna sont renommés pour leur grande taille. Cf. Aristophane, *La Paix*, v. 73, et la scolie.

271. Cf. n. 93.

TABLE DES MATIÈRES

DERNIÈRES PARUTIONS

GF-CORPUS

GF-DOSSIER

GF Flammarion

98/04/64046-IV-1998 – Impr. MAURY Eurolivres, 45300 Manchecourt.
N° d'édition FG001819. – 3e trimestre 1964. – Printed in France.